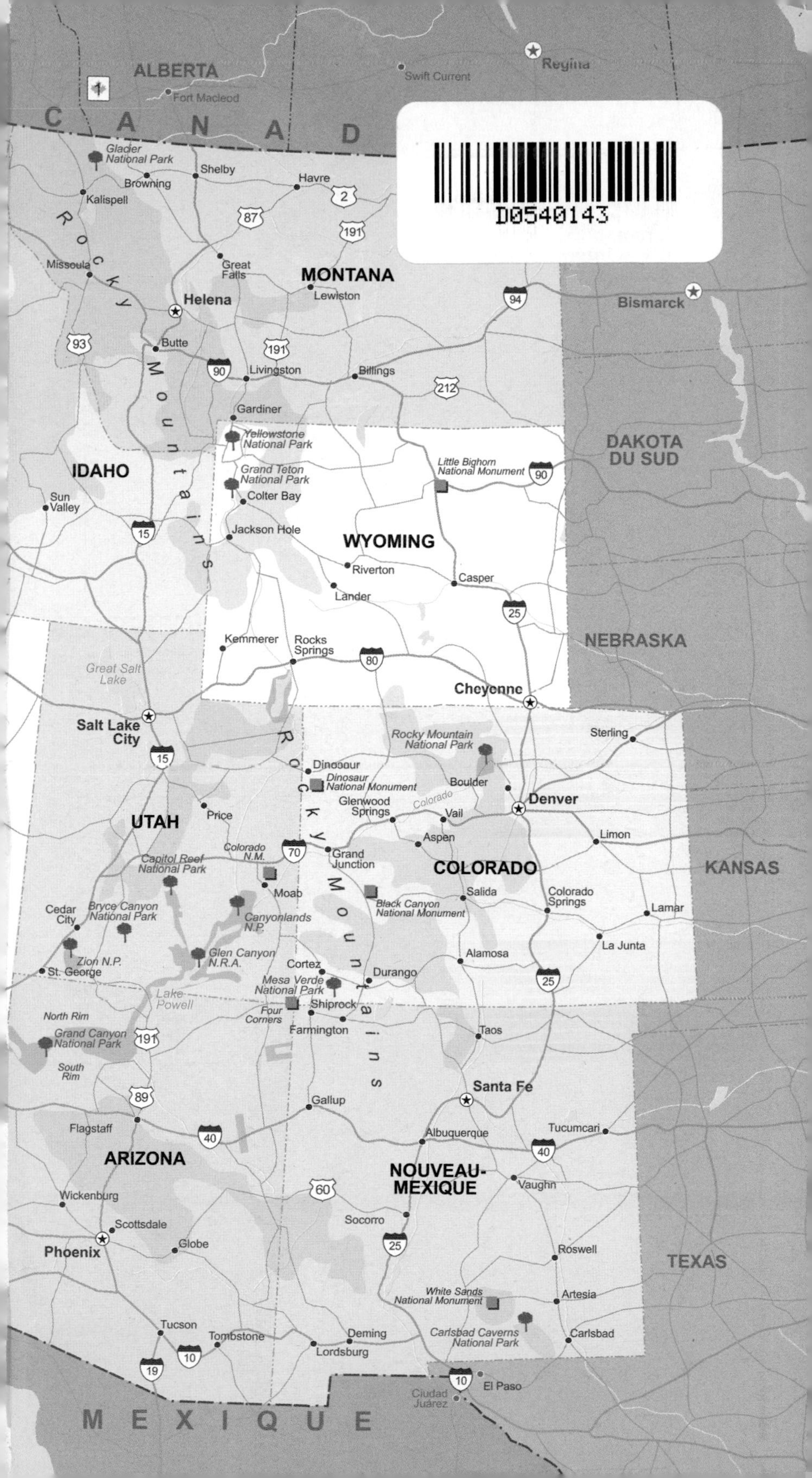

ALBERTA
Fort Macleod
Swift Current
Regina
CANADA
D0540143
Glacier National Park
Shelby
Browning
Kalispell
Havre
Missoula
Great Falls
MONTANA
Lewiston
Helena
Bismarck
Butte
Livingston
Billings
Gardiner
Yellowstone National Park
Grand Teton National Park
Colter Bay
Little Bighorn National Monument
DAKOTA DU SUD
IDAHO
Sun Valley
Jackson Hole
WYOMING
Riverton
Casper
Lander
Rocky Mountains
Kemmerer
Rocks Springs
NEBRASKA
Great Salt Lake
Cheyenne
Salt Lake City
Rocky Mountain National Park
Sterling
Dinosaur
Dinosaur National Monument
Boulder
Glenwood Springs
Colorado
Vail
Denver
Price
UTAH
Aspen
Limon
Colorado N.M.
Grand Junction
Capitol Reef National Park
COLORADO
KANSAS
Moab
Black Canyon National Monument
Salida
Colorado Springs
Cedar City
Bryce Canyon National Park
Canyonlands N.P.
Lamar
La Junta
Zion N.P.
Glen Canyon N.R.A.
Cortez
Alamosa
St. George
Mesa Verde National Park
Durango
Lake Powell
Four Corners
Shiprock
North Rim
Grand Canyon National Park
Farmington
Taos
South Rim
Santa Fe
Gallup
Flagstaff
Tucumcari
Albuquerque
ARIZONA
NOUVEAU-MEXIQUE
Vaughn
Wickenburg
Socorro
Scottsdale
Phoenix
Globe
Roswell
TEXAS
White Sands National Monument
Artesia
Tucson
Tombstone
Deming
Carlsbad Caverns National Park
Carlsbad
Lordsburg
El Paso
Ciudad Juárez
MEXIQUE

Fabuleux Ouest américain

Vivez la passion des grands espaces!

Guides de voyage Ulysse

Édition
Marie-Josée Guy, Annie Gilbert, Pierre Ledoux

Direction artistique
Pascal Biet

Mise en page
Philippe Thomas

Montage de la page couverture
Marie-France Denis

Recherche iconographique
Nadège Picard

Cartographie
Kirill Berdnikov

Correction
Pierre Daveluy, Marie-Josée Guy

Recherche, rédaction et collaboration
Taly Alfaro, Clayton Anderson, Caroline Béliveau, François Brodeur, Pierre Corbeil, Pierre Daveluy, Stephen Dolanski, Sophie Gaches, Jonh Gottberg, Eric Hamovitch, François Hénault, Olivier Jacques, Jenny Jasper, Rodolphe Lasnes, Alain Legault, Oriane Lemaire, Karl Lemay, Alexis Mantha, Lorette Pierson, François Rémillard, Ray Riegert, Yves Séguin, Chantal Tranchemontagne, Marcel Verrault, Matthew Von Baeyer, Catherine Zekri

Photographie de la page couverture
Coucher de soleil sur Horseshoe Bend, méandre du fleuve Colorado, près de Page, en Arizona
©Ron Niebrugge / WildNatureImages.com

Cet ouvrage a été réalisé sous la direction d'Olivier Gougeon.

Remerciements
Guides de voyage Ulysse reconnaît l'aide financière du gouvernement du Canada par l'entremise du Programme d'aide au développement de l'industrie de l'édition (PADIÉ) pour ses activités d'édition.

Guides de voyage Ulysse tient également à remercier le gouvernement du Québec – Programme de crédit d'impôt pour l'édition de livres – Gestion SODEC.

Guides de voyage Ulysse est membre de l'Association nationale des éditeurs de livres.

Catalogage avant publication de Bibliothèque et Archives nationales du Québec et Bibliothèque et Archives Canada

Vedette principale au titre :
Fabuleux Ouest américain
(Fabuleux)
Comprend un index.
ISBN 978-2-89464-890-2 (version imprimée)
1. États-Unis (Ouest) - Guides. 2. États-Unis (Ouest) - Ouvrages illustrés.
F590.3.F32 2009 917.804'34 C2008-941377-6

Bibliothèque et Archives nationales du Québec
Dépôt légal – Quatrième trimestre 2009
ISBN 978-2-89464-890-2 (version imprimée)
Imprimé à Thaïlande

◀ Un des grands mâts totémiques plantés dans la ville de Seattle. *©Dreamstime.com*

▲ L'hallucinante Fremont Street Experience de Las Vegas. © *Las Vegas News Bureau*

Sommaire

Café

Liste des cartes

Légende des cartes

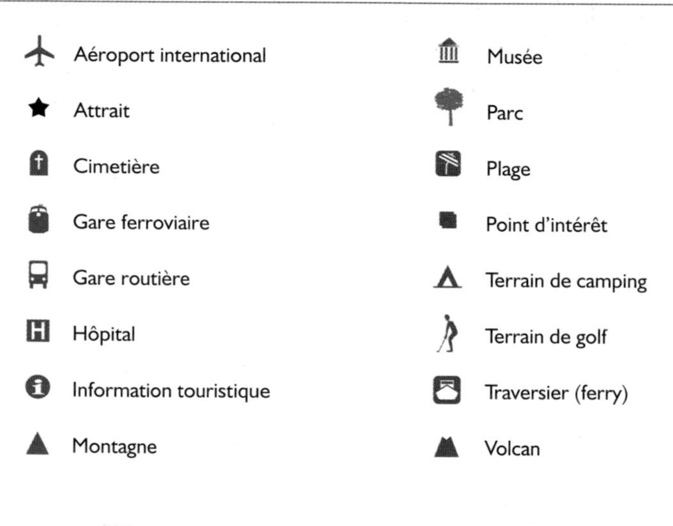

Autoroute

301
Route principale

674
Route secondaire

◂ La Transamerica Pyramid, l'un des symboles de San Francisco. *©iStockPhoto.com/Tim Fan*

▸ Une carte des États-Unis tirée d'un atlas du XIXe siècle. (double page suivante) *©iStockPhoto.com/Nikolay Staykov*

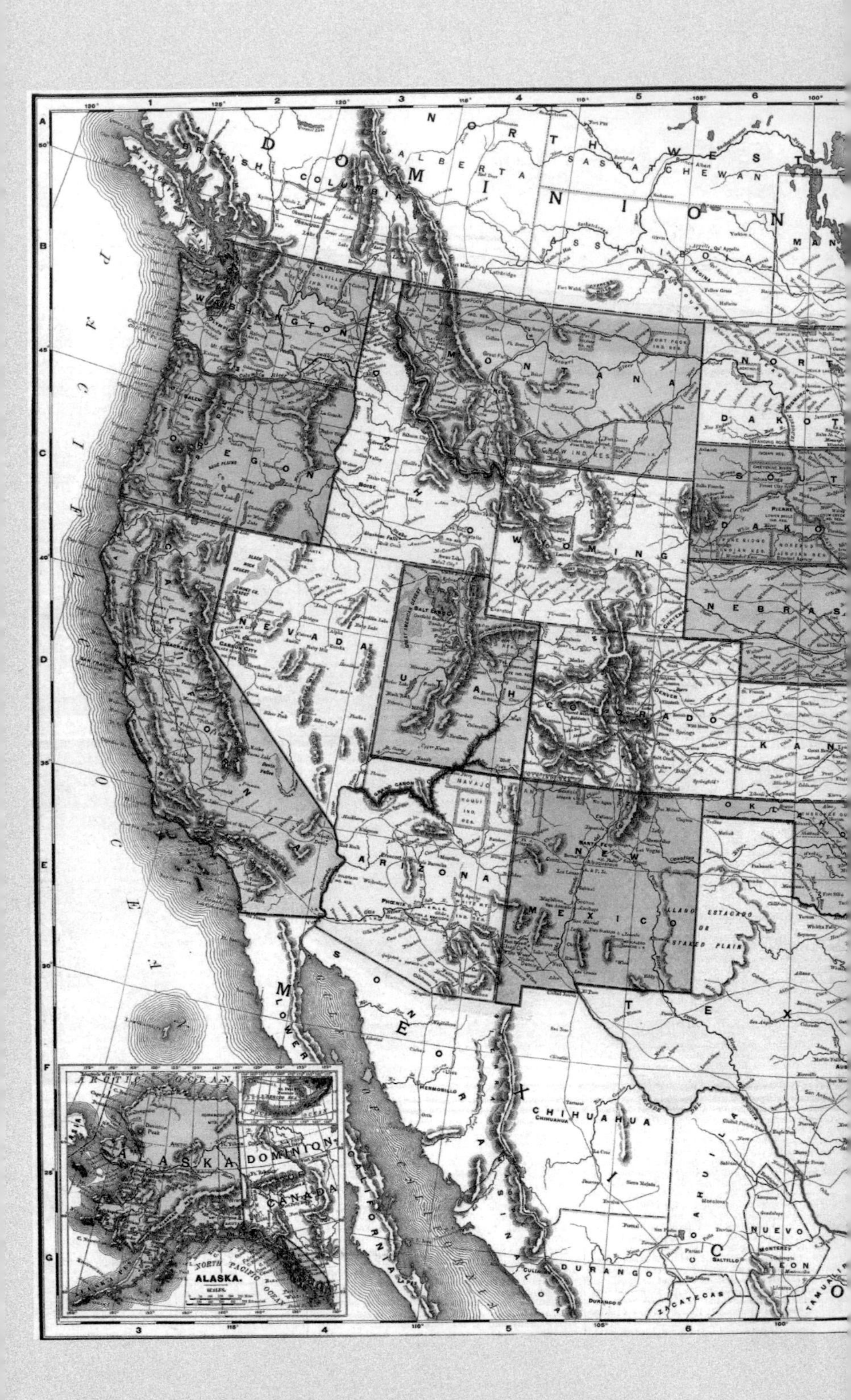

DOMINION
ALBERTA
SASKATCHEWAN
REGINA
WASHINGTON
OREGON
NEVADA
CARSON CITY
SACRAMENTO
MONTANA
CROW IND. RES.
WYOMING
BOISE
UTAH
COLORADO
DENVER
ARIZONA
PHOENIX
NAVAJO
GRAND CANON
NEW MEXICO
SANTA FE
LLANO ESTACADO OR STAKED PLAIN
NEBRASKA
SONORA
HERMOSILLO
CHIHUAHUA
DURANGO
SALTILLO
MONTEREY
NUEVO LEON
ZACATECAS
ALASKA
DOMINION OF CANADA
NORTH PACIFIC OCEAN

LE PORTRAIT

Longitude West from Greenwich
TERRITORIES
OF CANADA
ONTARIO
QUEBEC
NEW BRUNSWICK
MAINE
OTTAWA
QUEBEC
TORONTO
BOSTON
ALBANY
NEW YORK
PENNSYLVANIA
HARRISBURG
WASHINGTON
MINNESOTA
ST. PAUL
WISCONSIN
MICHIGAN
LANSING
IOWA
DES MOINES
ILLINOIS
SPRINGFIELD
INDIANA
INDIANAPOLIS
OHIO
COLUMBUS
MISSOURI
JEFFERSON CITY
KENTUCKY
FRANKFORT
VIRGINIA
CHARLESTON
NORTH CAROLINA
TENNESSEE
NASHVILLE
ARKANSAS
LITTLE ROCK
SOUTH CAROLINA
COLUMBIA
ALABAMA
MONTGOMERY
GEORGIA
ATLANTA
MISSISSIPPI
JACKSON
LOUISIANA
BATON ROUGE
FLORIDA
GULF OF MEXICO
ATLANTIC OCEAN
BAHAMA ISLANDS
CUBA
SCALES.
Statute Miles, 69.16 = 1 Degree.
Kilometres, 111.307 = 1 Degree.

GÉOGRAPHIE ET CLIMAT

L'Ouest américain a une altitude moyenne élevée, une structure géologique fortement hétérogène et bouleversée et une activité tectonique importante. Trois chaînes de montagnes orientées nord-sud dominent sa géomorphologie : à l'ouest, la chaîne Côtière (Coast Range), la chaîne des Cascades (Cascade Range) et de la Sierra Nevada, et à l'est, les montagnes Rocheuses (Rocky Mountains).

Des plateaux intramontagnards comblent l'espace entre les Rocheuses et les cordillères pacifiques (toutes les chaînes se trouvant entre les contreforts des Rocheuses et l'océan Pacifique). S'y profilent nombre de bassins et de surfaces tabulaires, et s'y dressent chaînons et hautes montagnes. Entre les cordillères pacifiques s'étend une dépression irrégulière et discontinue qui se déploie notamment au niveau de la Vallée centrale de la Californie. En général, la côte du Pacifique, qui s'étire en une bande étroite, présente un relief accidenté d'altitude relativement élevée.

Plusieurs éléments topographiques confèrent à cette vaste région un caractère grandiose et pittoresque. La vue des gorges profondes, notamment le célèbre et spectaculaire Grand Canyon, procure des émotions inoubliables. L'ampleur des dénivellations à pic, comme celle du Telescope Peak, qui surplombe de ses 3 368 m la Vallée de la Mort (86 m au-dessous du niveau de la mer), ne peut que laisser bouche bée le voyageur sidéré par la démesure de cette nature indomptable.

Au sud des plateaux se déploient des régions désertiques. De splendides formations géologiques créent des paysages étonnants qui défient les limites de l'imagination. Des déserts de sable et de pierre multicolores d'où émergent mesas, colonnes et falaises insolites,

▲ Le Grand Canyon dans toute sa splendeur.
©Philippe Renault

ciselées au fil du temps, confèrent à ces contrées magnifiques une aura unique en son genre.

On ne saurait négliger, dans ce panorama des merveilles de l'Ouest, les impressionnants cirques glaciaires des plus hautes cimes montagneuses, les riches et verdoyantes forêts, et le fleuve Colorado, un cours d'eau bouleversant, long de 2 330 km, dont le bassin accidenté couvre près d'un douzième du territoire national et se fond dans le désert.

Des rivages tempérés du Pacifique aux rudes et sauvages hauteurs des Rocheuses, en passant par les dunes caramélisées par le soleil du désert, le voyageur qui traverse cette immense contrée ne peut qu'être émerveillé par la diversité des paysages, comme autant de petits univers à découvrir.

Si l'ouest du territoire évoque d'abord des étendues arides où domine le soleil, le nord en revanche est habité par la forêt,

▲ La péninsule de Palos Verdes, au sud-ouest de Los Angeles.
© Dreamstime.com / Byron Moore

les prairies et les lacs aux eaux cristallines. L'Ouest américain, une contrée hétérogène, mais aussi une terre de mirages qui faussent le sens des distances et brouillent les repères.

En raison de la complexité des formations géographiques de la région, on y observe plusieurs contrastes climatiques. Le climat doux du Pacifique, de type tempéré maritime, ne baigne qu'une mince lisière de littoral sur la Côte Ouest, car la Sierra Nevada lui impose une manière de barrière. La chaîne des Cascades reçoit, quant à elle, d'importantes précipitations, dont une grande partie se fait sous forme de neige.

En Californie, le climat est tempéré et très doux toute l'année au nord-ouest, très chaud en été au sud, doux en hiver et caniculaire en été dans les déserts du sud-est (record mondial absolu: 56°C dans la Vallée de la Mort). Très peu exposés aux influences océaniques, les plateaux intérieurs et les Great Plains (Grandes Plaines) sont désertiques dans le sud, où les températures sont très élevées, et semi-arides dans le nord, où il peut faire très froid en hiver à cause des courants arctiques. Les hautes montagnes reçoivent de substantielles précipitations, ce qui permet de fournir en eau ces territoires arides.

▲ La Napa Valley dans son écrin de nature.
©Philippe Renault

Or le problème de l'approvisionnement en eau est majeur dans ces territoires de steppes et de déserts. Le fleuve Colorado en est l'unique réservoir que se partagent sept des États de l'Ouest américain: Colorado, Utah, Wyoming, Nouveau-Mexique, Californie, Arizona et Nevada.

Indispensable, ce fleuve a été soumis à une domestication et à une exploitation si intensives que son embouchure est aujourd'hui presque à sec. Il n'en reste pas moins que la lutte contre l'aridité par l'irrigation est au cœur de l'activité humaine et économique de l'Ouest.

La côte Pacifique

La région de la côte Pacifique comprend les États de Californie, de l'Oregon et de Washington. La **Californie**, surnommée le *Golden State* (État doré), recèle une richesse géographique, démographique et économique des plus étonnantes. Troisième État du pays par sa superficie, elle est traversée sur son flanc est par la Sierra Nevada et sur son flanc ouest par la Coast Range. Ces deux cordillères enserrent la Vallée centrale, une région agricole immensément fertile.

Au nord de la Californie se trouvent des régions montagneuses boisées, et au sud, de vastes territoires embrasés, comme le désert de Mojave. Le visiteur sera ébloui par les charmes extraordinaires et sauvages des parcs nationaux comme ceux de Yosemite, de la Vallée de la Mort et de Lassen Volcanic. Les côtes océaniques accueillent, quant à elles, les principales agglomérations urbaines de la Californie, où vit plus de 90% de sa population.

Son voisin du Nord, l'**Oregon**, est tout aussi diversifié sur le plan de la topographie, avec ses hautes montagnes, ses étendues désertiques, ses forêts tempérées humides et ses vallées fertiles. Deux chaînes de montagnes flanquées de verdoyantes forêts sillonnent parallèlement la portion occidentale de l'État: la Coast Range le long du Pacifique et les hauts monts enneigés de la chaîne des Cascades. Entre les deux s'étendent de fertiles vallées dont la plus large est celle de la rivière Willamette au nord. À l'est de la chaîne des Cascades se déploie un haut plateau aride aux collines ondoyantes qui s'élève au nord vers des pâturages et des forêts aux lacs scintillants des Wallowa Mountains et des Blue Mountains, alors qu'au sud se trouve le Great Basin, une région dénudée et sèche. Le profond canyon de la rivière Snake, une des gorges les plus escarpées des États-Unis, constitue la frontière nord-est de l'Oregon avec l'Idaho.

Au sud, le littoral du Pacifique est magnifique avec sa côte accidentée, ses petits ports de pêche, ses écueils et ses dunes, et l'on y trouve aussi des forêts de pins verdoyantes et les eaux profondes du lac volcanique du Crater Lake National Park, niché au sein de majestueux paysages montagneux.

Le Newberry National Volcanic Monument, en Oregon. ©Dana Johnson/Dreamstime.com

L'attrayant bord de mer à San Diego. ©Philippe Renault

L'État de **Washington** est divisé par la Coast Range, qui crée en quelque sorte une barrière climatique avec les plus hauts sommets de l'État. Dans sa partie occidentale, où le climat est doux et très humide, se dressent les Olympic Mountains au nord-ouest de l'Olympic Peninsula et les Willapa Hills au sud. Encore sauvage, l'Olympic Peninsula constitue une véritable presqu'île baignée à l'ouest par le Pacifique et au nord par le détroit Juan de Fuca, et séparée de la péninsule de Seattle à l'est par le Puget Sound, un vaste bras de mer constellé de petites îles qui pénètre dans l'État sur plus de 130 km. L'est, au climat plus sec et tempéré, comprend les hautes terres de l'Okanogan au nord et un vaste plateau au sud, où le fleuve Columbia et la rivière Snake ont créé des vallées fécondes.

Le splendide État de Washington profite d'un environnement naturel qui est un véritable paradis pour les activités de plein air et que protègent de grandioses parcs nationaux. On peut y admirer des forêts luxuriantes, de hautes cimes enneigées, des mers de glace, de vastes prairies de fougères et de fleurs sauvages, une multitude de lacs, cascades et cours d'eau.

▼ La forêt pluvieuse de l'Olympic National Park, dans l'État de Washington.. ©Dreamstime.com/Patrick Robbins

Les Rocheuses-Nord

La région des Rocheuses-Nord (Northern Rocky Mountain Region) regroupe le Montana, le Wyoming et l'Idaho. Malgré sa grande beauté, elle demeure trop souvent négligée, alors qu'elle dévoile sans pudeur une nature âpre et sauvage. Son mode de vie traditionnel illustre encore parfaitement le rude Far West des cowboys.

Le tiers occidental de l'État du **Montana**, où poussent de denses forêts, est dominé par des chaînes de montagnes. Les prairies de l'est et du centre de l'État servent à l'agriculture. La région est balayée par des courants froids en hiver (fortes précipitations de neige), mais bénéficie d'un climat doux et sec en été.

Le voyageur pourra jouir de la nature exceptionnelle de cet État en visitant l'imposant Glacier National Park, où il découvrira une cinquantaine de glaciers et une multitude de lacs et cascades qui scintillent au milieu de forêts de conifères.

▲ La rivière Yellowstone dans le Wyoming.
©Dreamstime.com

L'État du **Wyoming** ne compte aucune grande ville. Les Rocheuses et d'autres chaînes de montagnes, entrecoupées de vallées et de bassins, se dressent sur la majorité de son territoire, si ce n'est que la frange orientale est constituée d'ondulantes prairies. Le Wyoming est surtout désertique ou semi-aride, sauf en montagne.

Le Yellowstone National Park, dans le nord-est, est non seulement le plus ancien parc national du monde mais aussi le plus imposant des États-Unis. C'est un des endroits les plus fascinants de la planète, avec ses spectaculaires geysers, ses volcans de boue, ses sources chaudes et ses magnifiques paysages de forêts, de lacs et de cascades.

Comme au Wyoming, c'est la nature indomptable qui attire le voyageur en **Idaho**. Dominé aux deux tiers par les Rocheuses, au nord et au centre, l'État compte plus de 50 sommets s'élevant à plus de 3 000 m, et il est couvert à 40% de forêts giboyeuses constellées de milliers de lacs et sillonnées de rivières. La rivière Snake parcourt d'est en ouest l'Idaho, pour remonter ensuite vers le nord en passant par le Hells Canyon, qui recèle les gorges les plus profondes d'Amérique du Nord (plus de 240 m).

Au sud de la plaine de la rivière Snake s'étend une région aride et vallonnée, à l'exception de l'extrémité sud-est, plus boisée et escarpée. Pays d'agriculture, l'Idaho compte une importante population de mormons, membres d'une secte religieuse d'origine américaine qui fondèrent la ville de Salt Lake City, dans l'Utah.

▲ Vue aérienne du site de l'aéroport de Las Vegas. ©Celso Diniz/Dreamstime.com

Le Sud-Ouest américain

Des territoires montagneux et boisés au climat continental de la région des Rocheuses-Nord, le visiteur passe, en arrivant dans le Sud-Ouest, à l'Amérique des déserts et du soleil. La région du Sud-Ouest américain inclut le Nevada, l'Utah, le Colorado, l'Arizona et le Nouveau-Mexique, qui ont tous fait partie du vice-royaume d'Espagne avant d'appartenir au Mexique puis aux États-Unis. Ces États partagent les mêmes caractéristiques géomorphologiques, forment une contrée aride et sont empreints d'une puissante histoire amérindienne et d'une mythologie du Far West qui font encore rêver de nos jours petits et grands aventuriers.

Le **Nevada**, qui renferme la ville de Las Vegas, capitale mondiale du jeu et du spectacle, fait essentiellement partie du Grand Bassin (Great Basin), une région d'altitude élevée où se côtoient chaînons de montagnes aux sommets aplanis et bassins arides. Si le centre de l'État est occupé par une zone d'herbage semi-aride, le sud fait partie du désert de Mojave. Comme les précipitations venant du Pacifique sont freinées par la Sierra Nevada à l'ouest, le Nevada constitue l'État le plus sec du pays.

Que de contrastes entre la débauche clinquante de Las Vegas (*Sin City*) et le conservatisme religieux de l'**Utah,** son voisin! Sa jeune population en pleine croissance est en effet à 70% de confession mormone, ce qui explique entre autres qu'elle présente les plus hauts taux de natalité et de mariage. Le tiers occidental de l'Utah appartient au Grand Bassin. On y trouve le Grand Lac Salé (Great Salt Lake) et le désert qui l'entoure, qui ont été formés par l'évaporation d'une mer préhistorique.

Le nord de l'État est occupé par les Rocheuses, tandis qu'au sud et à l'est s'étend le plateau du Colorado, avec ses canyons grandioses et ses spectaculaires formations géologiques. La nature y a créé des chefs-d'œuvre en travaillant le roc sous toutes ses formes (arches, colonnes, aiguilles, amphithéâtres de pitons élancés, rochers suspendus, grottes, colosses et monolithes). L'Utah a un climat généralement aride avec de fortes précipitations de neige en montagne.

Le Monument Valley Navajo Tribal Park, dans la Navajo Indian Reservation.

Son voisin oriental, le **Colorado,** est surnommé le «toit de la nation» car la majorité de ses sommets s'élèvent audessus de 3 000 m. Deux branches de la cordillère des Rocheuses traversent parallèlement l'État en son centre, du nord au sud.

L'État est formé à l'est par un haut plateau de steppes et à l'ouest par un plateau aux multiples ravins et gorges qui, à la frontière du Nouveau-Mexique, débouche sur la Mesa Verde. Au Colorado, dont le climat continental varie considérablement, se côtoient les versants enneigés des hautes montagnes, les forêts, les déserts et les prairies.

L'**Arizona** du Grand Canyon, du désert de Sonora, des colosses de Monument Valley et des grands espaces a été immortalisé au cinéma dans de nombreux westerns. L'État est coupé en diagonale par les hautes terres, un territoire où se succèdent monts et vallées. Dans le quadrant sud-ouest s'étend le désert de Sonora; dans la partie nord-est se trouvent les mesas et les canyons du plateau du Colorado, notamment le Grand Canyon.

Au cœur du plateau du Colorado, la plus grande nation amérindienne du pays regroupe plus de 200 000 Navajos. L'Arizona connaît en moyenne 306 jours de soleil par année, et la température y est souvent caniculaire (plus de 40°C) sauf dans les montagnes, où il neige généralement en hiver. Dans cet État prédominé par la sécheresse, le peu de ressources hydrauliques ne parvient que bien difficilement à combler les besoins.

Au sud du Colorado, le **Nouveau-Mexique** est traversé du nord au sud par le Rio Grande. Le tiers oriental de l'État appartient aux Grandes Plaines. Le reste du territoire se partage entre le plateau du Colorado au nord-ouest avec ses canyons et mesas, une région aride où s'entremêlent bassins et massifs au sud-ouest, et les montagnes Rocheuses, qui occupent le nord et le centre de l'État.

▲ Vue panoramique s'étendant de l'Arches Canyon jusqu'au Grand Canyon.
©Dreamstime.com/Kushch Dmitry

▶ Le Rio Grande en automne, au Nouveau-Mexique.
©istockphoto.com/Jill Fromer

Près d'un quart de la superficie du Nouveau-Mexique est couvert de forêts. Il convient de souligner que le Nouveau-Mexique bénéficie d'une forte présence amérindienne et hispanique.

HISTOIRE DES ÉTATS-UNIS

Colonisation britannique de l'Amérique du Nord

À l'exception de l'expédition de John Cabot en 1497 à Terre-Neuve et à l'embouchure du Saint-Laurent, les Britanniques arrivent en Amérique plus d'un siècle après la découverte officielle du Nouveau Monde par Christophe Colomb en 1492, un retard qui s'explique en partie par les nombreuses querelles religieuses et politiques régnant à cette époque en Angleterre.

Si le XVIe siècle est essentiellement une période d'exploration, le XVIIe siècle est celle de la colonisation, et les Britanniques, malgré leur arrivée tardive au Nouveau Monde et leurs premières tentatives avortées, se montrent beaucoup plus efficaces dans cette entreprise que leurs concurrents (Espagnols, Français et Hollandais).

Animés par l'espoir de s'enrichir, quelque 150 colons remontent la rivière James en 1607 et fondent le premier établissement de la colonie de la Virginie. La vie se révèle toutefois très difficile dans ces contrées lointaines au climat inhospitalier, et ce n'est que grâce à l'aide autochtone que quelques colons survivront, notamment avec l'apprentissage de la culture du maïs et du tabac.

Peu à peu, la colonie s'adapte au nouvel environnement, et l'économie se développe rapidement, en particulier grâce au tabac, objet d'une forte demande en Europe. Saisissant l'occasion de se refaire une vie, plusieurs Britanniques émigrent en Virginie, autour de laquelle naîtront les États du Maryland, des deux Carolines et de la Géorgie. La vie s'organise autour de grandes propriétés terriennes qui misent sur la culture tropicale et sur les premiers esclaves africains déportés en 1620 pour s'acquitter des tâches les plus ingrates, la base de l'économie sudiste étant fondée sur les inégalités.

▲ L'arrivée de Christophe Colomb en Amérique. ©John Vanderlyn, Architect of the Capitol

▶ Les Pères Pèlerins avant l'embarquement sur le *Mayflower*. ©Robert W. Weir, Architect of the Capitol

Mais les premiers colons n'étaient pas tous animés par le seul espoir de s'enrichir. Ainsi, 36 calvinistes puritains persécutés en Angleterre, accompagnés de 67 marchands aventuriers, s'embarquent sur le *Mayflower* en 1620, en direction de la Virginie, afin de pouvoir vivre une foi plus pure, et ce, en toute liberté. Une violente tempête fait dévier cependant l'embarcation sur les côtes du Massachusetts. Ils y fondent Plymouth, et là encore pour

survivre, les colons ont besoin de l'aide des Autochtones qui les approvisionnent en maïs et en dindes sauvages. L'Action de grâce (*Thanksgiving*), que les familles américaines célèbrent encore aujourd'hui avec un copieux repas de volaille, tire son origine de cette pénible époque des débuts de la colonisation.

Rapidement, l'objectif de la nouvelle colonie du Massachusetts consiste à accueillir d'autres puritains ainsi que des dissidents politiques du Vieux Continent, qui vont commencer à arriver massivement à partir de 1630, pour constituer une population de 20 000 habitants en 1660. Plusieurs de ces immigrants sont éduqués, tenaces, austères, et frôlent souvent le fanatisme religieux, comme en témoigne l'épisode de Salem, où 150 personnes furent emprisonnées et 20 autres furent pendues pour sorcellerie entre 1689 et 1692.

Affirmation des Britanniques

Au début du XVIIIe siècle, la population américaine ne cesse de s'accroître, et elle atteint en 1760 plus de 2 millions d'habitants répartis en «Treize Colonies anglaises» se côtoyant de façon plus ou moins continue sur une mince bande de terre longeant la côte Atlantique, de la Floride au Maine d'aujourd'hui. Se sentant de plus en plus à l'étroit, les colons manifestent progressivement le désir de s'enfoncer dans l'Ouest, pour y défricher et labourer les terres.

Hormis les groupes autochtones qu'ils repoussent sans cesse par la guerre depuis les débuts de l'occupation européenne, les sujets britanniques se heurtent, au fil des décennies, aux Français, dont les missionnaires et coureurs de bois se sont emparés, au nom du roi de France, d'un immense territoire s'étendant de la baie d'Hudson à La Nouvelle-Orléans, dans l'axe nord-sud, et du Missisipi jusqu'aux Rocheuses, dans l'axe est-ouest, pour former un empire couvrant des milliers de kilomètres qui coince et asphyxie littéralement les «Treize Colonies anglaises».

Les propensions à l'impérialisme des Anglais aux dépens des Français se traduisent par de petites escarmouches qui ont cependant tôt fait de se transformer en guerres systématiques chaque fois que surviennent des conflits mettant aux prises les deux grandes puissances européennes dans le Vieux Continent. Avantagés par leur poids démographique et par un meilleur soutien de Londres, les colons britanniques s'emparent progressivement du territoire français faiblement peuplé en commençant par Terre-Neuve, l'Acadie et la baie d'Hudson en 1713 (lors du traité d'Utrecht). C'est toutefois à la

ratification du traité de Paris (en 1763) mettant un terme à la guerre de Sept Ans, qui fait rage en Europe depuis 1756, que Louis XV cède à l'Angleterre toutes ses colonies nord-américaines, à l'exception du gigantesque territoire de la Louisiane, qui est cédé à l'Espagne.

Naissance d'une nation

Les victoires militaires successives des Britanniques en Amérique du Nord contre Autochtones, Français et même Hollandais, font progressivement naître un puissant sentiment de solidarité et de nationalisme au sein des «Treize Colonies anglaises».

Ainsi, lorsque le roi d'Angleterre George III entend faire participer les colonies au remboursement de l'importante dette contractée lors de la guerre de Sept Ans, en imposant des taxes sur divers produits ainsi qu'en votant une série de mesures impopulaires, notamment l'interdiction de coloniser l'Ouest, les Américains s'insurgent contre Londres en faisant valoir qu'elle viole leurs droits et libertés.

Le mécontentement culminera le 16 décembre 1773 avec le *Boston Tea Party*, un épisode durant lequel quelques Américains jettent à la mer une cargaison de thé appartenant à la Compagnie des Indes orientales, une entreprise anglaise

▼ Signature de la Déclaration d'indépendance, le 4 juillet 1776. *©John Trumbull, Architect of the Capitol*

qui détient le monopole officiel du thé. Avisé en janvier 1774, George III fulmine et décide de punir les Américains, devenus beaucoup trop désobéissants envers la Couronne britannique. Il ferme entre autres le port de Boston et met sous tutelle la colonie du Massachusetts.

Pour les Américains, ces répressions royales, une entrave à leur prospérité, correspondent à une véritable déclaration de guerre. La riposte ne tarde pas à venir; en 1775 surviennent plusieurs escarmouches entre Britanniques et Américains qui débouchent, le 4 juillet 1776, sur la Déclaration d'indépendance, rédigée par Thomas Jefferson et entérinée par 12 des 13 colonies. Le texte légitimait en droit l'insurrection américaine et énonçait des principes philosophiques sur lesquels repose encore le système politique américain.

Une fois l'indépendance déclarée, il restait toutefois à la gagner. À en juger par les forces militaires en présence, les Américains sont nettement inférieurs puisqu'ils ne possèdent ni marine, ni armée, ni argent. Mais au-delà des forces militaires, les Américains se montrent dangereusement efficaces sur le plan stratégique et diplomatique, notamment en signant une alliance avec la France, elle-même alliée à l'Espagne, qui leur apporte un appui logistique nécessaire pour affronter l'Angleterre à forces égales.

Après six années de guerre, les Anglais signent le traité de Versailles (1783) consacrant l'indépendance des États-Unis et abandonnant les territoires convoités par les Américains, c'est-à-dire le corridor compris entre la Floride et le Canada.

Constitutions de 1777 et de 1788

Une fois libérée du joug de la Grande-Bretagne, l'État-nation américain restait toutefois à construire. Comment allait-on en effet organiser le nouveau territoire? Quel système politique devait-on adopter? Comment stabiliser la monnaie et assurer la prospérité de la nation? Le défi était de taille. L'unité du pays reposait essentiellement sur les bases d'une coalition en temps de guerre entre des colonies autonomes. Celles-ci n'étaient pas prêtes à renoncer à leurs acquis au bénéfice d'un gouvernement fédéral centralisateur nécessaire à la cohésion nationale aux lendemains d'une indépendance théorique.

▲ Alexander Hamilton, délégué à la Convention de Philadelphie. *©Library of Congress, Prints and Photographs Division, Detroit Publishing Company Collection [det. det.4a26168]*

Les articles de la Confédération, rédigés en 1777, reflètent bien la méfiance des 13 États. Ceux-ci ne permettaient pas au gouvernement fédéral de lever des impôts, de recruter des soldats et de passer des lois relatives au commerce, sans compter que le nouveau pays ne présentait nul système judiciaire adapté à sa nouvelle réalité politique et économique. Bref, les 13 États bénéficiaient en pratique d'une indépendance quasi totale.

▲ Le port de San Francisco au milieu du XIXe siècle. ©Library of Congress, Prints and Photographs Division

L'impuissance de la Confédération à régler les problèmes du jeune pays, ainsi qu'à lui assurer la prospérité, conduit à la Convention de Philadelphie, qui réunit 42 des esprits les plus brillants de l'époque, dont James Madison et Alexander Hamilton. Les discussions souvent virulentes débouchèrent sur une nouvelle constitution résultant d'un compromis entre les partisans du *statu quo* et ceux favorables à une plus grande centralisation du pouvoir gouvernemental.

Ratifié par les États en 1787 et 1788, le texte constitutionnel consacrait le nouveau pays en république et distinguait trois ordres de pouvoir fédéraux aussi indépendants que possible les uns des autres (l'exécutif, le législatif et le judiciaire). Outre la séparation des pouvoirs sur laquelle repose la démocratie américaine, la Constitution des États-Unis comprend une mesure d'amendements qui la rend très flexible et adaptable, deux qualités qui lui ont permis de se perpétuer jusqu'à aujourd'hui.

Expansion territoriale vers l'Ouest

Les années comprises entre 1789 et 1860 correspondent à l'organisation du pays. Les premiers présidents (George Washington est le premier élu en 1789) désirent peu intervenir dans la vie des Américains et croient plutôt aux vertus de l'entreprise privée orientée vers la petite propriété terrienne. Mais cette philosophie de développement ne peut exister sans être accompagnée d'une expansion territoriale, et c'est pourquoi l'exploration, la conquête et la colonisation de nouvelles terres représentent des objectifs capitaux pour les premiers gouvernements.

Le troisième président des États-Unis, Thomas Jefferson, s'attelle le premier à repousser la frontière vers l'Ouest. Il double ainsi le territoire national en 1803 par l'achat, pour la somme de 15 millions de dollars, de la Louisiane, une immense région rétrocédée à la France en 1800 à la suite d'une transaction tenue secrète avec l'Espagne. Jefferson mandate aussitôt le duo d'explorateurs Lewis et Clark

▲ San Francisco en 1851, à l'époque de la migration vers l'Ouest américain.
©Library of Congress, Prints and Photographs Division, [DAG no. 1331]

pour remonter le réseau fluvial à l'ouest du Mississippi afin de rendre compte de l'état de l'ex-possession française.

Guidés par des Canadiens français, Lewis et Clark, partis de Saint Louis en mai 1804, remontent le Missouri, franchissent les Rocheuses, foulent le territoire de l'Oregon (futurs États de Washington, de l'Idaho et de l'Oregon), déjà sous la loupe des Anglais et des Espagnols, mais qui devient possession américaine en 1845 par voie de négociation, et atteignent l'océan Pacifique. Ils reviennent à Saint-Louis le 23 septembre 1806.

Après l'acquisition de la Louisiane, les Américains convoitent désormais les territoires du sud, en commençant par persuader les Espagnols de leur vendre la Floride pour la somme de 5 millions de dollars en 1819. Les Espagnols exigent toutefois du président James Monroe de renoncer au Texas, qui appartient alors à la Nouvelle-Espagne. Malgré cet accord, des colons américains s'y installent dès 1821 et, lorsque le Mexique gagne son indépendance face à l'Espagne en 1823, la tension monte entre les deux nations voisines, qui finissent par se déclarer la guerre en 1836.

Après avoir perdu la célèbre bataille de Fort Alamo (Mission San Antonio de Valero), où le légendaire Davy Crockett (de son vrai nom David de Croquetagne, descendant de huguenots français) trouva la mort, les Américains auront finalement raison des Mexicains à la suite d'une autre guerre amorcée en

▲ Un chercheur d'or en Californie.
©Panning on the Mokelumne, PD, published originally in 1860

1846, qui se solde en 1848 par la ratification du traité de Guadalupe Hidalgo, par lequel le Mexique cède la moitié de son territoire aux Américains. Il s'agit de l'immense région composée des États actuels du Texas, de la Californie, du Nevada, de l'Utah et d'une partie de l'Arizona, du Nouveau-Mexique, du Colorado et du Wyoming. La conquête de l'Ouest, pacifique ou militaire, est accompagnée d'une vaste campagne de propagande intitulée *Go West*, qui répand l'idée selon laquelle l'Ouest américain est synonyme de prospérité économique pour tous.

C'est ainsi qu'en 1870 les 13 États fondateurs ont vu naître en moins d'un siècle 24 nouveaux États grâce entre autres au flot d'immigrants européens qui s'installent généralement dans les villes de la Côte Est, mais qui vont néanmoins favoriser plusieurs mouvements migratoires successifs vers l'Ouest. Estimée à 4 millions d'habitants en 1790, la population nationale atteint les 30 millions d'habitants en 1860.

Désormais, aventuriers, coureurs de bois, trappeurs et cowboys ouvrent la voie aux grandes migrations qui s'amorcent timidement dans la première moitié du XIXe siècle, pour prendre plus d'ampleur à partir de 1850, période durant laquelle fermiers, boutiquiers, artisans, médecins, prédicateurs, bandits et hommes de loi se lancent à l'aventure de l'Ouest mythique.

C'est également l'époque où John Marshall découvre des quantités d'or faramineuses dans l'American River, un événement qui entraîne une véritable ruée vers la Californie, qui se trouve du jour au lendemain envahie par des milliers de prospecteurs d'or chérissant l'espoir de faire fortune le plus rapidement possible. Encouragés par le gouvernement à coloniser ces terres vierges, les pionniers américains arrivent pourtant sur des territoires déjà occupés depuis des siècles par des nations amérindiennes.

À cette époque, plusieurs Américains, particulièrement dans le sud du pays, sont convaincus non seulement d'être supérieurs génétiquement aux peuples non anglo-saxons, mais se croient également investis d'une mission divine pour imposer leur système culturel, basé sur la hiérarchie, à celui des Amérindiens et des esclaves africains.

Cautionnés par la Constitution des États-Unis, qui traite les peuples autochtones comme des nations étrangères, les colons blancs livrent des batailles sanglantes aux Amérindiens, afin de les déplacer vers des terres inhospitalières et même, dans certains cas, de les éliminer du territoire convoité.

Ces événements «héroïques», largement diffusés dans les westerns hollywoodiens, dans lesquels les courageux pion-

Servitude des Noirs dans les champs de coton.
©Library of Congress, Prints and Photographs Division, Detroit Publishing Company Collection [det.4a27015]

niers repoussent les assauts successifs des «Sauvages», ont pendant longtemps participé énergiquement au nationalisme américain.

Nord et Sud : deux mondes distincts

Hormis les qualités (dynamisme, courage, héroïsme, etc.) généralement associées à la conquête de l'Ouest, la colonisation fait aussi surgir plus explicitement qu'auparavant les contradictions fondamentales entre les sociétés du Nord et du Sud tant sur les plans économique, social que culturel. En effet, vers 1850, le nord-est du pays amorce un décollage industriel dans les domaines du textile, de l'alimentation, de la chaussure, de la métallurgie, de la machinerie ainsi que de la transformation du bois.

La Nouvelle-Angleterre, particulièrement dynamique, voit sa population urbaine se gonfler considérablement avec, entre autres, la naissance d'une importante classe ouvrière, notamment dans les villes de New York (813 000 habitants en 1860), de Philadelphie (565 000 habitants en 1860) et de Boston (178 000 habitants en 1860).

Contrairement au Nord, l'économie du Sud se fonde entièrement sur les grandes plantations et la monoculture du coton, qui a peu à peu supplanté les autres cultures en raison de sa forte demande en Europe. La société n'a guère changé depuis le début de l'époque coloniale, et l'élite profondément attachée à sa terre jouit d'une vie d'abondance qui fait l'envie de tous.

Mais la prospérité économique de la minorité n'est possible que grâce à la servitude des Noirs qui travaillent comme des bêtes de somme dans les champs. Bien que la traite des esclaves noirs ait été abolie en 1808 dans l'espoir que l'esclavagisme s'éteigne de lui-même, il a repris de plus belle avec l'essor de la culture du coton qui nécessitait une importante main-d'œuvre servile.

Au départ, les différences de développement entre le Nord et le Sud engendrent des conflits d'ordre économique. Le Nord industriel ne peut compétitionner avec les produits européens vendus à des prix moindres. À la suite des pressions d'industriels influents, le Nord obtient du gouvernement des mesures protectionnistes en levant des tarifs douaniers sur les biens étrangers qui permettent aux industries de la Nouvelle-Angleterre d'accaparer le monopole du marché à l'échelle nationale.

L'intérêt du Sud se situe aux antipodes: le coton est le principal produit d'exportation des États-Unis vers l'Europe, et les planteurs se trouvent donc en état de dépendance face au commerce extérieur. Aimant le luxe auquel ils sont accoutumés depuis des générations, les grands planteurs préfèrent de loin les biens européens, de qualité supérieure à la production américaine. Ils se sentent donc lésés par le gouvernement, qui favorise, par son protectionnisme, les industries du Nord.

Tranquillement, la discorde économique se transpose sur le plan social, et le sujet en est l'esclavage. Le vent de la Révolution française, avec ses idéaux de liberté, d'égalité et de fraternité souffle sur le nord du pays. Pour plusieurs, l'esclavage va à l'encontre de la Constitution américaine, qui stipule que tous les hommes sont égaux.

En Europe, dans la première moitié du XIXe siècle, les voix contre l'esclavage débordent du cadre politique pour devenir un sujet à la mode. L'écho de la contestation se répand progressivement à partir de 1850 dans l'opinion publique des États du Nord, et les campagnes abolitionnistes ne cessent de gagner du terrain. Au Sud, leur survie étant en jeu, les planteurs restent sourds aux protestations, car l'abolition de l'esclavage signifierait pour eux le morcellement de leurs terres, la faillite et la mort d'un mode de vie auxquels ils tiennent si fermement.

Une série de compromis entre le Sud et le Nord avait permis jusqu'alors d'éviter de débattre formellement de la question de l'esclavage, mais la création de nouveaux États issus de la conquête de l'Ouest vient menacer cette éphémère harmonie. En effet, chaque nouvel État doit se prononcer en faveur ou contre la servitude.

L'admission simultanée dans l'Union des États du Maine non esclavagiste (Nord) et du Missouri esclavagiste (Sud) provoque un dernier compromis politique: les nouveaux États du Sud pourront maintenir la servitude alors qu'elle sera interdite dans ceux du Nord.

La guerre de Sécession

L'élection d'Abraham Lincoln, qui a réaffirmé sa promesse d'abolir l'esclavage au cours de la campagne à la présidence de 1860, déclenche la grogne dans les États du Sud, qui feront sécession de l'Union les uns après les autres et formeront une confédération indépendante de 11 États esclavagistes totalisant 9 millions d'habitants incluant les esclaves. Face à la situation, les 23 États du Nord (22 millions d'habitants) se donnent pour objectif de maintenir intacte l'Union sans pour autant renoncer au projet abolitionniste.

Inévitablement, la guerre de Sécession éclate le 12 avril 1861. Lincoln prévoyait une victoire rapide et facile, tant la supériorité industrielle et démographique du Nord est flagrante, mais les Sudistes comptent d'excellents stratèges et feront subir plusieurs défaites aux Nordistes. Après quatre années de guerre extrêmement sanglante, durant lesquelles plus de 600 000 soldats trouvent la mort, Lincoln et ses troupes auront finalement raison des sécessionnistes décimés et à bout de ressources matérielles.

La victoire du Nord marque, d'une part, le triomphe de l'Amérique puritaine, démocratique, urbaine et industrielle, et d'autre part, la mort de la société sudiste fondée sur l'aristocratie, les grandes plantations rurales et les inégalités. L'humiliation du Sud est profonde; la gouverne du pays passe irrémédiablement au Nord, et les troupes fédérales occupent pendant des années le Sud, dont l'économie s'effondre subitement à la suite de la suppression de l'esclavage, qui conduit au morcellement des grandes plantations.

Lincoln respecte sa promesse avant de mourir assassiné en 1865: il abolit l'esclavage dans toute l'Union. En réalité, l'af-

▲ Abraham Lincoln, 16e président des États-Unis d'Amérique.
©Library of Congress, Prints and Photographs Division, Alexander Gardner photograph [cph.3a53289]

franchissement des esclaves ne fait que déplacer le problème. Sans ressources, ne sachant pas comment prendre en main leur destinée, plusieurs d'entre eux retournent sur les plantations comme péons ou métayers; d'autres migrent en ville où ils vivent dans des conditions des plus misérables. Ils sont libres, certes, mais dans les faits, les Blancs du Nord et du Sud refusent de reconnaître leur citoyenneté et s'arrangent pour que leur vie soit la plus misérable possible en les ségréguant du reste de la société.

De l'après-guerre de Sécession à la fin de la Première Guerre mondiale (1870-1918)

À partir de 1870, les États-Unis connaissent une poussée industrielle phénoménale grâce à la mainmise des gens d'affaires sur le pouvoir politique. Tous les moyens sont mis en branle pour accaparer le pouvoir : pots-de-vin, lobbyings, concessions de terres et contrôle de la presse écrite, pour ne mentionner que ceux-là. Les présidents ayant gouverné entre 1870 et 1914 partagent l'idée selon laquelle il faut intervenir le moins possible dans les sphères économiques, sociales et culturelles; c'est l'époque du capitalisme sauvage.

Pour les gens d'affaires, seule la fin justifie les moyens, et le gouvernement ferme les yeux sur les méthodes employées en autant que les entreprises atteignent le succès. Les résultats des politiques économiques hissent les États-Unis au statut de première nation industrielle et agricole.

Marqués par une poussée démographique phénoménale, les États-Unis voient en effet leur population passer de 30 millions en 1860 à 95 millions en 1914. La croissance de la nation bénéficie énormément de cet apport migratoire de plus en plus diversifié : l'immigration fournit la main-d'œuvre aux industries, permet d'occuper les territoires encore vierges de l'Ouest grâce au développement du chemin de fer, pousse les consommateurs à s'engager dans l'achat de la production nationale et offre nombre d'exemples confirmant le rêve américain, selon lequel il est possible de se construire une vie plus qu'enviable à partir de moyens extrêmement limités.

▼ Essor des villes de la Côte Est au milieu du XIXe siècle.
©Library of Congress, Prints and Photographs Division, Detroit Publishing Company Collection [det.4a31829]

Derrière le triomphe d'une poignée d'hommes d'affaires (Rockefeller, Morgan, Carnegie), se cache une réalité beaucoup plus sordide. Dans les usines, la mécanisation de la séquence de production a pour effet d'abrutir et de déshumaniser les ouvriers; les journées de travail frôlent les 12 heures; des enfants travaillent dans les mines; les fermiers s'appauvrissent, la chute des prix les étouffent, et ils s'endettent pour acquérir de la machinerie agricole.

Bien que des syndicats s'organisent pour lutter contre l'exploitation (Knights of Labor en 1869; American Federation of Labor en 1886) et que des écrivains tels Frank Norris et Upton Sinclair s'insurgent en dépeignant dans leurs romans la perversion sociale issue du décollage économique, il faudra attendre les premières années du XXe siècle pour que la présidence américaine décide d'agir en faveur des laissés-pour-compte, avec la prise de pouvoir de Theodore Roosevelt (1901-1909). Ce dernier sera entre autres le premier à se ranger du côté des mineurs en grève, à réglementer l'industrie sauvage des conserves alimentaires de Chicago et à s'engager fermement contre les trusts. Son programme réformiste visant à rétablir les fondements démocratiques se poursuit sous la présidence de son successeur, Woodrow Wilson (1913-1916), qui ne connaîtra, quant à lui, jamais la popularité de *Teddy* Roosevelt.

Sur le plan international, les États-Unis, après avoir acheté l'Alaska aux Russes en 1867, achèvent la conquête territoriale du continent et tournent alors leur regard impérialiste sur le reste de l'Amérique. Suivant les principes de la doctrine Monroe (1823), selon laquelle l'Amérique appartient aux Américains, les États-Unis sont décidés à établir leur hégémonie économique en Amérique latine ainsi qu'à repousser une fois pour toutes les visées européennes sur le Nouveau Monde.

▲ Theodore Roosevelt, 26e président des États-Unis et Prix Nobel de la paix en 1906.
©Library of Congress, Prints and Photographs Division, [cph.3a53299]

En 1898, la destruction d'un cuirassé américain par les Espagnols entraînant la mort de 260 matelots dans le port de La Havane fournit au gouvernement un prétexte inespéré de faire valoir ses prétentions impérialistes. Au terme de la guerre hispano-américaine, l'Espagne cède en 1898 Puerto Rico, les Philippines ainsi que l'île de Guam et, du même coup, consacre symboliquement les États-Unis comme puissance internationale.

Quelque 20 ans plus tard, en 1917, bien qu'essentiellement motivés par des motifs économiques, les Américains ne calculeront pas leurs efforts militaires et industriels pour mener les Alliés à la victoire lors de la Première Guerre mondiale, pour ressortir encore grandis sur le plan international.

▲ Les suffragettes, en mai 1904.
©Library of Congress, Prints & Photographs Division, photograph by Harris & Ewing, [LC-DIG-hec-04155]

Des années folles à la Seconde Guerre mondiale

Après quelques années difficiles où chômage et faillites croissent, la prospérité revient en force à partir de 1920, et les États-Unis deviennent incontestablement la première puissance économique du globe. Jouissant de son succès, l'Amérique des années 1920 déborde d'énergie et presse la cadence des années folles. Persuadés de l'éternité de l'aisance matérielle, les Américains s'en donnent à cœur joie au rythme du charleston et du jazz.

Les femmes connaissent une première émancipation : elles abandonnent leurs corsets et troquent leurs longues jupes pour des tenues plus dépouillées; elles fument, boivent, dansent en public et acquièrent le droit de vote en 1920, soit 20 ans avant les Québécoises et 25 ans avant les Françaises.

Les États-Unis se dirigent tranquillement vers une société de loisirs. La semaine de travail diminue; le niveau de vie augmente; des centres touristiques voient le jour; la pratique du sport se répand; la radio et le cinéma se popularisent; et de plus en plus d'Américains possèdent une voiture, accroissant par le fait même la liberté de mouvement.

Mais à côté de cette Amérique éprise de liberté, partagée, disons-le, par une minorité de citoyens, cohabite une Amérique puritaine, moralisatrice, intolérante, conservatrice, anticommuniste, raciste et ségrégationniste, symbolisée, entre autres, par la prohibition de l'alcool en 1919, qui engendre la prolifération du gangstérisme des Al Capone et qui fait la fortune des Kennedy (et des Bronfman au Canada), ainsi que par la recrudescence du lynchage de Noirs perpétré par le Ku Klux Klan, un regroupement qui prône la suprématie de la race blanche.

Les années folles prennent fin abruptement le Jeudi noir, soit le 24 octobre 1929, alors que la Bourse de New York s'effondre subitement, entraînant dans sa chute une crise économique et sociale sans précédent. Plusieurs banques ferment; les prix dégringolent; l'industrie tourne au ralenti; les faillites d'entreprises font légion; et des millions de travailleurs se retrouvent sur le pavé.

Persuadé que la crise sera de courte durée et qu'elle se résorbera d'elle-même par l'entremise de l'investissement privé, le président Herbert Hoover intervient peu dans la crise, et le chômage continue de progresser, passant de 3,2% en 1929 à 23,6% en 1932.

Élu à l'automne 1932, Franklin D. Roosevelt propose le *New Deal* aux Américains, un programme comprenant une série de mesures destinées à venir à bout de la Grande Dépression et à redonner foi aux citoyens. Au cours des 100 premiers jours de son mandat, le gouvernement fédéral adopte 20 lois à saveur interventionniste qui bouleversent la politique économique traditionnelle du laisser-faire.

Ces mesures visent à redresser l'économie: réorganisation bancaire et financière, aide aux fermiers, restructuration de la production industrielle, formation d'agences pour l'emploi des chômeurs, fixation d'un salaire minimum, injection de fonds publics (Works Progress Administration) dans la réalisation de grands travaux (hôpitaux, ponts, tunnels, routes, etc.) qui donnent de l'emploi à des centaines de milliers de chômeurs. Les efforts de Roosevelt ne parviendront pas à résoudre la crise, tant elle est profonde, mais ils inspireront suffisamment confiance aux citoyens pour leur laisser entrevoir la lumière au bout du tunnel.

▲ Franklin D. Roosevelt, 32e président des États-Unis et initiateur du *New Deal*.
©Library of Congress, Prints & Photographs Division, photograph by Harris & Ewing, [LC-USZ62-63357]

La Seconde Guerre mondiale

Au déclenchement de la Seconde Guerre mondiale en 1939, les Américains ont la même attitude que pendant la Première Guerre mondiale: neutralité politique et opportunisme économique. Le bombardement soudain de la base de Pearl Harbor en 1941 par les Japonais vient changer la donne: les États-Unis déclarent alors la guerre aux forces de l'Axe.

L'effort de guerre américain se met aussitôt en branle sous la direction du War Production Board, directement supervisé par le président Franklin Delano Roosevelt. La demande en armement du côté des Alliés est énorme, et les Américains fourniront 86% des besoins militaires sur le front Pacifique et 35% sur celui d'Europe, principalement en Angleterre.

Tous les secteurs de la société sont mis à contribution: l'armée mobilise 16 millions d'hommes, et l'on double l'embauche des femmes, qui vont occuper des emplois traditionnellement réservés aux hommes. Les effets pervers de la crise de 1929 s'estompent complètement, et les États-Unis renouent avec la prospérité.

La participation américaine sur le front est déterminante pour la victoire des Alliés, tant du côté européen, avec le débarquement de Normandie et de Provence en 1944, que du côté asiatique, avec le largage des deux bombes atomiques sur Hiroshima et Nagasaki en 1945. Le 31 décembre 1945, le président Truman annonce officiellement la fin de la guerre.

L'Amérique en sort la grande gagnante: en 1945, sa production industrielle surpasse celle de tous les pays confondus, et elle devient le modèle et le bouclier du monde occidental. Mais la guerre consacre également une autre puissance mondiale, l'URSS. À la suite de la conférence de Yalta en 1945, le monde se trouve désormais coupé en deux, l'un épousant l'idéologie communiste et l'autre, le modèle capitaliste.

Guerre froide et mouvement hippie

Face à la menace communiste qui plane sur l'Europe aux lendemains de la seconde grande guerre, les États-Unis renoncent à leur politique isolationniste traditionnelle. Truman annonce dès 1947 qu'il apportera une aide économique massive aux pays dévastés par la guerre.

Le plan Marshall consacre l'assistance économique en Europe occidentale et la sauve du désastre économique, du chaos social et de la menace subversive du bloc communiste. De l'aide économique, les États-Unis passent à l'appui militaire en créant de concert avec les pays européens l'Organisation du traité de l'Atlantique Nord (OTAN) en 1949. Les soldats américains débarquent pour la troisième fois en Europe depuis le début du siècle, mais cette fois-ci à titre préventif.

Sur le plan intérieur, les États-Unis craignent obsessionnellement l'infiltration des communistes. La chasse aux «rouges» entamée timidement à la fin des années 1940 prend de l'ampleur à partir de 1950; c'est l'époque du maccarthysme, où l'hystérie anticommuniste conduit à la révocation de milliers de fonctionnaires; le milieu du cinéma est particulièrement touché, alors que des centaines d'artistes figurant sur la liste noire voient leur carrière et leur vie anéantie par la délation.

▼ L'attaque de Pearl Harbor lors de la Seconde Guerre mondiale. *©Library of Congress, Prints and Photographs Division*

▲ John F. Kennedy et son épouse, Jacqueline Bouvier. ©Cecil Stoughton, White House Press Office

Un nouveau vent politique souffle aux États-Unis en 1961, alors que la nation porte John F. Kennedy à la présidence. Jeune, séduisant et sûr de lui, il invite la jeunesse à se ranger à ses côtés afin de mener de grandes réformes sociales et à lutter énergiquement contre la ségrégation. Assassiné à Dallas en 1963, il entraîne, par sa mort, le désarroi de toute une génération assoiffée de changements.

Sur le plan international, les États-Unis interviennent partout où ils entrevoient une menace rouge. En 1959, le gouvernement révolutionnaire de Fidel Castro prend le pouvoir à Cuba et, face à l'intransigeance des Américains, demande l'appui des Soviétiques. En 1961, pour refouler la menace, le président John F. Kennedy autorise le débarquement de Cubains exilés à la baie des Cochons, qui se révèle un échec cuisant. En 1962, les Russes acheminent des missiles nucléaires à Cuba qui font planer l'ombre d'une troisième guerre mondiale; le monde entier retient son souffle. *In extremis*, Kennedy, un an avant sa mort tragique, convainc le premier secrétaire du Parti communiste de l'Union soviétique, Nikita Khrouchtchev, de retirer ses missiles de l'île, le 2 novembre 1962.

En Asie, à la suite de la guerre de Corée (1950-1953), qui a entraîné la mort de 55 000 soldats américains, la menace communiste se déplace au Vietnam. Les présidents Dwight D. Eisenhower (1952-1961) et John F. Kennedy (1961-1963) appuieront le Sud-Vietnam pendant 10 ans, en envoyant de l'aide matérielle et des conseillers militaires. En 1964, sous la présidence de Lyndon B. Johnson (1963-1969), les Américains s'impliquent directement sur le terrain, où seront acheminés quelque 700 000 soldats.

Ce sera la première guerre couverte par les médias électroniques: les Américains accrochés à leur téléviseur en voient chaque jour les atrocités; l'opinion publique est scandalisée, et la popularité de Johnson chute dramatiquement. Le président Nixon (1969-1974) se charge de négocier la paix en 1973, qui se solde par la plus humiliante débâcle militaire américaine de l'histoire.

Socialement, malgré des contrastes extrêmes, les États-Unis de l'après-guerre mondiale comptent de moins en moins de pauvres, en raison de la croissance phénoménale de la classe moyenne à laquelle appartient désormais 57% de la population (1960).

Les *WASP* (White Anglo-Saxon Protestants), principale composante de la classe moyenne, incarnent, par leur poids démographique, les valeurs américaines des années 1950 et 1960: progrès, travail, discipline, morale sexuelle très stricte, prédominance de la religion, importance de la famille dominée par l'autorité du père, liberté individuelle, démocratie, rejet du socialisme et de l'athéisme...

Dans les années 1960, les jeunes issus du *baby-boom* commencent à remettre en question les valeurs puritaines de leurs parents ainsi que la société de consommation dans laquelle s'est plongée la classe moyenne. En 1958, de plus en plus de jeunes adhèrent au mouvement *beat*. Ils rejettent les valeurs traditionnelles, bousculent les conventions sociales, négligent leur apparence et consomment alcool et drogues. Les hippies des années 1960 prennent la relève du mouvement qui se veut une sévère critique de l'*American way of life*.

Les universités catalysent l'élan contestataire qui fuse de partout: on proteste contre la pollution, la course à l'armement, la consommation, la religion, le capitalisme, la guerre du Vietnam, le racisme, l'injustice; et les femmes multiplient les rassemblements réclamant l'égalité des sexes. Tous ces mouvements généralement pacifiques ouvrent la porte à d'autres mouvements de contestation sociale, notamment chez la communauté noire, qui plonge dans de violentes émeutes des villes comme New York (1964), Los Angeles (1965) et Detroit (1967).

Mais au-delà de ces révoltes spontanées ou orchestrées par le *Black Power*, d'autres groupes plus structurés, prônant la non-violence dans la lutte contre la ségrégation, jouissent d'une grande popularité chez les Afro-Américains, dont les plus illustres sont les mouvements organisés par Martin Luther King et les Black Muslims de Malcolm X.

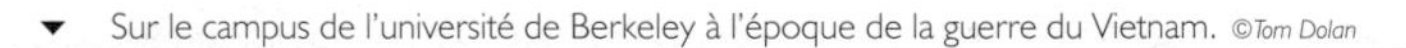

Sur le campus de l'université de Berkeley à l'époque de la guerre du Vietnam. ©Tom Dolan

▲ Signature du *Civil Rights Act* par le président Lyndon B. Johnson, avec Martin Luther King, en 1964.
©Cecil Stoughton, White House Press Office

La période contemporaine

Vice-président sous le règne de Reagan (1981-1989), George Bush père (1989-1993) gagne les élections de 1988. En 1989, la chute du mur de Berlin, consacrant l'éclatement de l'URSS, laisse les États-Unis seuls au sommet de la hiérarchie des superpuissances. Sur le plan international, Bush saura concilier prudence envers l'effondrement de l'Empire soviétique et agressivité vis-à-vis de l'Irak, qui représente l'archétype des dictatures militaires surarmées et qui surtout empiète sur les intérêts économiques des Américains (pétrole). La guerre du Golfe, qui éclate en janvier 1991, permet aux Américains d'afficher leur suprématie militaire aux yeux du monde.

Affaibli par une récession amorcée à la fin des années 1980 et par son approche de la politique intérieure, George Bush est battu par le jeune démocrate Bill Clinton (1993-2001) aux présidentielles de 1992. Issu de la génération des *baby-boomers*, Clinton ne ressemble en rien aux Reagan et Bush appartenant à la vieille garde. Sans offrir de promesses trop généreuses, il a toutefois à cœur les problèmes sociaux de son pays et fait campagne pour réduire les inégalités en proposant un projet de sécurité sociale et un programme s'attaquant à la discrimination envers les homosexuels et les minorités ethniques. Malheureusement, des contraintes budgétaires et l'hostilité du congrès, formé par une majorité républicaine, forcent Clinton à renoncer à ses ambitions.

Un changement de régime a lieu en novembre 2000, alors que les Républicains reprennent la Maison-Blanche avec l'élection de George W. Bush (fils de l'ex-président George Bush). Son élection est extrêmement controversée et n'est confirmée que le 12 décembre 2000, plus d'un mois après la tenue du scrutin et à la suite d'un laborieux dépouillement judiciaire des votes de l'État de la Floride demandé par le candidat démocrate Al Gore, dépouillement qui ne prend fin qu'en raison d'un arrêt de la Cour suprême fédérale.

Les mesures adoptées par le nouveau gouvernement Bush, sur le plan de sa politique intérieure aussi bien qu'étrangère, divisent le peuple américain et isolent son pays sur le plan international. Les attentats terroristes du 11 septembre 2001 viennent changer tout le portrait politique des États-Unis. Les conséquences de ce tragique événement sont nombreuses, et le gouvernement en profite pour sabrer les droits des citoyens de son pays et imposer sa volonté dans le monde.

À la suite d'une campagne militaire en Afghanistan qui ne réussit pas à réaliser son objectif premier de capturer ou d'éliminer le présumé responsable des attaques du 11 septembre 2001, Oussama Ben Laden, les États-Unis pointent le doigt vers l'Irak pour désigner le nouvel ennemi du «monde libre». Prétextant un lien entre le gouvernement irakien et l'organisation terroriste Al-Qaida ainsi que la présence d'armes biologiques et de destruction massive (allégations réfutées par

Le 44e président des États-Unis, Barack Obama, élu en 2008. ©Master Sgt. Cecilio Ricardo, U.S. Air Force

les inspecteurs de l'ONU et, plus tard, par une commission d'enquête américaine), le gouvernement Bush tente en vain de convaincre les Nations Unies et la communauté internationale de se résoudre à utiliser la force pour sortir Saddam Hussein d'Irak. Le 17 mars 2003, Bush lance un ultimatum à Hussein, lui donnant 48 heures pour quitter le pays. Trois jours plus tard, la campagne militaire «Liberté de l'Irak», menée par les États-Unis et la Grande-Bretagne sans l'approbation des Nations Unies, fait rapidement tomber le gouvernement de Saddam Hussein. Malgré l'annonce de la fin des opérations militaires en Irak le 1er mai 2003 et la capture de Saddam Hussein en décembre de la même année, ce sombre chapitre de l'histoire américaine ne s'arrête malheureusement pas là.

Allant de scandale en débâcle en territoire irakien, le gouvernement Bush est accusé par plusieurs d'avoir conduit son pays à la guerre sous de faux prétextes. Tout laissait croire que les élections de novembre 2004 verraient un changement de gouvernement à la Maison-Blanche, mais en vain. À la suite d'une campagne électorale serrée portant surtout sur la défense du pays et l'importance de poursuivre les opérations militaires, Bush fut réélu avec une majorité importante et, qui plus est, avec une participation électorale qui dépassait les 56%, pourcentage le plus élevé depuis 1968.

Malgré tout, comme on pouvait s'y attendre, George W. Bush a terminé son second mandat en battant des records d'impopularité. L'élection présidentielle du 4 novembre 2008 a témoigné d'une chaude lutte entre les Républicains et les Démocrates. Toutefois, le jeune démocrate Barack Obama a su convaincre l'électorat et charmer les foules pour devenir le 44e président des États-Unis.

▼ La bannière étoilée du drapeau américain.
©Loongirl/Dreamstime.com

▶ Le Castle Geyser du Yellowstone National Park en action. (double page suivante)
©Dreamstime.com/Peng Zhuang

Les attraits

La Californie

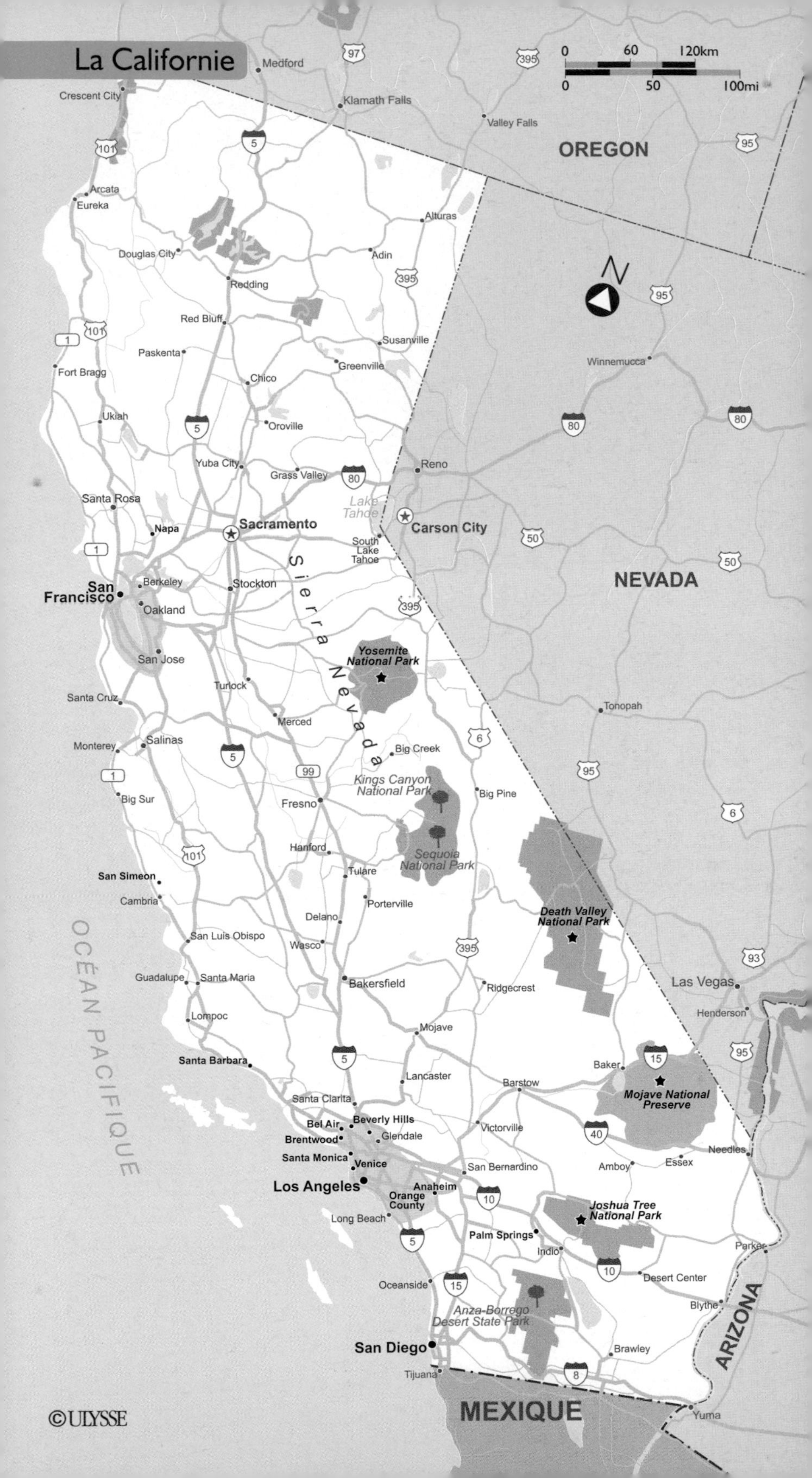

La Californie

Vénérée par les uns, détestée par les autres, la Californie, terre des extrêmes et des extravagances, ne laisse certainement personne indifférent. Véritable concentré à la fois du pire et du meilleur de l'Amérique, cet État mythique de la Côte Ouest américaine a su faire rêver des millions de personnes depuis des générations.

Situé sur la côte ouest des États-Unis, le *Golden State* possède depuis sa fondation une force d'attraction incommensurable, comme nul autre territoire dans les Amériques, voire dans le monde entier. Pionniers, chercheurs d'or, grands poètes, chanteurs, acteurs et sportifs s'y sont retrouvés au fil des générations pour y faire fortune, devenir célèbres, refaire le monde, y trouver l'amour ou simplement pour profiter de son climat clément, et ont fait de cet État une véritable légende à qui le cliché de terre de contrastes sied fort bien.

Le territoire de la Californie, qui adopte la forme d'un boomerang lancé vers l'Asie, s'étale du nord au sud depuis les immenses forêts de pins de l'État de l'Oregon jusqu'aux terres arides du Mexique, et d'est en ouest des montagnes et des déserts de l'Arizona et du Nevada jusqu'au majestueux océan Pacifique, qui lui offre plus de 2 100 km de littoral. L'océan exerce d'ailleurs une influence importante tant sur le mode de vie de ses habitants que sur son climat. Aucun point de son immense territoire, plus vaste que l'Allemagne, ne se trouve à plus de 400 km de la côte. Depuis les années 1960, la Californie constitue l'État le plus populeux de l'Union avec ses 36 millions d'habitants, soit plus de la population totale du Canada (33 000 000), auxquels viennent s'ajouter environ 200 000 immigrants chaque année. Un Américain sur huit habite cette terre mythique, dont un tiers dans la seule mégalopole qu'est Los Angeles.

SAN DIEGO

Berceau de la Californie, la ville de San Diego exerce depuis quelques années une attraction sur la tranche plus âgée de la population du pays. De nombreux retraités aisés, attirés par sa qualité de vie et son climat, y ont élu domicile. Sécuritaire, moins chère et moins polluée que Los Angeles, San Diego offre le modernisme d'une ville prospère, dans un décor ensoleillé de plages de rêve.

Le quartier de **Gaslamp**, baptisé ainsi en raison des réverbères à gaz qui bordent les rues encore aujourd'hui, est sans aucun doute le secteur le plus en vue de San Diego. Il s'agit d'une zone historique qui s'est développée autour des années 1870. La majorité des bâtiments ont été construits entre la guerre civile américaine et la Première Guerre mondiale. S'y trouvent certains des plus beaux exemples d'architecture de style victorien.

Le **Maritime Museum**, un musée des plus intéressants, se compose de six navires. Les visiteurs circulent de l'un à l'autre pour explorer diverses facettes de l'histoire maritime de la région. La visite du *Star of India* permet de se familiariser avec un véritable bateau du temps des grandes explorations : construit en 1863, c'est le plus ancien bateau encore en activité au monde. Les visiteurs se dirigent

▾ San Diego. ©iStockPhoto.com/Andy Hwang

ensuite vers le *Berkeley,* construit en 1898 pour servir de traversier sur la baie de San Francisco. Il abrite une exposition intéressante portant sur divers sujets liés à la riche histoire maritime de San Diego: les premiers explorateurs, la chasse à la baleine, l'industrie du thon, le rôle de la marine dans le développement de la ville. Le prochain bateau qu'on visite est le yacht à vapeur *Medea*. Construit en 1904 en Écosse, il appartenait à un aristocrate qui s'en servait comme bateau de plaisance ou de pêche. Il fut converti en navire de guerre pour être utilisé à des fins militaires durant les deux guerres mondiales. Fabuleux trois-mâts de 55 m, le HMS *Surprise*, une magnifique réplique d'une frégate de la marine britannique du XVIIIe siècle, fut notamment utilisé comme décor en 2003 dans le film *Master and Commander: The Far Side of the World*, réalisé par Peter Weir.

Le **Seaport Village**, un agréable complexe commercial situé au bord de la baie de San Diego, regroupe boutiques, restaurants et centres de divertissement. Des bâtiments inspirés, dans leur style architectural, par les petites maisons de pêche abritent divers commerces en plus d'un magnifique carrousel datant du début du XIXe siècle. Il est agréable de suivre les allées pavées qui entourent les commerces et de se laisser aller aux plaisirs de la découverte. L'ensemble est enjolivé par des étangs, des lacs et des fontaines, sans oublier les musiciens et artistes de rue qui s'y donnent en spectacle.

Le **San Diego Coronado Bay Bridge** s'étale fièrement dans le paysage de la ville avec son imposante structure dont le point culminant atteint près de 65 m. Construit en 1969, ce pont de 3 km relie le centre-ville de San Diego à **Coronado Island**. Les piétons et cyclistes n'y ont pas accès et doivent prendre le traversier. L'historique **Orange Avenue** est la rue principale de la ville de Coronado Island. La beauté des édifices est remarquable. Les marchands et la communauté travaillent ensemble à préserver le cachet des bâtiments. L'**Hotel del Coronado** est décidément le centre d'intérêt de Coronado Island. L'hôtel, reconnaissable à ses façades blanches et à son toit octogonal rouge, est tout simplement fabuleux. Son style architectural unique atteste que son concepteur était spécialisé dans la réalisation de gares ferroviaires. Les chambres ont conservé leur cachet d'origine, bien qu'elles aient été rénovées au goût du jour. **Coronado Central Beach** s'étend le long d'Ocean Boulevard. Bordée au nord par la station maritime et aérienne de l'Armée américaine et au sud par l'hôtel historique Del Coronado, il s'agit d'une des plus belles plages de toute la région. Elle donne directement sur l'océan Pacifique et est bordée de splendides demeures. La vue y est unique. On peut y voir courir tous les matins à 7h les officiers de marine. Au sud de l'Hotel del Coronado, à marée basse, apparaît la coque de l'épave du *Monte Carlo*, un bateau qui a fait naufrage ici en 1936.

L'**Old Town San Diego State Historic Park** recrée la vie durant la période mexicaine et les débuts de la mainmise américaine

LE CLIMAT PARADISIAQUE DE SAN DIEGO

On dit que San Diego a l'un des plus beaux climats aux États-Unis. Que la température est toujours confortable près de la côte et jamais trop chaude ni trop froide. Qu'il n'y pleut pas souvent. Que le taux d'humidité est bas. Qu'il y a du soleil en abondance... En effet, la ville de San Diego, située entre le désert et l'océan Pacifique, jouit d'un climat paradisiaque.

Doux, sec et ensoleillé, le climat méditerranéen de San Diego est très agréable et rarement étouffant. La chaleur estivale et le froid hivernal sont atténués par les vents marins venus du Pacifique. Malgré tout, on peut se faire surprendre par Dame Nature : même si le ciel est bleu et que le soleil rayonne à 15 minutes de la côte, il est possible qu'à la plage il y ait de la brume (surtout en mai et juin), du vent et une certaine fraîcheur.

▲ Coronado Island. ©Elena Koulik/Dreamstime.com

▲ Old Town San Diego State Historic Park. ©George Burba/Dreamstime.com

sur les possessions mexicaines, soit entre 1821 et 1872. Le parc s'étend sur six quadrilatères et renferme pas moins de 20 bâtiments historiques reconstitués ou restaurés. Plusieurs de ces maisons appartenaient à de riches et influents Mexicains. Elles servent aujourd'hui de musées, de boutiques et de restaurants.

San Diego offre une attraction qu'il ne faut pas manquer : les **Old Town Trolley Tours**. À bord d'un ancien trolleybus converti en autobus, un chauffeur raconte l'histoire de la ville. Il évoque une foule d'anecdotes et de faits humoristiques. Le trolley refait constamment le même trajet et fait de nombreux arrêts, notamment à Old Town et au port de San Diego. Il s'agit d'une agréable façon d'avoir un aperçu général de la ville et de son histoire.

Situé à quelques minutes du centre-ville, le **Balboa Park** est un grand parc municipal qui renferme des pistes cyclables, des sentiers pédestres ainsi que des espaces de détente et des aires de jeux pour les enfants. Ses principales attractions sont cependant ses 15 musées et son zoo de renommée internationale. Le parc porte le nom de l'explorateur espagnol qui, après avoir franchi l'isthme de Panamá, découvrit l'océan Pacifique.

Situé dans l'ancien pavillon de la **Casa de Balboa**, le **Museum of Photographic Arts**, dédié à la photographie et au film d'art, s'est imposé comme un des plus intéressants du genre à travers le monde. Une occasion unique de voir réunies les œuvres des plus célèbres photographes et cinéastes.

Le bâtiment suivant abrite le **Reuben H. Fleet Science Center**. Sorte de mélange de centre de divertissement et de musée des sciences, le Reuben H. Fleet Science Center offre un environnement de haute technologie stimulant. Il est sans aucun doute le préféré des enfants, petits et grands. Le **SciTours Simulator Ride** par exemple, un simulateur acquis par le centre, entraîne le visiteur dans un voyage dans l'espace des plus réalistes.

C'est aussi dans le Reuben H. Fleet Science Center que se trouve le premier cinéma Omnimax en forme de dôme.

Près d'un demi-million de personnes visitent annuellement le **San Diego Museum of Art**, ce qui en fait l'un des plus fréquentés au pays. Consacré à l'art de la Renaissance italienne et à l'art baroque hollandais et espagnol, le musée présente également des peintures et des sculptures contemporaines.

Le **San Diego Zoo** fut fondé en 1916 par le Dr Harry Wegeforth. Créé avec à peine une cinquantaine d'animaux, le zoo s'étend maintenant sur 40 ha et accueille plus de 4 000 animaux de 800 espèces différentes. Au fil des ans, le zoo de San Diego a acquis une renommée internationale. Il est connu et cité pour avoir su recréer l'habitat des animaux par souci de leur bien-être. On y dénombre d'ailleurs près de 6 500 espèces de plantes provenant du monde entier dont certaines servent à nourrir les animaux, comme le bambou, l'eucalyptus et l'acacia. Le zoo a aussi acquis une fort bonne réputation pour son programme de naissances en captivité et de préservation des espèces menacées comme les tortues des Galápagos, les koalas, les gorilles et les pandas. Les pandas sont d'ailleurs l'attraction principale du zoo.

Le **Cabrillo National Monument**, qui se dresse fièrement sur le plus haut point de la péninsule de Point Loma, commémore l'arrivée de l'explorateur Juan Rodríguez Cabrillo en 1542. La statue de plus de 4 m, qui fut terminée en 1939 par le Portugais Alvaro DeBree, figure parmi les attraits de la ville les plus photographiés. De ce point d'observation, l'une des plus belles vues de tout le comté se laisse découvrir. Sur place, un panneau explicatif permet d'identifier les lieux qui apparaissent au loin.

▲ Cabrillo National Monument.
©Cpenler/Dreamstime.com

Le **Mission Bay Park** est un immense terrain de jeu, un paradis pour la natation, la voile, la pêche, la navigation, la planche à voile et le ski nautique. Il s'agit aussi d'un endroit idéal pour le vélo, le golf, la marche ou les pique-niques. Plusieurs grands complexes hôteliers et de nombreux restaurants y ont élu domicile. Toutefois, ce qui fait la renommée des lieux est sans contredit le célèbre parc d'attractions SeaWorld.

SeaWorld est un parc d'attractions, certes, mais il a ce petit quelque chose qui le distingue des autres. En famille ou autrement, s'il y avait un parc à choisir parmi les nombreux choix de San Diego, SeaWorld se retrouverait en tête de liste. Consacré au thème de la mer et de son habitat, le site fait vivre aux visiteurs un amalgame d'émotions inoubliables.

◄ Casa de Balboa. ©Vlad Turchenko/Dreamstime.com

▲ Une avenue de Beverly Hills plantée de palmiers. ©Tommy Schultz/Dreamstime.com

LOS ANGELES ET SES ENVIRONS

L'une des grandes capitales du monde en matière de divertissement, Los Angeles couvre un immense territoire où les signes de richesse sont omniprésents, où tous les rêves semblent possibles et où l'automobile domine largement comme moyen de transport privilégié. Los Angeles n'est pas une ville traditionnelle avec un centre et une banlieue, mais plutôt un regroupement de quartiers qui ont tous une identité propre. La grande variété ethnique de *L.A.* compte d'ailleurs parmi les facettes qui rendent cette ville plus intéressante, plus vraie et plus raffinée que son image superficielle le laisse souvent croire.

Le **Museum of Contemporary Art (MOCA)** est le seul musée de Los Angeles consacré exclusivement à l'art contemporain. Avec une collection de plus de 5 000 œuvres américaines et européennes datant de 1940 à aujourd'hui, il est un des plus importants musées des États-Unis. Le MOCA est composé de trois bâtiments. Le **MOCA Grand Avenue** et le **Geffen Contemporary at MOCA** sont situés au centre-ville. Baptisé en l'honneur de David Geffen, producteur de musique et bienfaiteur des arts, le Geffen Contemporary est un ancien entrepôt reconverti en lieu d'exposition par l'architecte Frank Gehry. Le Grand Avenue a été conçu par l'architecte japonais Arata Isozaki, qui l'a doté de deux pavillons de grès rouge de forme hautement originale chevauchant une place ouverte. Ensemble, ils abritent une collection permanente des plus impressionnantes, augmentée ces dernières années par de nombreux legs et acquisitions. Ils présentent en outre maintes expositions temporaires et sont reliés entre eux (huit rues les séparent) par la ligne A du réseau d'autobus DASH. Le troisième bâtiment est le **MOCA Pacific Design Center**, situé à West Hollywood.

Los Angeles et ses environs
OCÉAN PACIFIQUE
Santa Monica Bay
San Pedro Bay
Topanga State Park
Santa Monica Mountains National Recreation Area
Malibu
Pacific Coast Hwy.
Pacific Palisades
Brentwood
Getty Center
Bel Air
Beverly Hills
West Hollywood
Hollywood Blvd.
Hollywood Sign
Griffith Park
Hollywood Bowl
Los Feliz
Hollywood
Wilshire
Wilshire Blvd.
Los Angeles County Museum of Arts
UCLA
Westwood
Century City
Santa Monica
Santa Monica State Beach
Venice
Ocean Front Walk
Venice Beach
Marina del Rey
Los Angeles International Airport (LAX)
Culver City
Inglewood
Inglewood Cemetery
Kenneth Hahn State Recreation Area
Exposition Park
L.A. Live
Centre-Ville
Museum of Contemporary Art
Elysian Park
Dodger Stadium
Six Flags Magic Mountain
Glendale
Pasadena
Huntington Library, Art Collections and Botanical Gardens
San Marino
San Gabriel
Alhambra
El Monte
Santa Fe Dam Recreational Area
West Covina
Pomona
Joshua Tree National Park
Palm Springs
East Los Angeles
Rose Hills Memorial Park
Hacienda Heights
Chino Hills State Park
Manhattan Beach
Manhattan State Beach
Hermosa Beach
Redondo Beach
Redondo State Beach
Torrance
Alondra Park
Rancho Palos Verdes
San Pedro
Ken Malloy Harbor Regional Park
Worldport L.A.
Port of Long Beach
Point Fermin Park
Cabrillo Beach
Catalina Island
Long Beach
Aquarium of the Pacific
Seal Beach
Sunset Beach
Laguna Beach, Newport Beach, Dana Point
Buena Park
Knott's Berry Farm
Soak City U.S.A.
ORANGE COUNTY
Anaheim
Disneyland Park
Garden Grove
Westminster
Santa Ana
Huntington Beach
Foothill Fwy.
San Bernardino Fwy.
Pomona Fwy.
Hollywood Fwy.
Santa Monica Fwy.
San Diego Fwy.
Harbor Fwy.
Long Beach Fwy.
Glenn Anderson Fwy.
Santa Ana Fwy.
San Gabriel River Fwy.
Gardena Fwy.
Artesia Fwy.
Riverside Fwy.
Orange Fwy.
Garden Grove Fwy.
Chino Valley Fwy.
Costa Mesa Fwy.
Eastern Trans Corridor
0 3 6km
0 2 4mi
N
©ULYSSE

Hollywood Boulevard est constamment bondé de touristes provenant de toute la planète. La visite s'effectue à pied puisque les principaux attraits sont regroupés sur une section d'environ 1,5 km du boulevard, entre La Brea Avenue, à l'ouest, et Vine Street, à l'est, et dont le cœur se trouve à l'intersection de Highland Avenue.

Le **Hollywood Walk of Fame** longe ce boulevard sur une distance de plus de 15 quadrilatères, entre La Brea Avenue et Gower Street, et dans Vine Street sur une distance de trois quadrilatères, entre Sunset Boulevard et Yucca Street. Immortalisées par des étoiles sur le trottoir, plus de 2 300 vedettes du cinéma, de la télévision et de l'industrie musicale s'y trouvent depuis l'adoption du programme en 1960. Une quinzaine de nouvelles étoiles s'ajoutent chaque année lors de cérémonies individuelles en présence de l'artiste célébré.

Le majestueux **Kodak Theatre** arbore une architecture digne des grandes salles d'opéra européenne et accueille les Academy Awards depuis son ouverture en 2002. Des concerts d'artistes d'envergure internationale sont présentés toute l'année au Kodak Theatre, qui, à compter de l'automne 2010, sera l'hôte d'un spectacle permanent du Cirque du Soleil consacré à l'histoire du cinéma hollywoodien.

Le **Griffith Park** se trouve dans le district de **Los Feliz**, dans les collines d'Hollywood. Il s'impose comme le plus grand espace vert de toute la région de Los Angeles et est l'un des plus grands parcs urbains d'Amérique du Nord. Ce parc très accidenté de 17 km², aménagé dans un secteur semi-désertique par endroits, compte de nombreux attraits, entre autres des terrains de golf, des sentiers de randonnée et de nombreuses aires de pique-nique. Il renferme aussi un secteur du

Hollywood Walk of Fame. ©iStockPhoto.com/Jabiru

JERRY BUSS
MATTHEW BRODERICK

Forest Lawn Memorial Park, un théâtre en plein air, le **Griffith Observatory**, le Los Angeles Zoo, le Travel Town Museum et l'Autry Museum of the American West.

West Hollywood, une ville incorporée du comté de Los Angeles, est le principal siège des communautés gay et lesbienne de la métropole. Si sa population n'est que de 40 000 habitants, ce nombre peut atteindre les 100 000 personnes le soir et les fins de semaine, et même 500 000 lors du Los Angeles Lesbian, Gay, Bi, and Transgender PRIDE Celebration et du West Hollywood Halloween Carnaval. Du fait de ses boutiques variées et souvent originales, ainsi que de son choix éclectique d'hôtels, de restaurants, de cafés et de boîtes de nuit, il est tenu volontiers pour un des quartiers les plus branchés de *L.A.*

Le **Wilshire Boulevard** est à certains égards la plus importante artère de Los Angeles. Il s'étire sur 26 km, du centre-ville de *L.A.* jusqu'à la plage de Santa Monica.

Le **Los Angeles County Museum of Art (LACMA)** occupe ses locaux actuels depuis 1965 et a grandi en faisant l'acquisition de nouveaux bâtiments. Il revêt l'aspect d'un campus universitaire avec ses sept structures et ses immenses espaces verts. Le musée présente plus de 100 000 œuvres datant de l'Antiquité à aujourd'hui, réparties dans 10 pavillons. En réponse au rutilant Getty Center, ouvert à la fin des années 1990, le conseil de direction du LACMA a approuvé en 2004 un important projet de transformation du musée comprenant l'ajout de galeries, d'espaces publics, de jardins et d'un édifice consacré à l'art contemporain, le tout sous la direction du célèbre architecte italien Renzo Piano. La première phase a été complétée en février 2008 (**Broad Contemporary Art Museum at LACMA**), et l'on prévoit que les deux autres phases du projet seront terminées d'ici 2011.

▲ Le Griffith Observatory avec Los Angeles en arrière-plan. ©iStockPhoto.com/ S. Greg Panosian

▶ Broad Contemporary Art Museum at LACMA. ©Weldon Brewster

Beverly Hills est une des municipalités les plus riches au monde. En son cœur se trouve une zone commerciale ultrachic connue sous le nom de **Golden Triangle** et délimitée par Wilshire Boulevard, Santa Monica Boulevard et Crescent Drive. Au centre du Golden Triangle se trouve **Rodeo Drive**, l'une des rues commerciales les plus exclusives de la planète.

Le **Beverly Hills Hotel** a ouvert ses portes en 1912 et est rapidement devenu l'un des hôtels les plus célèbres au monde. Situé en retrait de la ville, l'endroit est très paisible et on ne peut plus luxueux.

DÉCRYPTAGE D'UN MYTHE

Une forte idée reçue veut que *L.A.* ne soit que luxe tapageur et glamour. La réalité : vrai et faux. Los Angeles compte en effet une incroyable communauté multimillionnaire, si ce n'est milliardaire. La ville abrite aussi la plus grande concentration au monde de vedettes internationales. Dans plusieurs quartiers, notamment à l'ouest du centre-ville et d'Hollywood, les Mercedes, BMW et Lexus dominent largement les routes, et il est impossible de trouver une seule résidence à moins d'un million de dollars. Los Angeles est toutefois également une ville industrielle peuplée de cols bleus, et réunit même la plus importante concentration d'emplois manufacturiers de toute l'Amérique du Nord, depuis la production de vêtements bon marché jusqu'à l'assemblage des avions de guerre les plus perfectionnés, en passant par les entreprises technologiques de pointe. La ville est aussi entourée de banlieues tentaculaires, dont beaucoup possèdent leurs propres zones industrielles. Les visiteurs qui s'en tiennent rigoureusement à l'ouest de la grande région métropolitaine peuvent sans doute échapper à la réalité plus plébéienne des autres secteurs, mais elle n'en est pas moins présente dans des rues sans fin d'humbles maisons de plain-pied, de stations-service et de mini-centres commerciaux. Plus de 18 millions de personnes vivent dans la grande région de Los Angeles, et beaucoup de celles-ci travaillent pour des rémunérations à peine plus élevées que le salaire minimum.

▾ Plage de Santa Monica. ©Philippe Renault

Bel Air et **Brentwood**, deux districts situés entre Westwood à l'est et Santa Monica à l'ouest, sont parmi les quartiers les plus sélects de Los Angeles. Ils sont séparés par la route 405, Bel Air se trouvant à l'est et Brentwood à l'ouest, et leur principale artère est Sunset Boulevard.

Le **Getty Center** est l'une des institutions muséales les plus somptueuses et les plus richement pourvues jamais construites. Ses installations d'un milliard de dollars, conçues par l'architecte Richard Meier, ont été inaugurées en grande pompe en 1997 après 14 ans d'efforts ininterrompus.

Santa Monica se trouve à 21 km du centre-ville de *L.A.* et correspond bien à l'idée que se font certaines personnes de la Californie. Municipalité indépendante dotée d'un sens communautaire peu commun, Santa Monica est surtout connue du monde extérieur pour sa large plage sablonneuse, **Santa Monica State Beach**, flanquée d'un parc linéaire planté de palmiers, et pour sa longue jetée trépidante d'activités, le Santa Monica Pier.

▸ Getty Center. *©Dreamstime.com /Haydn Adams*

▾ Rodeo Drive. *©iStockPhoto.com/Lee Pettet*

LES CANAUX DE VENICE

Venice, une municipalité distincte jusqu'à ce qu'elle soit annexée à Los Angeles en 1925, doit son nom à la ville italienne de la côte adriatique si célèbre pour ses canaux. Les marécages qui envahissaient une grande partie de l'actuelle Venice ont été asséchés à la fin du XXe siècle par l'héritier de l'empire du tabac Abbot Kinney, lequel y a alors aménagé un réseau de canaux de 26 km devant servir de fondement à ce qu'il espérait voir devenir un centre d'inspiration artistique et culturelle pour l'ensemble des Américains. Il a même fait venir des gondoliers d'Italie pour les cérémonies d'ouverture en 1905, si ce n'est que son projet s'est vite avéré irréalisable. Quelques décennies plus tard, Venice étant alors en proie à un profond déclin, on entreprit de remblayer et d'asphalter la plupart des canaux. Il n'en subsiste aujourd'hui que quelque 5 km, que l'on traverse par des ponts étroits dont certains datent des premiers jours. Vous les verrez dans la zone qui s'étend à l'est de Pacific Avenue et au sud de Venice Boulevard. Et ce qui était, jusqu'à tout récemment, un quartier résidentiel délabré s'est vu considérablement embourgeoisé, pour devenir un secteur tranquille où les propriétés ne cessent de prendre de la valeur. Il faudrait une imagination débordante pour associer la Venice d'aujourd'hui à sa contrepartie italienne, mais quiconque ose s'aventurer à une certaine distance de la plage ne manquera pas d'apprécier les fascinants vestiges centenaires d'une Californie débordante d'imagination et d'excentricité.

▼ Un des canaux de Venice. ©Philippe Renault

▲ L'Ocean Front Walk de Venice. ©Philippe Renault

À **Venice,** l'**Ocean Front Walk**, aussi connue sous le nom de Boardwalk, s'impose comme un des endroits les plus fous, les plus effervescents, les plus kaléidoscopiques et les plus carnavalesques de toute l'Amérique du Nord. Aménagée en bordure de **Venice Beach**, cette allée piétonnière constitue un spectacle en soi. Mais ce qui fait d'abord et avant tout le charme irrésistible de cette promenade, c'est le défilé incessant des passants, qui ne sont pas là pour réaliser des prouesses mais plutôt pour s'afficher pompeusement dans des tenues extravagantes. La scène devient particulièrement animée les après-midi de fin de semaine, lorsque des visiteurs et leurs enfants viennent observer la faune locale et créent une sorte de symbiose spontanée avec elle. Des musiciens se regroupent pour un *jam session* (improvisation collective) qui se prolonge jusqu'en fin de soirée.

Le **Disneyland Park** d'**Anaheim** correspond à la vision qu'avait Walt Disney de «l'endroit le plus heureux sur Terre» et constitue l'une des plus grandes attractions de la Californie. Plus d'un demi-milliard de personnes ont visité le parc original depuis son ouverture en 1955.

La côte d'**Orange County** propose de nombreuses plages, achalandées ou plus intimes, ainsi que des récifs offrant des vues spectaculaires. Les plus intéressantes demeurent celles des communautés de **Seal Beach**, **Huntington Beach**, **Newport Beach**, **Laguna Beach** et **Dana Point**. La principale artère, la Pacific Coast Highway (route 1), longe littéralement l'océan sur la majeure partie du territoire.

▲ Joshua Tree National Park. ©Kateleigh/Dreamstime.com

LES DÉSERTS CALIFORNIENS ET LA SIERRA NEVADA

Les espaces désertiques de la Californie recèlent un charme unique. Les visiteurs qui s'y rendent pour la première fois seront frappés d'y voir leurs paysages renversants et la diversité incroyable des espèces qui vivent dans ces environnements, parmi les plus rudes de la planète.

Sur le versant ouest de la Sierra Nevada, l'activité intense des rivières torrentueuses et des glaciers a façonné de splendides sculptures naturelles et des canyons. Les parcs de la Sierra Nevada comptent parmi les plus grandes richesses du patrimoine naturel des États-Unis et se veulent des incontournables lors d'un séjour en terre californienne.

À **Palm Springs**, les **Indian Canyons** sont ainsi nommés parce que les Indiens Cahuillas d'Agua Caliente ont établi, il y a de cela des siècles, plusieurs communautés prospères dans la région, notamment dans le Palm Canyon, le Murray Canyon, l'Andreas Canyon, le Tahquitz Canyon et le Chino Canyon. L'ensemble formait une immense oasis naturelle, de sorte que l'eau y abondait et que les canyons servaient d'habitat à une variété d'espèces végétales et animales dont dépendaient les Autochtones. Les Cahuillas étaient d'ailleurs rompus à l'agriculture et faisaient pousser une variété de denrées dans les vallées fertiles. Aujourd'hui, dans tous les canyons de la région, se trouvent des vestiges de ces communautés anciennes, que ce soit sous forme d'art rupestre, de ruines, de systèmes d'irrigation ou de pistes visiblement foulées de longue date. Le **Palm Canyon** s'étire sur 24 km et se borde de majestueux palmiers, de part et d'autre d'un cours d'eau sinueux. Un sentier revêtu descend vers le fond du canyon, croisant au passage de nombreux cactus et arbustes. L'oasis verdoyante de l'**Andreas Canyon** voit proliférer plus de 150 espèces de plantes différentes. Des spécimens d'art rupestre attribués aux Cahuillas sont observables en outre au

fil d'étonnantes formations rocheuses qui bordent le sentier. Non loin de l'Andreas Canyon se trouve le **Murray Canyon**, où vivent quelques chevaux sauvages et mouflons péninsulaires, ces derniers étant menacés d'extinction. Ce canyon semble attirer moins de visiteurs que les autres, ce qui en fait une destination rêvée pour ceux qui désirent communier avec la nature.

Le **Joshua Tree National Park** couvre 321 000 ha du désert du Colorado et du désert de Mojave. Le désert du Colorado s'étend sur la moitié orientale du parc, à des altitudes inférieures à 1 000 m, et se voit peuplé de créosotiers (*creosote bushes*), d'ocotillos aranéens ainsi que de cactus *chollas*. En gagnant de l'altitude aux abords de la moitié occidentale du parc, la zone plus fraîche et humide du désert de Mojave, où d'importants massifs d'arbres de Josué dominent le paysage, se laisse découvrir. Le parc n'est cependant pas tout à fait aride, dans la mesure où cinq oasis éparses y fourmillent de vie.

Keyes View s'impose comme l'attrait le plus populaire du parc. Ce belvédère est situé à une altitude de 1 580 m et est facilement accessible par la route. L'étendue du désert sur des kilomètres et des kilomètres dans toutes les directions depuis le sommet des Little San Bernardino Mountains se contemple à loisir.

Les **Kelso Dunes** de la **Mojave National Preserve** s'élèvent à plus de 200 m et ont une superficie de près de 120 km². Les particules de quartz rose présentes dans le sable des dunes expliquent leur incroyable couleur or. Une activité fort prisée en ces lieux consiste à provoquer des glissements de sable, dans la mesure où le sable émet ici un bruit sourd de basse fréquence tout à fait particulier lorsqu'il dévale les pentes. Au sommet des dunes, le plaisir de découvrir une vue imprenable sur le désert de Mojave, de même que sur l'étendue sablonneuse du Devil's Playground au nord-ouest, demeure sans pareil. Même si la plupart des habitants des dunes s'animent surtout la nuit, il s'agit d'un bon endroit pour observer divers lézards et oiseaux, ainsi qu'une variété de fleurs sauvages vers la fin du printemps.

La **Death Valley National Park** révèle une riche palette de rouge, d'or, de vert et de brun sous un splendide ciel bleu. L'attrait incontesté des lieux: le vide absolu, qui revêt ici la forme d'un paysage on ne peut plus étrange et inhospitalier dans un monde pourtant si plein de vie. En y regardant de plus près, et avec un peu de patience, la Death Valley (Vallée de la Mort) n'est pas si «morte» que cela. Au printemps, tout spécialement, des fleurs sauvages, des aigles, des coyotes et plusieurs autres créatures terrestres envahissent les lieux. La plus belle vue panoramique de toute la vallée est au **Dante's View**, à 1 669 m d'altitude. De ce point, les plaines de sel, les badlands et des kilomètres sans fin de collines ondulantes et colorées constituent un paysage spectaculaire.

Immense site naturel de la dimension de l'État du Rhode Island, le **Yosemite National Park** couvre 3 100 km² de territoire sauvage qui abrite d'innombrables splendeurs de la **Sierra Nevada.** Créé le 1er octobre 1890 par un décret du Congrès, il est devenu depuis l'un des parcs les plus célèbres et les plus visités du monde. Fruit du premier geste de la part des autorités fédérales américaines afin de préserver un site pour sa valeur esthétique et scientifique, et ce, au profit de la population, le parc de Yosemite tracera la voie pour l'éventuel concept et plan directeur du futur réseau des parcs nationaux et d'État. De forme ovale, il compte plus de 420 km de routes et 1 280 km de sentiers pédestres aménagés au cœur de la Sierra Nevada. De près de 600 m d'altitude en son point le plus bas, ce vaste et varié espace protégé s'élève jusqu'à des hauteurs de 4 000 m. Plus de 4 millions de visiteurs se rendent au parc de Yosemite chaque année et l'envahissent littéralement pendant la saison estivale. Toutefois, la plupart d'entre eux se groupent dans la Yosemite Valley, région fantastique et incontournable, certes, mais qui ne couvre que 18 km² de ce parc dont plus de 94% de la superficie s'avère totalement sauvage. Avec ses formations rocheuses exceptionnelles, ses montagnes pelées, ses vallées verdoyantes et ses majestueuses chutes qui brillent au soleil, le parc de Yosemite s'avère un endroit unique et paradisiaque à découvrir sous tous ses angles.

Impressionnante chute dont l'eau se jette à partir de deux niveaux, les **Yosemite Falls** se classent cinquième au monde et première en Amérique du Nord en termes de hauteur. Le sentier **Lower Yosemite Fall** est un chemin facile de quelques centaines de mètres qui permet aux visiteurs de se rendre au pied de ce géant bouillonnant et d'apprécier sa magnificence.

◀ Death Valley National Park. *©Byron Moore/Dreamstime.com*

▶ Yosemite Falls. *©Dreamstime.com/Chee-onn Leong*

DEATH VALLEY SCOTTY

La légende la plus célèbre de la Vallée de la Mort est sans aucun doute celle de Walter Scott, connu aussi sous le nom de Death Valley Scotty. On sait qu'il est né au Kentucky en 1872 et qu'il partit un jour vers l'Ouest. Un dénicheur de vedettes le découvrit en 1890 et l'engagea pour jouer le rôle d'un cowboy dans le *Wild West Show* de Buffalo Bill; Scotty passa donc les 12 années suivantes à voyager à travers le monde. Puis, en 1902, il revint dans la Vallée et entreprit une carrière de chercheur d'or. On ne sait pas exactement s'il découvrit le précieux métal, mais il réussit à convaincre plusieurs hommes d'affaires importants de lui avancer les fonds nécessaires pour extraire de la terre son trésor.

Albert Johnson, un magnat de l'assurance de Chicago, fut l'un de ses principaux bailleurs de fonds. Après avoir investi des milliers de dollars sans retirer quoi que ce soit sauf des excuses de la part de Scotty, il décida de se rendre sur place afin de constater l'état des choses. Lors de cette visite et de ses visites ultérieures dans la Vallée de la Mort, Johnson ne vit pas la moindre trace d'or; en revanche, le climat fit des merveilles pour sa santé, et il se lia d'amitié avec Scotty. Au cours des 10 hivers qui suivirent, Johnson retourna fréquemment dans la Vallée de la Mort et décida finalement d'y construire une maison de villégiature où il s'installerait en permanence. Le bruit courut que Scotty (menteur incorrigible) avait pu faire construire « son » immense château grâce aux profits tirés de sa lucrative mine d'or. Johnson ne fit rien pour démentir cette rumeur, et les journalistes de tout le pays colportèrent la nouvelle : ce château appartenait à l'un des chercheurs d'or les plus riches au monde. Scotty vécut les dernières années de sa vie dans ce palace qui porte aujourd'hui son nom, et il fut enterré dans une colline tout près de là.

▼ Le « château » de Death Valley Scotty. ©Jens Peermann/Dreamstime.com

▲ Mission Santa Barbara. ©iStockPhoto.com/S. Greg Panosian

LA CÔTE CENTRALE CALIFORNIENNE

Avec ses montagnes verdoyantes, ses falaises déchiquetées, ses forêts de pins, ses plages sablonneuses et ses villes pittoresques et modernes, la Côte centrale constitue certainement l'une des plus impressionnantes régions de toute la Californie. Bénéficiant de riches terres et d'un climat favorable, elle possède en outre plusieurs vignobles réputés. Sans doute l'endroit le plus pittoresque de la région, la côte accidentée de Big Sur, parsemée de rochers escarpés et de canyons à la végétation dense, constitue l'une des plus belles contrées des États-Unis.

La riche agglomération de **Santa Barbara** possède un caractère unique, à la fois animé, paisible, historique et résolument moderne. Fière de ses origines, la ville a su préserver et mettre en valeur son patrimoine architectural. Cohabitant avec ces marques du passé colonial, cafés, restaurants, bars, théâtres et cinémas foisonnent dans cette ville où la culture, les rencontres sociales et l'art de vivre sont choses sacrées. Si Santa Barbara grouille d'activités, ses habitants savent néanmoins prendre le temps de se détendre et profiter de son cadre enchanteur au bord du Pacifique. Le cœur de l'activité urbaine gravite autour de State Street, grande artère bordée de boutiques, cafés et restaurants qui mène au Stearn's Wharf et à l'océan.

La **Mission Santa Barbara** a été fondée par les Franciscains le 7 décembre 1786. Sa situation privilégiée, sur une élévation de 800 m entourée des Santa Ynez Mountains, ses uniques tours jumelles

LES GÉANTS VERTS

Connus pour être parmi les plus imposants et les plus anciens êtres vivants de la planète, les séquoias constituent les survivants d'une époque très lointaine remontant à plusieurs millions d'années où plusieurs espèces de ces grands arbres peuplaient les vastes forêts du globe. Seuls deux types de ces grands conifères existent encore, tous deux largement représentés en Californie, soit le séquoia géant et le séquoia à feuilles d'if (*redwood*). Toutefois, on ne compte plus que 70 forêts de séquoias sur le globe. Le terme « séquoia » vient du nom d'un chef cherokee qui inventa un alphabet pour son peuple.

Le séquoia à feuilles d'if abonde sur la côte du Pacifique, de la partie centrale de la Californie jusqu'au sud de l'Oregon. Il y trouve un air doux, humide et salin propice à sa croissance. Quant à lui, le séquoia géant préfère le versant occidental de la Sierra Nevada à des altitudes variant de 900 m à 2 400 m. Bien que ce dernier ne parvienne pas à une hauteur aussi considérable que son cousin qui atteint 90 m en moyenne, son tronc apparaît beaucoup plus volumineux. Plusieurs d'entre eux ont une circonférence à la base de près de 10 m.

Les séquoias sont extrêmement résistants aux conditions adverses, et l'âge, les maladies et les insectes ne semblent avoir aucune emprise sur eux. Pourvus d'une écorce des plus épaisses, ils se trouvent même protégés contre les feux de forêt. Il n'apparaît donc pas étonnant que la plupart des séquoias encore debout datent de plusieurs centaines ou milliers d'années.

Séquoias. ©iStockPhoto.com/Joseph Tringali

et sa magnifique façade lui ont valu le titre de «reine des missions». Sévèrement endommagés par un tremblement de terre en 1812, les bâtiments et l'église d'adobe d'origine ont fait l'objet d'importants travaux de restauration par la suite. L'église actuelle en pierre date de 1815, et l'ajout de la seconde tour à clocher complète le travail 18 ans plus tard. Un autre tremblement de terre ébranle les édifices religieux, et il faut attendre les années 1950 avant que sa façade ne soit reconstruite. Aujourd'hui, la mission espagnole, construite avec l'aide des Indiens Chumash, est le centre d'une paroisse catholique active. On peut visiter une partie des bâtiments convertis en musée, les jardins intérieurs exotiques, l'église et l'ancien cimetière où reposent 4 000 tombes chumash et les mausolées richement décorés des premiers colons californiens.

À **San Simeon** trône le **Hearst Castle**, cette construction mégalomaniaque du richissime magnat de la presse William Randolph Hearst. Fils unique du riche industriel et sénateur George Hearst et de Phoebe Apperson, William Randolph Hearst hérite en 1919 d'un vaste domaine de 100 000 ha dans la région de San Simeon. Près de 30 ans plus tard, en 1947, se dressera sur les collines de San Simeon un incroyable palace de 165 pièces entourées de 51 ha de jardins, terrasses, piscines et promenades, sans compter les vastes étendues vertes. La résidence principale, la Casa Grande, avec ses deux imposantes tours inspirées des cathédrales espagnoles, abrite une superbe collection d'objets d'art européen. Les piscines extérieure et intérieure, au cadre néoclassique, apparaissent saisissantes. Aujourd'hui, les visiteurs peuvent profiter des splendeurs de cet unique domaine, niché sur les hauteurs de San Simeon, à quelques kilomètres au nord de Cambria.

À **Piedras Blancas**, à 10 km au nord de San Simeon, il est possible d'observer une colonie d'éléphants de mer qui a élu domicile sur cette longue plage. En novembre 1990, une vingtaine de ces mammifères marins furent aperçus près du phare. Ils furent bientôt suivis par plusieurs centaines d'autres, et la colonie s'est ensuite développée à un rythme

▼ Hearst Castle. ©Tomasz Slaboszewski/Dreamstime.com

phénoménal, pour totaliser aujourd'hui quelque 15 000 éléphants de mer.

Quelque 13 km plus au nord, se livrent les mémoires du plus célèbre résidant parmi les artistes venus s'établir dans la région: Henry Miller, qui séjourna à **Big Sur** de 1944 à 1962. Sa plume conférera à la région côtière une notoriété mondiale. Emil White, artiste et ami de l'écrivain, a légué la résidence et une collection de livres et d'objets personnels de Miller afin de créer la **Henry Miller Memorial Library**. La bibliothèque, entourée de jardins et de sculptures, possède toutes les œuvres littéraires et picturales de l'écrivain, ainsi que quelques documents originaux.

Créée en tant que station balnéaire vers 1880, **Carmel-by-the-Sea** acquiert vite une réputation de lieu de villégiature quelque peu bohème et artistique. Si le côté artistique demeure, les descendants des bohèmes du XIXe siècle se sont beaucoup assagis. Aujourd'hui, la petite communauté de Carmel-by-the-Sea, plus simplement appelée «Carmel» par ses résidants, semble unique en Californie. Paisible communauté, Carmel possède un petit centre-ville où l'on retrouve nombre de boutiques chics et galeries d'art, de réputés restaurants et cafés, ainsi que de charmants établissements hôteliers. Le village entier est blotti à l'ombre des grands arbres, et les aménagements paysagers des résidences pittoresques sont dignes de mention. Un impressionnant front de mer, des invitantes plages sablonneuses et une superbe mission espagnole complètent le tableau. L'ancien maire de Carmel, l'acteur et réalisateur émérite Clint Eastwood, en est le plus célèbre résidant.

▲ La mission espagnole de Carmel-by-the-Sea.
©Susan Pettitt/Dreamstime.com

◀ Point Lobos State Reserve.
©Mike Brake/Dreamstime.com

▲ Monterey Bay Aquarium. ©Garret Bautista/Dreamstime.com

Formidable musée naturel, la **Point Lobos State Reserve** constitue un extraordinaire milieu où la richesse de la mer rencontre les beautés de la terre. Le spectaculaire paysage de la réserve, impressionnante mosaïque de terres pelées, d'affleurements rocheux, de criques irrégulières et de prés ondulés, a été modelé par l'interaction entre la mer et la terre pendant des millions d'années. Les formations rocheuses souterraines remontaient à la surface, puis étaient modelées par les conditions extérieures et le roulis perpétuel des vagues. Résultant de l'érosion de ces rochers et transportés par la mer au gré de ses changements de niveau, le sable et le gravier ont formé de longues plages et terrasses. Au total, le site naturel, réputé être le joyau des espaces verts et bleus de l'État de la Californie, couvre quelque 520 ha dont 300 en milieu aquatique, portion ajoutée en 1960 et qui faisait alors de Point Lobos le premier parc marin au pays. Dans ce milieu aquatique, considéré comme l'un des habitats marins les plus riches de Californie, vivent une faune et une flore variées et remarquables. Phoques, loutres, baleines grises et nombre d'oiseaux marins y résident. Grâce à la rencontre de courants de températures différentes et du mouvement particulier des masses d'air, le monde sous-marin apparaît tout aussi riche. Les plongeurs y découvriront un milieu fascinant mais fragile. Par ailleurs, plus de 10 km de sentiers sillonnent les terres protégées, permettant aux randonneurs de profiter de la beauté des innombrables, odorantes et colorées plantes et fleurs sauvages, ainsi que du charme des grands pins et des cyprès.

Le **Monterey Bay Aquarium** a acquis une réputation fort enviable sur les plans national et international. Les merveilles du monde marin de la baie de **Monterey** fascineront jeunes et moins jeunes. L'aquarium abrite plus de 6 500 créatures vivantes, poissons, oiseaux, mammifères et autres espèces marines réparties dans plus de 100 aires d'exposition. La salle des oiseaux, celle des loutres de mer, la forêt de Kelp qui ondule dans plus de 1 260 m^3 d'eau, le bassin où l'on peut toucher les spécimens vivants et l'Outer Bay Wing, cette immense piscine d'eau salée intérieure qui présente les multiples facettes de la vie marine, font partie des merveilles de l'aquarium.

SAN FRANCISCO

Ville ravissante à la topographie tourmentée, San Francisco s'étend entre mer et montagnes sur un site fabuleux où se mêlent à la fois tradition, modernité et classicisme. Ainsi ancrée dans ce cadre des plus contrastés, elle déploie un large éventail de curiosités toutes plus fascinantes les unes que les autres pour séduire résidants et visiteurs.

Délimité par les rues Broadway au nord, Montgomery et Columbus à l'est, California au sud et Powell à l'ouest, le **Chinatown** de San Francisco constitue l'un des plus grands quartiers chinois établis à l'extérieur de la Chine, à égalité avec ceux de New York et de Vancouver. Déambuler dans le Chinatown, c'est un peu comme si le temps s'était figé dans le souvenir d'une autre époque. Une multitude de gens d'origine asiatique cohabitent dans ce quartier. De fabuleux restaurants, pour la plupart chinois, perpétuent la tradition des ripailles d'antan et se caractérisent par des carcasses d'animaux pendouillant au-dessus des étals, des effluves subtils flottant dans l'air et des dragons mythiques ornant leurs façades surplombées par des toits en pagode. La plupart des visiteurs pénètrent dans le quartier chinois par la **Chinatown Gateway**: une arche ornée de dragons chinois. La plus vieille rue du Chinatown est aussi la plus vieille rue de la ville, **Grant Avenue**. Elle est l'épine dorsale et le cœur commercial du quartier chinois; des restaurants exotiques, des boutiques de souvenirs kitsch et des galeries d'art se côtoient en effet tout au long de cette artère qui de plus fourmille en tout temps de touristes et de résidants.

▼ Chinatown. ©Chee-onn Leong/Dreamstime.com

Le **Financial District** forme grossièrement un triangle avec les rues Market, Kearny et Jackson. Cœur palpitant par lequel l'argent circule dans les artères prospères de la ville, il est justement surnommé le «Wall Street de l'Ouest». Le quartier regroupe des monstres de verre et d'acier qui abritent un réseau serré de banques blindées, de bureaux de compagnies d'assurances animés, d'agences de courtage opulentes et de cabinets d'avocats onéreux. Ce réseau se cache au cœur d'une impressionnante forêt de gratte-ciel qui surplombent les rues sillonnées par des voitures rutilantes. Sur le trottoir déambulent des messieurs cravatés et pressés ou des dames en tailleur chic.

Le **Wells Fargo History Museum** expose les célèbres diligences qui jadis reliaient la Côte Est à la Côte Ouest. Le musée abrite aussi des devises factices émises par le déluré «empereur Norton», des pépites d'or ainsi que plusieurs photos d'époque. Fondée en 1852 par Henry Wells et William G. Fargo, la Wells Fargo a longtemps régné en maître sur les liaisons routières d'antan en assurant la livraison de courrier ou d'argent. À la fois compagnie de transport et institution bancaire, la Wells Fargo a joué un rôle important dans le développement de la Côte Ouest.

San Francisco
0
0,5
1km
0
0,5
1mi
Golden Gate Bridge
1
101
San Francisco Bay
Océan Pacifique
N
Alcatraz
Colonie d'otaries
Pier 45
Pier 39
Pier 33
Fisherman's Wharf
Aquatic Park
Fort Mason
Marine Dr.
Lincoln Blvd
Golden Gate Promenade
Golden Gate National Recreation Area
Marina Blvd.
North Point St.
Crissy Field
Mason St.
Beach St.
Francisco St.
Russian Hill Park
Palace of Fine Arts
Exploratorium
Marina
Bay St.
Columbus Ave.
North Beach
Montgomery St.
Sansome St.
The Embarcadero
Lombard Street
Coit Tower
Edie Rd.
Lincoln Blvd
Taylor Rd.
Graham St.
Francisco St.
101
Lombard St.
Oakland
Presidio of San Francisco
Baker Beach
Lincoln Blvd.
Cow Hollow
Union St.
Green St.
Gough St.
Franklin St.
Polk St.
Leavenworth St.
City Lights Booksellers & Publishers
Vesuvio Café
Broadway St.
Columbus Tower
Transamerica Pyramid
Pacific Heights
Broadway St.
Nob Hill
Embarcadero
Liggott Ave.
China Beach
Presidio Golf Course
Alta Plaza Park
Lafayette Park
101
Chinatown
Wells Fargo History Museum
Sacramento St.
Oakland, Alameda
Land's End
Grant Avenue
Kearny St.
West Pacific Ave.
Jackson St.
Steuart St.
80
Chinatown Gateway
Stevenson St.
Main St.
El Camino del Mar
El Camino del Mar
Lincoln Park
Lake St.
Presidio Blvd.
Baker St.
Divisadero St.
Pine St.
Union Square
California St.
Bush St.
Japantown
Financial District
1st St.
California St.
Park Presidio Blvd.
Arguello Blvd.
Geary St.
O'Farrell St.
25th Ave.
Clement St.
Laguna St.
Van Ness Ave.
Tenderloin
4th St.
San Francisco Museum of Arts (SFMOMA)
Geary Blvd.
Delancey St.
Point Lobos Ave.
Geary Blvd.
Civic Center
South of Market (SoMa)
Yerba Buena Gardens
Anza St.
Eddy St.
Jefferson Square
2nd St.
Anza St.
Anza St.
Turk St.
Golden Gate Ave.
3rd St.
Rossi Playground
9th Ave.
City Hall
47th Ave.
45th Ave.
42nd Ave.
41st Ave.
36th Ave.
33rd Ave.
32nd Ave.
28th Ave.
23rd Ave.
Balboa St.
University of San Francisco
Lyon St.
Divisadero St.
Hayes Valley
Folsom St.
Clara St.
5th St.
King St.
Richmond
Market St.
Hayes St.
Great Hwy.
Spreckels Lake
Fulton St.
Fulton St.
Haight-Ashbury
Fell St.
Oak St.
9th St.
10th St.
11th St.
Caltrain Depot
North Lake
J.F. Kennedy Dr.
M.H. de Young Museum
Conservatory of Flowers
St. Mary's Medical Center
Harrison St.
Brannan St.
Townsend St.
Japanese Tea Garden
Middle Dr. E
Golden Gate Park
Stow Lake Island
Clayton St.
Masonic Ave.
Waller St.
Hermann St.
Valencia St.
7th St.
Martin Luther King Dr.
Kezar Dr.
Buena Vista Park
Guerrero St.
101
Lincoln Way
Ocean Beach
Carl St.
Castro St.
Market St.
15th St.
South Van Ness
De Haro St.
Irwin St.
6th St.
Owen St.
3rd St.
Irving St.
Sunset Blvd.
Parnassus Ave.
Corona Heights Park
16th St.
Potrero Ave.
101
Judah St.
19th Ave.
16th Ave.
13th Ave.
11th Ave.
7th Ave.
Stanyan St.
17th St.
Castro
Dolores St.
17th St.
Mariposa St.
48th Ave.
44th Ave.
42nd Ave.
38th Ave.
32nd Ave.
31st Ave.
28th Ave.
Kirkham St.
University of California Medical Center
18th St.
19th St.
Harrison St.
Hampshire St.
18th St.
Missouri St.
Lawton St.
19th St.
20th St.
20th St.
280
© ULYSSE
Moraga St.
Moraga St.
Liberty St.
Mission

▲ San Francisco. ©Can Balcioglu/Dreamstime.com

Probablement le bâtiment à l'architecture la plus audacieuse de San Francisco, la **Transamerica Pyramid** se dresse sur un site historique, le Montgomery Block, et fut inaugurée en 1972. Elle fait 260 m de hauteur et surplombe tous les gratte-ciel de la ville.

De nos jours, l'ancien quartier fréquenté naguère par Ginsberg, Kerouac et leur cortège de beatniks est grossièrement délimité par Fisherman's Wharf au nord, Telegraph Hill à l'est, Russian Hill à l'ouest et le Chinatown au sud. **North Beach** est aujourd'hui un quartier en pleine reconversion où les hauts lieux

culinaires et les bars à la mode côtoient les cinémas pornos, les sex-shops et les maisons closes.

Facilement identifiable grâce à son joli dôme vert, la **Columbus Tower** est l'un des plus beaux bâtiments du quartier de North Beach. Érigé au début du XXe siècle, l'édifice appartient à Francis Ford Coppola depuis les années 1970.

Le **Vesuvio Café** est un des rares repaires de beatniks qui existe toujours. Contrairement à ce que laisse suggérer son nom, il s'agit plutôt d'un bar qui reçoit aujourd'hui non seulement sa part de

touristes, mais également des intellectuels en manque d'inspiration et des poètes nostalgiques. Outre les beatniks des années passées, le poète gallois Dylan Thomas compte parmi les célébrités qui furent naguère clients de cet établissement. Prenez donc le temps de vous y arrêter, ne serait-ce que pour prendre un verre à la mémoire de Jack Kerouac ou d'Allen Ginsberg.

La librairie **City Lights Booksellers & Publishers** fut la première en Amérique à garnir uniquement ses étagères de livres de poche. Elle fut également le lieu de la première maison d'édition à publier Jack Kerouac. Ouverte depuis 1953, elle appartient toujours au même propriétaire, le poète et ancien beatnik Lawrence Ferlinghetti. Ici les planchers craquent, la poussière recouvre certaines étagères, et l'endroit est plein de charme.

Au sommet de Telegraph Hill, la **Coit Tower** dresse sa silhouette cylindrique sur 64 m. En 1934, cette tour érigée en souvenir d'une caserne de sapeurs des années 1850 fut offerte aux pompiers de la ville par Lillie Hitchcock Coit. Vous le soupçonnez peut-être, et vous avez raison: le belvédère offre un panorama tout à fait saisissant de la ville et de ses environs.

Juchée sur les flancs de Russian Hill, **Lombard Street**, la *« rue à sens unique la plus tordue au monde »,* suit un tracé qui compte pas moins de huit virages en épingle pour permettre aux véhicules de mieux négocier cette pente abrupte de 27%. D'ailleurs, la vitesse maximale autorisée n'est que de 8 km/h. La vue du haut de la colline (Russian Hill) est tout à fait panoramique.

▲ Vesuvio Café. ©Marjie Fitterer a.k.a. ArtsySF

◀ Lombard Street. ©iStockphoto.com/Philip Dyer

▲ North Beach et la Coit Tower. ©Dreamstime.com /Adrienbisson

LILLIE HITCHCOCK COIT

Née en 1843, Lillie Hitchcock Coit avait huit ans en 1851 lorsqu'elle fut sauvée des flammes par les pompiers. Peu après, elle devint la mascotte attitrée des sapeurs de la caserne. Costumée en pompier, elle allait jusqu'à courir derrière les camions de pompiers lorsqu'ils répondaient à un appel d'urgence. Devenue adulte, et appartenant à la haute société, elle fit don d'une tour aux pompiers de la ville, la Coit Tower, en forme de borne d'incendie. Lorsqu'elle mourut, à l'âge de 82 ans, bon nombre de pompiers des casernes de San Francisco assistèrent à ses funérailles.

Lieu éminemment touristique, le **Fisherman's Wharf** était jadis un petit port pittoresque habité d'abord par des Chinois, puis par des Génois et finalement par des Siciliens. Les bateaux de pêche en provenance de la baie de San Francisco y mouillaient, et les marins s'affairaient avec diligence à décharger leurs cargaisons. Le **Pier 39**, ancienne jetée de transbordement de marchandises, englobe l'Underwater World, un cinéma IMAX et une colonie d'otaries. L'endroit est devenu un haut lieu touristique toujours animé et plein d'effervescence depuis qu'en 1989 une **colonie d'otaries** décida de s'y installer en permanence.

Immortalisée dans plusieurs films, **Alcatraz** est cette célèbre île de la baie de San Francisco qui doit sa notoriété à la prison à sécurité maximale qui hébergeait autrefois les plus grands malfaiteurs des États-Unis. L'île a une superficie de 4,8 km² et émerge au large à environ 2,5 km de la ville. Surnommée *The Rock* en raison des falaises abruptes qui l'enserrent, elle a aujourd'hui changé de vocation qui est désormais essentiellement touristique.

Le quartier de la **Marina** est situé à l'ouest du Fisherman's Wharf, au pied des pentes de Pacific Heights. Il est peuplé de citoyens et de jeunes cadres aisés qui habitent les maisons et appartements fastueux bordés de nombreux espaces verts. Jadis implanté sur un marécage inculte infesté de créatures étranges, le quartier de la Marina est aujourd'hui un secteur résidentiel situé en front de mer.

Le **Palace of Fine Arts** est le seul pavillon de la Panama Pacific Exhibition de 1915 qui n'a pas été détruit après l'événement. De style néoclassique, cette architecture est facilement reconnaissable par son magnifique dôme de 33 m de hauteur supporté par les colonnes impressionnantes sur lesquelles des figures d'anges ont été gravées. Se dressant de façon presque olympienne au sein d'espaces gazonnés, cet ensemble muséal colossal borde un lac artificiel. Cet attrait est devenu, au même titre que le Golden Gate Bridge ou la Transamerica Pyramid, l'un des symboles les plus connus de San Francisco.

L'**Exploratorium**, l'un des fleurons des musées scientifiques des États-Unis, est situé à côté du Palace of Fine Arts. En 1969, le père de la bombe atomique, Frank Oppenheimer, sauve de l'oubli le vaste espace vacant du pavillon principal, pour le transformer en un musée technologique, dans le but de vulgariser la science auprès du grand public par l'expérimentation du monde naturel. L'Exploratorium est un musée de sciences et technologies unique par son originalité. En rassemblant l'apport de scientifiques, d'artistes et de pédagogues, le musée présente plus de 650 expositions interactives d'une ingéniosité remarquable.

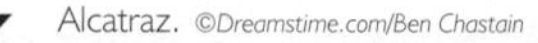

▼ Alcatraz. ©Dreamstime.com/Ben Chastain

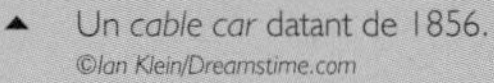

▲ Un *cable car* datant de 1856.
©Ian Klein/Dreamstime.com

▲ Un des populaires *cable cars* de San Francisco.
©Can Balcioglu/Dreamstime.com

CABLE CARS

L'histoire raconte que, par un bel après-midi d'été, l'ingénieur anglais Andrew Smith Hallidie fut témoin d'un horrible accident qui eut lieu sur les collines pentues de San Francisco : un cheval qui tirait un *streetcar* perdit l'équilibre et glissa sous sa charge, entraînant dans sa chute d'autres chevaux et *streetcars*. Consterné, Hallidie décida de remédier au problème en griffonnant sur place des idées sur un bout de papier. Puis il alla soumettre à la Ville un projet expérimental d'un système de transport urbain à base de câbles d'acier. Son projet remporta un vif succès. Dès 1873, le premier *cable car* caracolait sur les collines de San Francisco. Le principe en est assez simple. Il n'y a pas de moteur à l'intérieur des *cable cars*. Les cars sont reliés par un câble d'acier (d'où le nom de *cable car*) glissant entre les rails à un système de moteur central. Le conducteur des *cable cars* s'appelle le *gripman*. Avec l'aide d'une *grip* (sorte de pince), il a la responsabilité de serrer le câble pour arrêter les cars ou de le relâcher pour continuer. Il va sans dire que le *gripman* doit être un homme assez fort et en excellente condition physique.

En 1947, les autorités de la ville voulurent remplacer les *cable cars*, jugés obsolètes, par des autobus plus modernes et plus efficaces. Dans un geste éloquent de solidarité, les citoyens de San Francisco se mobilisèrent pour manifester leur désaccord. Grâce à eux, les *cable cars* font encore partie du paysage urbain de la ville et attirent de nombreux touristes chaque année. Les *cable cars* furent déclarés patrimoine historique en 1964. La vitesse de ces reliques du passé ne dépasse guère les 15 km/h.

▲ Golden Gate Bridge. ©Christophe Michot/Dreamstime.com

«*Physiquement irréalisable*» disaient certains. «*De toute façon, ça gâcherait le paysage*» renchérissaient d'autres. Bref, hormis quelques illuminés qui ne parlaient pas trop fort, personne, avant sa mise en chantier, ne croyait possible la réalisation du **Golden Gate Bridge**. Personne, sauf l'ingénieur Joseph Strauss. Fort en gueule, crâneur, brillant et persévérant, Strauss était la personne idéale pour mener à bien ce projet. Durant sa construction, il installa sous le pont des filets de sécurité qui sauvèrent la vie à quelques-uns de ses ouvriers. La construction débuta en janvier 1933, et l'inauguration eut lieu en grande pompe le 27 mai 1937. Ce célèbre pont suspendu est une merveille d'architecture qui permet de mieux saisir la ville dans sa totalité. Aussi indissociable de l'image de

San Francisco que la statue de la Liberté l'est de celle de New York, en plus d'être un ouvrage d'art élevé à titre d'icône emblématique de la ville, ce superbe pont enjambe le détroit (Golden Gate) où la baie de San Francisco conflue avec les eaux tumultueuses du Pacifique. Lorsque le brouillard enveloppe tranquillement la baie et que les cornes de brume se font entendre, la silhouette orangée du Golden Gate Bridge évoque des images fabuleuses qui burinent l'âme des romantiques.

Impressionnant bâtiment coiffé d'un magnifique dôme modelé sur celui de la basilique Saint-Pierre de Rome, le **City Hall** fut érigé en 1915 pour la Panama Pacific Exhibition après que le premier hôtel de ville eut été détruit par le tremblement de terre de 1906. Pour les férus

de statistiques, la hauteur totale de son dôme, soit 93 m, dépasse de quelques centimètres à peine celui du capitole de Washington, D.C. C'est ici qu'en 1954 le joueur de baseball Joe Di Maggio unit sa destinée à l'actrice Marilyn Monroe.

Victoire éclatante de l'être humain sur la nature, le magnifique espace vert qu'est le **Golden Gate Park** n'était avant son aménagement qu'un vaste champ de dunes balayé par les vents. Créé en 1870 afin de rivaliser avec la taille et la réputation exceptionnelles du Central Park de Manhattan, le Golden Gate Park est aujourd'hui sillonné par une cinquantaine de kilomètres de sentiers serpentant entre plusieurs lacs et courant au milieu d'une grande variété de paysages bucoliques et à travers un nombre d'attraits touristiques comme le **Conservatory of Flowers**, le plus ancien bâtiment du Golden Gate Park, le **M.H. de Young Museum**, qui présente une façade d'une esthétique fascinante créée par des milliers de feuilles de cuivre gaufrées aux motifs changeants et inspirés de photos d'arbres du Golden Gate Park, et le **Japanese Tea Garden**.

En décomposant le mot « SoMa », on trouve le diminutif de **South of Market**, le quartier s'étendant précisément au sud de Market Street. Outre le San Francisco Museum of Arts (SFMOMA) et les Yerba Buena Gardens, qui ont directement contribué à revitaliser le quartier, le SoMa compte un grand nombre de restos branchés et de discothèques à la mode.

La présence du **San Francisco Museum of Modern Art (SFMOMA)** concourt à revitaliser le SoMa. Cet édifice à la silhouette audacieuse et aux formes géométriques a été conçu pour faire connaître et admirer l'art moderne. La collection permanente du musée comprend près de 20 000

▲ Conservatory of Flowers.
©Chee-onn Leong/Dreamstime.com

◄ San Francisco Museum of Modern Art.
©Jeffrey Banke/Dreamstime.com

▲ Un vignoble de la vallée de Napa. ©iStockPhoto.com/Eliza Snow

pièces, incluant environ 10 000 photos, exposées dans les salles qui s'articulent autour d'un atrium spectaculaire.

Inauguré en 1993, le **Yerba Buena Center for the Arts**, aménagé dans les **Yerba Buena Gardens**, est un centre d'arts multidisciplinaires qui abrite des salles d'exposition où des artistes contemporains et iconoclastes étalent leurs talents au grand jour au moyen d'une technologie multimédia. L'établissement est entouré de jardins verdoyants et d'une belle esplanade au sein de laquelle on découvre une cascade ainsi qu'un mémorial dédié à Martin Luther King Jr.

NAPA VALLEY

La vallée de Napa, étroite mosaïque de vignobles parsemée de moulins à vent, de granges en bois et de magnifiques établissements vinicoles en pierre, s'étire sur plus de 55 km et se veut un festin pour tous les sens. Sur le plan social, elle est dominée par des vedettes de cinéma s'efforçant de passer inaperçues, des millionnaires tout aussi discrets, de grands connaisseurs, aussi bien modestes et accomplis qu'affectés et prétentieux, et il va sans dire, des hordes de touristes.

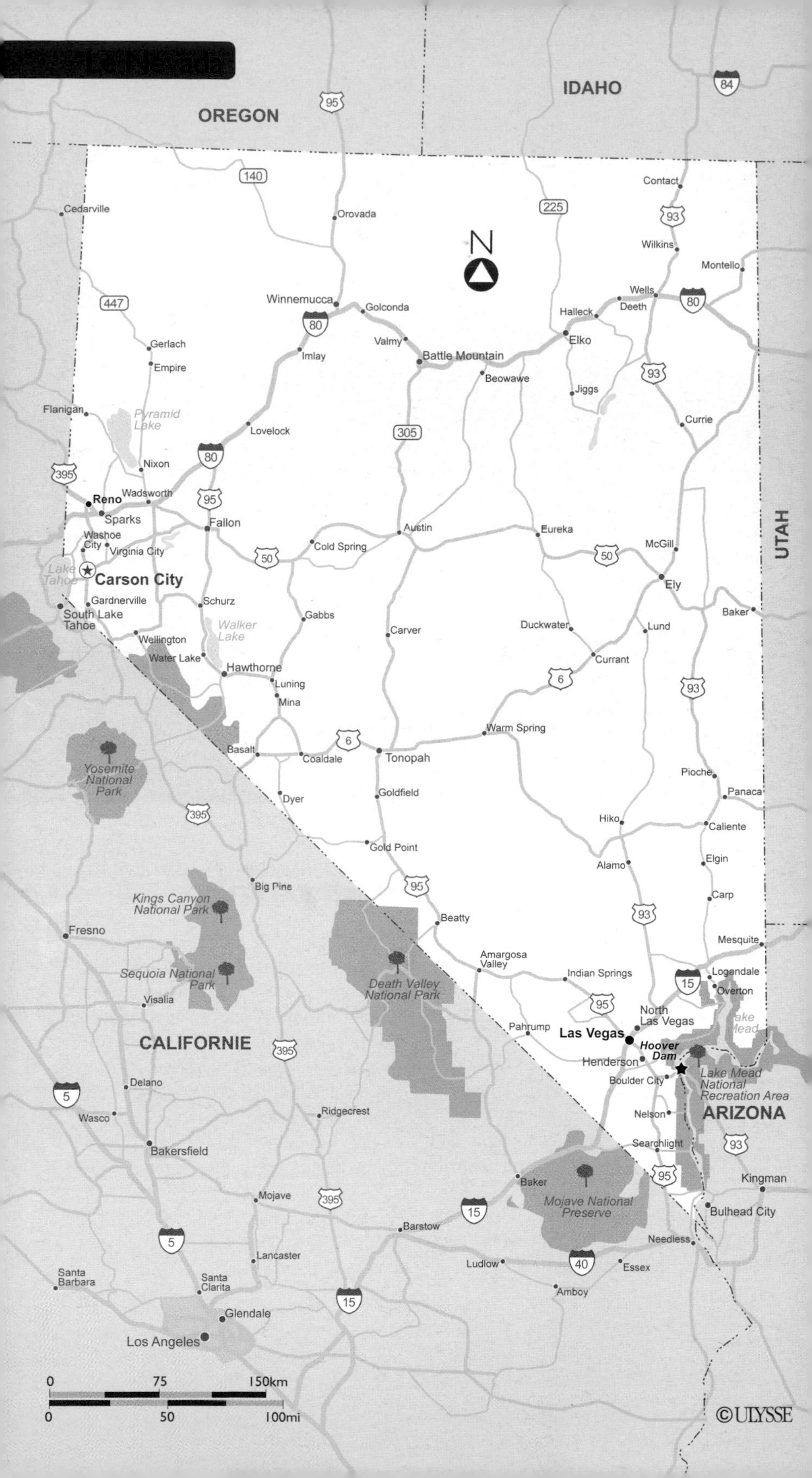

OREGON
IDAHO
UTAH
ARIZONA
CALIFORNIE
N
Contact
Cedarville
Orovada
Wilkins
Montello
Winnemucca
Golconda
Wells
Deeth
Halleck
Elko
Valmy
Battle Mountain
Imlay
Beowawe
Jiggs
Gerlach
Empire
Flanigan
Pyramid Lake
Lovelock
Currie
Nixon
Reno
Wadsworth
Sparks
Fallon
Washoe City
Virginia City
Lake Tahoe
Carson City
Austin
Eureka
Cold Spring
McGill
Ely
Gardnerville
South Lake Tahoe
Schurz
Walker Lake
Wellington
Water Lake
Hawthorne
Luning
Mina
Gabbs
Carver
Duckwater
Lund
Baker
Currant
Warm Spring
Basalt
Coaldale
Tonopah
Goldfield
Dyer
Gold Point
Pioche
Panaca
Hiko
Caliente
Alamo
Elgin
Carp
Mesquite
Big Pine
Beatty
Amargosa Valley
Indian Springs
Logandale
Overton
North Las Vegas
Las Vegas
Pahrump
Hoover Dam
Henderson
Boulder City
Lake Mead
Lake Mead National Recreation Area
Nelson
Searchlight
Kingman
Bulhead City
Needless
Yosemite National Park
Kings Canyon National Park
Sequoia National Park
Death Valley National Park
Mojave National Preserve
Fresno
Visalia
Delano
Wasco
Bakersfield
Ridgecrest
Mojave
Barstow
Baker
Ludlow
Essex
Amboy
Lancaster
Santa Barbara
Santa Clarita
Glendale
Los Angeles
95
84
140
225
93
447
80
305
395
50
6
15
40
5
0
75
150km
50
100mi
©ULYSSE

Le Nevada

▲ *Welcome to Fabulous Las Vegas!* ©iStockPhoto.com/John Eklund

LAS VEGAS

Par euphémisme, il suffit de prononcer le nom de «Las Vegas», pour susciter aussitôt moult réactions parmi les plus vives et les plus diverses. Ville tape-à-l'œil, *Sin City*, capitale du jeu, lieu de déchéance pour les uns, source intarissable de divertissements, paradis du kitsch et du grandiloquent pour les autres, Las Vegas, la métropole du Nevada, étonne, dérange, émerveille, choque, côtoie le burlesque le plus fou, mais parvient bizarrement à regrouper dans une même fresque, à la fois grandiose et dantesque, des pièces disparates de l'immense puzzle de l'histoire humaine.

Bien sûr, on ne peut parler de Las Vegas sans employer de superlatifs, autant pour évoquer ces fameux casinos thématiques qui laissent les badauds pantois que pour mieux attirer le premier venu dans l'antre fastueux et délétère du divertissement le plus échevelé.

Ici, en effet, le long du ***Strip***, principale artère qui s'allonge sur environ 5 km et qui canalise nuit et jour la circulation en tout sens de ces foules en délire à la recherche de divertissements, tout est mis en œuvre et savamment orchestré pour retenir l'attention de ces milliers de badauds et en même temps pour les étourdir: des millions de néons criards scintillant et brûlant des millions de watts, des battages publicitaires de rue aussi étourdissants qu'assourdissants, d'innombrables chapelles de mariage stéréotypées, sans oublier, bien sûr, les nombreux méga-hôtels thématiques tombant tous dans la démesure.

La partie la plus méridionale du *Strip* dévoile des icônes emblématiques de *Sin City*, la «ville du péché». Comme le célèbre panneau qui, depuis des lustres, proclame aux visiteurs ***Welcome to Fabulous Las Vegas!*** Rares en effet sont les films qui, s'étant servis de Las Vegas comme toile de fond, n'ont pas choisi une vue

Las Vegas
0
0,5
1 km
0
0,25
0,5 mi
15
Stratosphere
Downtown Area, Fremont Street Experience
W. Sahara Ave.
W. Sahara Ave.
E. Sahara Ave.
Sahara
Karen Ave.
N
Circus Circus Dr.
(The Strip)
Circus Circus
Fontainebleau
Riviera Blvd.
Paradise Rd.
Las Vegas Hilton
Las Vegas Country Club
Meade Ave.
Industrial Rd.
Riviera
Echelon
Sirius Ave.
15
Convention Center Dr.
Las Vegas Convention Center
New Frontier
W. Desert Inn Rd.
E. Desert Inn Rd.
S. Las Vegas Blvd.
Fashion Show Mall
Wynn Las Vegas
Sierra Vista Dr.
Spring Mountain Rd.
Wynn Golf Course
Treasure Island
Mirage
The Venetian
Sand Ave.
E. Twain Ave.
Imperial Palace
Swenson St.
Caesars Palace
Flamingo Las Vegas
W. Flamingo Rd.
E. Flamingo Rd.
Bellagio
Bally's
Koval Ln.
Paris-Las Vegas
The Eiffel Tower Experience
Hard Rock Hotel
University of Nevada Las Vegas
Planet Hollywood Resort & Casino
W. Harmon Ave.
E. Harmon Ave.
Mandarin Oriental
15
(The Strip)
Monte Carlo
Paradise Rd.
New York-New York
MGM Grand
W. Tropicana Ave.
E. Tropicana Ave.
San Remo
Excalibur
Tropicana
S. Las Vegas Blvd.
Reno Ave.
Luxor
Mandalay Bay Rd.
Dean Martin Dr.
Giles St.
Mandalay Bay
Paradise Rd.
Four Seasons Hotel
Dewey Dr.
McCarran International Airport
W. Russell Rd.
Welcome to Fabulous Las Vegas!
Monorail

où le panneau de bienvenue en question n'apparaît pas. Ainsi, d'entrée de jeu, le décor d'un film de fiction où le mythe et la légende tiennent l'avant-scène s'offre aux curieux venus du monde entier.

Vers le nord, le prodigieusement étrange **Luxor** est impossible à manquer, à cause du colossal sphinx aux yeux bleus prenant une pause ostentatoire tout en gardant l'imposante pyramide de verre noir de l'hôtel. Une fois la nuit tombée, le sphinx semble auréolé d'une énergie mystérieuse, et tout porte à croire que la pyramide noire va se transformer en une base intergalactique futuriste balisée par de puissants rayons qui convergent vers le sommet et illuminent le ciel, et qui constitueraient, dit-on, le plus puissant faisceau lumineux du monde.

Le casino **Paris Las Vegas** n'a pas besoin de présentation et veut être un digne représentant de la Ville lumière. Impossible de manquer la réplique de la tour Eiffel qui dresse sa silhouette caractéristique à l'horizon. S'y trouvent aussi l'Arc de triomphe de l'Étoile, le palais Garnier, le parc Monceau et la sympathique rue de la Paix, pour tenter de capter et restituer l'atmosphère caractéristique de Paris. L'intérieur est décoré de sculptures Art nouveau et de copies de tableaux d'impressionnistes français.

Avec **The Eiffel Tower Experience**, la ville de Las Vegas s'est une fois de plus surpassée en créant une réplique de la tour Eiffel dont l'authenticité atteint de nouveaux sommets. S'élevant à une hauteur de 150 m, soit la moitié de la vraie tour Eiffel, la tour éponyme de la capitale du jeu est d'un réalisme déconcertant.

Le **Bellagio** n'est pas sans rappeler le village italien qui porte ce nom en bordure du lac de Côme. Son créateur, Steve Wynn, a imposé sa griffe en dictant les nouveaux standards pour les futurs casinos thématiques de Las Vegas: une touche de classe, pas d'enfants et beaucoup d'argent. Sous aucun prétexte, il ne faut manquer le spectacle des **Fountains of Bellagio** donné sous les airs de 10 chansons jouant à tour de rôle qui, à coup sûr, charmera.

Autre morceau d'Italie transposé à Las Vegas, **The Venetian** s'offre avec élégance au regard. Un pont enjambant un cours d'eau, où circulent des gondoles, mène à sa magnifique façade ornée d'arcades qui évoquent admirablement bien l'architecture de Venise. Il demeure possible d'y voguer allégrement sur des gondoles dirigées par un gondolier coiffé du traditionnel feutre italien et habillé du chandail rayé noir et blanc.

▸ The Venetian. ©Photoquest/Dreamstime.com

▸ Fountains of Bellagio. ©Helen Filatova/Dreamstime.com

▾ Le Strip. ©Las Vegas News Bureau

TREASURE ISLAND

BALLYS
MGM
THE CITY OF
ENTERTAINMENT

BENJAMIN *BUGSY* SIEGEL

De toute évidence, le destin de Las Vegas a basculé vers le futur scintillant des villes américaines les plus prospères grâce à la persévérance du gangster notoire Benjamin *Bugsy* Siegel. Traînant avec lui une réputation de dur au passé louche ponctué de détails scabreux, ce gangster avéré à l'âme teigneuse fut obsédé par l'indicible désir de construire un casino de luxe au sein de l'aride désert du Nevada. Fort en gueule, la gâchette facile, il se bâtit une réputation de téméraire sanguinaire, affichant une rare cruauté face à tous ceux qui ne partageaient pas son opinion.

L'histoire raconte qu'autour de 1945 cet illustre individu aux épaules carrées et à la coiffure gominée impeccable rêvait d'ériger un hôtel-casino pour séduire le gratin de la société et être admis en son sein. Il parvint à emprunter un million de dollars à quelques-uns de ses acolytes du monde interlope (entres autres Lucky Luciano et Meyer Lansky) pour financer son mégaprojet. La Seconde Guerre mondiale se terminait; par conséquent, les matériaux de construction nécessaires à l'érection de son palace étaient des denrées rares et coûteuses. Le projet initial devait coûter un million de dollars. Lorsque les travaux furent presque achevés, la facture s'élevait déjà à six millions de dollars, une bagatelle!

Il va sans dire que les associés de Siegel n'étaient pas entièrement satisfaits du montant qu'il avait fallu débourser. Malgré tout, l'hôtel déroule le tapis rouge le 26 décembre 1946 pour la brochette de célébrités invitées à parader au gala d'ouverture du Flamingo Hotel. Il fallut toutefois quelque temps avant que d'autres clients ne viennent ici injecter leurs billets verts pour faire marcher l'hôtel.

La patience n'étant pas une vertu majeure parmi les mafiosi, ces derniers décidèrent de régler définitivement son compte à Siegel. Dans la nuit du 20 juin 1947, quelqu'un muni d'une arme à feu s'infiltra à l'intérieur de la maison de la copine de Siegel, Virginia Hill, et tira plusieurs projectiles en direction de Bugsy Siegel. Quelques secondes plus tard, son corps roidi par la mort gisait dans une mare de sang. À ce jour, ce meurtre n'a jamais été élucidé.

▸ Las Vegas au crépuscule.
©Brett Mulcahy/Dreamstime.com

TRUMP
CAESARS PALACE
Flamingo
George Wallace
BALLYS
ANTHONY COOLS
BALLYS

La **Stratosphere Tower** revendique le titre de la plus haute tour d'observation des États-Unis. Un ascenseur mène jusqu'à son belvédère qui offre une vue splendide. Non satisfaite de figurer au palmarès du plus haut, la tour d'observation s'est dotée des trois plus hauts manèges de la planète: le Big Shot, où, à bord d'un siège, le téméraire est catapulté vertigineusement à 55 m dans les airs, avant de redescendre comme le mercure d'un thermomètre plongé soudainement dans la glace carbonique; l'Insanity the Ride, les montagnes russes les plus élevées de la planète qui filent à plus de 70 km à l'heure; et X Scream, le dernier-né des manèges «extrêmes», qui porte très bien son nom.

Arrêt obligatoire pour la vieille garde du rock, le **Hard Rock Hotel** prend des allures de véritable musée consacré au rock-and-roll. Produit dérivé des Hard Rock Cafe, le Hard Rock Hotel se targue d'avoir été le premier établissement hôtelier consacré aux stars du rock. S'y trouvent plusieurs instruments de musique (surtout des guitares électriques) d'artistes de renom ainsi que des paroles de textes de Jim Morisson, Bruce Springsteen et Bob Dylan.

Un des classiques de Las Vegas est la **Fremont Street Experience**. Lorsque les gros casinos thématiques ont fait leur apparition sur le *Strip* en 1990, le Downtown Area fut relégué à l'arrière-plan. Le quartier s'est revigoré en 1995 grâce aux 70 millions de dollars insufflés pour créer la Fremont Street Experience. Il s'agit d'un spectacle visuel auquel nul ne peut rester indifférent: cinq quadrilatères fermés à la circulation automobile et recouverts d'un immense dôme doté de plus de 2,1 millions de néons qui s'allument et s'éteignent en une fraction de seconde pour former des images étranges, dans une ambiance sonore éclectique empruntant aux styles musicaux les plus divers, allant du classique au swing en passant par le country.

◄ Stratosphere Tower. ©Dmitry Kushch/Dreamstime.com

CASINOS

De toute évidence, Las Vegas doit sa notoriété et sa fulgurante popularité aux casinos qui y règnent en maître et qui l'ont propulsée au zénith des grandes villes américaines. Las Vegas sans casinos serait un peu comme Paris sans tour Eiffel, New York sans la statue de la Liberté ou Londres sans Big Ben.

Comme le temps change inexorablement sur son passage tout ce qui vit, l'allure des casinos a grandement changé depuis les saloons d'antan aux planchers de bois usés sur lesquels des gaillards torves jouaient aux cartes, le dos au mur, dans l'ambiance créée par les rengaines à la mode d'un pianiste au regard placide. On tentait de divertir les clients avec des filles emplumées et girondes qui dansaient sur scène afin de les garder sur place le plus longtemps possible. De nos jours, les saloons, ces curieux fantômes du passé, ont fait place à d'immenses surfaces modernes où se côtoient et se mêlent étroitement le merveilleux (le large sourire esquissé d'un gagnant s'extasiant devant la quantité d'argent soudain gagnée), le cocasse ou le pathétique (la vieille dame fumant cigarette après cigarette, bière dans une main, tandis que l'autre glisse machinalement des pièces dans les machines à sous) et le pitoyable (les cheveux ébouriffés et l'œil hagard de celui qui vient soudain de perdre l'argent du loyer). Par ailleurs, il y a toujours le spectacle offert par de jolies femmes aux jambes fusiformes, mais il se déroule dans une salle attitrée.

Chaque casino cherche à afficher une identité propre et déploie bien des efforts, et souvent même une stratégie bien élaborée, pour attirer, séduire et retenir les visiteurs. C'est pourquoi, de l'extérieur, chaque casino essaie d'en mettre plein la vue et fait assaut de séduction pour attirer la clientèle vers l'intérieur. Grosso modo, cependant, tous les casinos se ressemblent et proposent sensiblement les mêmes jeux : roulette, keno, black-jack, etc. Chaque casino est un immense champ clos replié sur lui-même qui ne voit jamais la lumière du jour ou de la nuit et qui, dans un vain effort pour s'affranchir du temps, se garde bien d'afficher le moindrement l'heure présente. Bref, les tenanciers mettent tout en œuvre pour garder aussi longtemps que possible les joueurs dans leurs établissements.

Assurez-vous d'avoir 21 ans et de pouvoir le prouver si vous décidez de jouer car, même si la chance est de votre côté et que vous gagnez le gros lot, il vous sera cruellement enlevé s'il s'avère que vous êtes mineur.

LES ENVIRONS DE LAS VEGAS

À 55 km de Las Vegas, chevauchant le Nevada et l'Arizona, la merveille technologique qui changea à tout jamais le visage du Sud-Ouest américain, le **Hoover Dam**, est l'aboutissement fabuleux d'un effort collectif quasi surhumain de persévérance et de courage. Bâti durant la grande dépression des années 1930 pour dompter le furieux fleuve Colorado, qui se faufile à travers quelques États avant de se tarir dans le désert, le Hoover Dam a une histoire qui s'inscrit dans la lignée des brillantes réalisations modernes et s'ajoute à la liste des œuvres de génie civil les plus remarquables, classées au chapitre des *Nine man-made wonders of the 20th century*.

▲ Hoover Dam. ©Dreamstime.com/Chee-onn Leong

Haut de 218 m, d'une épaisseur à la base de 200 m, et d'un volume d'enrochement qui a nécessité un total de quatre millions de mètres cubes de béton, le Hoover Dam fut solennellement inauguré le 30 septembre 1935 par le président Franklin Roosevelt. Le Hoover Dam fut entièrement payé en 1987 grâce à la venue de plus de 33 millions de visiteurs et à l'électricité qu'il a générée depuis près de 70 ans. En fait, pratiquement toute l'électricité utilisée au Nevada et une bonne partie de celle utilisée en Californie proviennent d'ici grâce à la capacité de production de ses 17 puissants générateurs, qui produisent annuellement cinq milliards de kilowattheures.

▲ Drapeau basque. ©Jamo Gonzalez Zarraonandia

LES BASQUES

Les Basques, l'une des plus anciennes communautés culturelles de la vieille Europe, trouvent leurs racines dans les Pyrénées, région partagée entre la France et l'Espagne, et comme bien des gens, ils furent attirés outre-mer par l'appât du gain et l'espoir d'une vie meilleure. Ils contribuèrent ainsi au boom provoqué par la ruée vers l'or de 1849 en Californie, puis par la découverte de gisements aurifères au Nevada.

Les descendants de ces pionniers se sont installés au Nevada et forment de nos jours à Reno une importante communauté. Afin de préserver leurs traditions, les Basques du Nevada ont ouvert des restaurants dans lesquels ils concoctent des spécialités de leur lointaine province espagnole d'origine, Biscaye.

Reno

S'étant autoproclamée *The Biggest Little City in the World*, Reno a subi moult changements depuis les premiers balbutiements de ses colonisateurs. Alors que Las Vegas n'était même pas un point sur l'échiquier géographique du Nevada, Reno revendiquait jadis «l'honneur» d'être surnommée *Sin City*, avant de perdre ce titre et d'être ultérieurement distancée à tout jamais par la capitale du jeu.

Sans nul doute le fleuron des attraits touristiques de Reno, le **National Automobile Museum** présente dans différentes salles

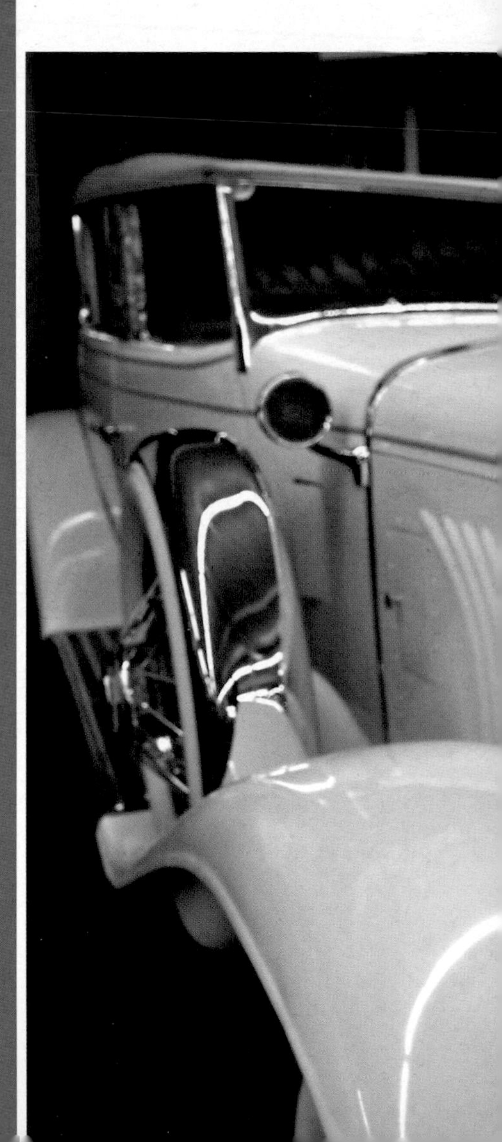

d'exposition une collection d'environ 200 voitures antiques et rutilantes datant pour certaines de 1892. Petits et grands pourront ouvrir bien grand les yeux et se divertir en observant les magnifiques vieilles bagnoles exposées dans ce musée situé à quelques minutes de marche du centre-ville. Une halte aux garages qui avoisinent les salles d'exposition permet d'y faire un brin de causette avec les mécaniciens qui s'affairent à retaper ces engins. S'y trouve aussi un petit magasin qui vend différents bouquins sur les voitures anciennes.

Reno. ©Natalia Bratslavsky/Dreamstime.com

National Automobile Museum.
©Zoran Karapancev/Dreamstime.com

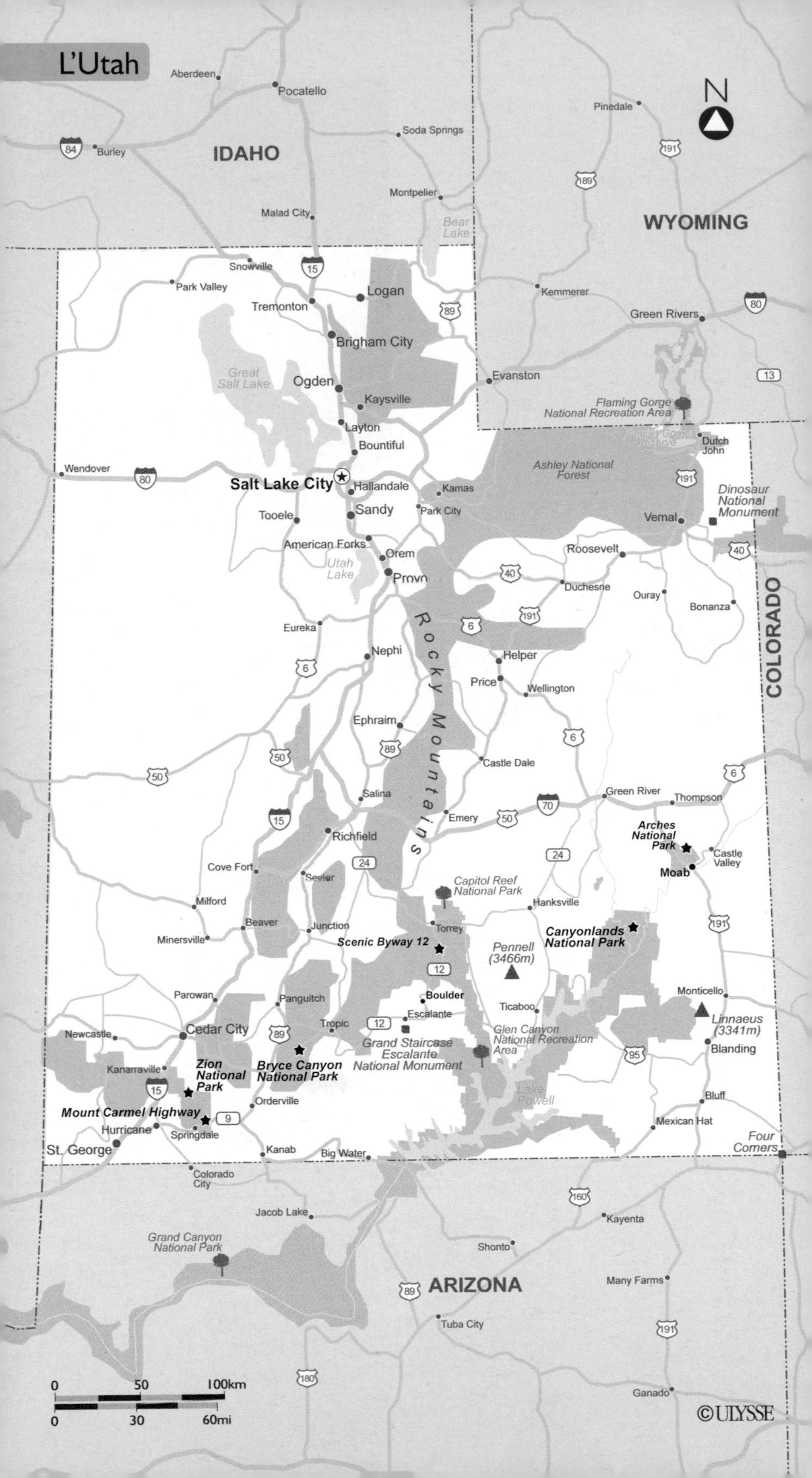

L'Utah
IDAHO
WYOMING
COLORADO
ARIZONA
Aberdeen
Pocatello
Pinedale
Soda Springs
Burley
Montpelier
Malad City
Bear Lake
Snowville
Park Valley
Tremonton
Logan
Kemmerer
Green Rivers
Brigham City
Great Salt Lake
Ogden
Kaysville
Evanston
Flaming Gorge National Recreation Area
Layton
Bountiful
Dutch John
Ashley National Forest
Wendover
Salt Lake City
Hallandale
Kamas
Dinosaur National Monument
Park City
Tooele
Sandy
Vernal
American Forks
Orem
Roosevelt
Utah Lake
Provo
Duchesne
Ouray
Bonanza
Rocky Mountains
Eureka
Nephi
Helper
Price
Wellington
Ephraim
Castle Dale
Salina
Green River
Thompson
Emery
Arches National Park
Richfield
Castle Valley
Moab
Cove Fort
Sevier
Capitol Reef National Park
Milford
Hanksville
Beaver
Junction
Torrey
Canyonlands National Park
Minersville
Scenic Byway 12
Pennell (3466m)
Parowan
Boulder
Panguitch
Monticello
Escalante
Ticaboo
Tropic
Linnaeus (3341m)
Cedar City
Glen Canyon National Recreation Area
Newcastle
Grand Staircase Escalante National Monument
Blanding
Zion National Park
Bryce Canyon National Park
Kanarraville
Lake Powell
Bluff
Orderville
Mount Carmel Highway
Hurricane
Springdale
Mexican Hat
St. George
Kanab
Big Water
Four Corners
Colorado City
Jacob Lake
Kayenta
Grand Canyon National Park
Shonto
Many Farms
Tuba City
Ganado
0 50 100km
0 30 60mi
©ULYSSE
N

L'Utah

C'est avec les westerns de John Ford que l'Utah, un des plus beaux États du Far West, a accédé au mythe. Qui n'a pas un jour rêvé dans son enfance de fouler le sol de ces déserts ou de se promener à cheval le long des magnifiques canyons de grès s'élevant dans des variations de couleurs infinies?

Car, si l'Amérique des grands espaces fait encore rêver, il faut reconnaître que les beautés naturelles de l'Utah reflètent le sublime de cet univers pétré du Far West. La preuve? Canyonlands, Arches, Capitol Reef, Bryce Canyon et Zion, soit cinq des plus grands parcs nationaux des États-Unis, sont regroupés dans ce cœur de pierre de l'Amérique qu'est le sud de l'Utah.

L'Utah, bordé par l'Idaho, le Wyoming, le Colorado, l'Arizona et le Nevada, se présente sous la forme d'un rectangle tronqué au nord-est. Sa densité de population demeure faible et essentiellement concentrée dans les agglomérations qui bordent le Grand Lac Salé.

L'Utah était à l'origine davantage reconnu pour son potentiel agricole et ses industries minières que pour ses attraits touristiques. L'État tire son nom de la nation amérindienne des Utes qui peuplait la partie est de la région, jusqu'à l'arrivée des premiers Espagnols en 1540 puis des Mexicains qui en revendiquèrent la propriété.

En 1847, une communauté de mormons, qui fuyaient les persécutions religieuses dont ils faisaient l'objet en Ohio, au Missouri et en Illinois, décident de partir vers l'Ouest. Persuadés d'avoir enfin trouvé leur terre promise, près de Salt Lake City, ils s'installèrent et effectuèrent immédiatement d'importants travaux d'irrigation pour cultiver la terre et survivre au premier hiver.

L'Utah, entièrement situé dans les montagnes Rocheuses, avec des sommets supérieurs à 4 000 m, est devenu, en raison de la diversité de ses paysages grandioses, un véritable paradis pour les amoureux de la nature.

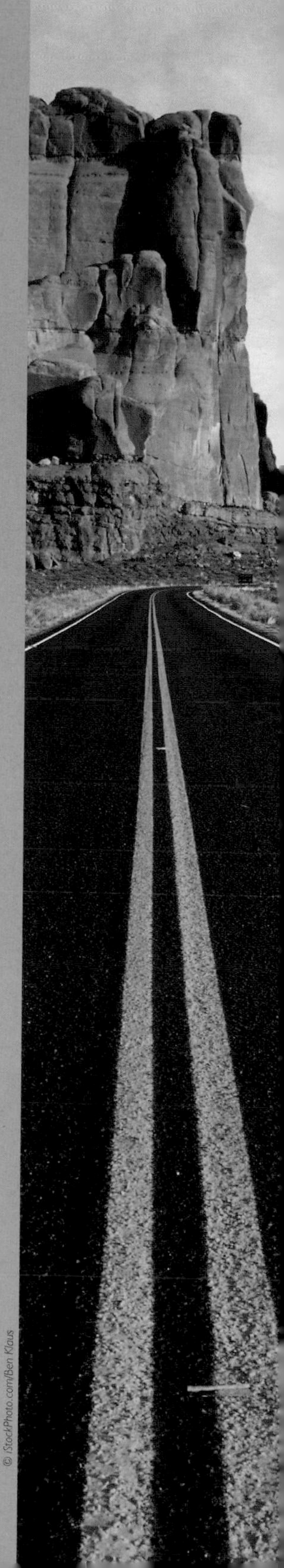

▲ Salt Lake City. ©Phdpsx/Dreamstime.com

SALT LAKE CITY ET SES ENVIRONS

Salt Lake City, ville enclavée entre les monts Wasatch et le Grand Lac Salé, occupe le bassin de l'ancien lac Bonneville. Capitale de l'Utah, elle fut fondée le 24 juillet 1847 par un groupe de pionniers mormons conduit par Brigham Young. En voyant cette vallée, jusque-là habitée par un peuple amérindien, les Anasazis, Brigham Young s'exclama : *This is the right place* (Voici le lieu idéal). Loin des persécutions, ces pionniers pouvaient enfin y pratiquer librement leur religion et s'adonner à l'agriculture. Rapidement, des mormons du monde entier et surtout d'Europe rejoignirent le siège de «l'Église de Jésus-Christ des saints des derniers jours» (c'est-à-dire l'Église mormone), venant augmenter ainsi les effectifs de la ville. Avec la Ruée vers l'or, les immigrants attirés par l'Ouest américain vinrent s'ajouter à cette population sans cesse croissante; ils furent bientôt rejoints, lors de la guerre de Sécession, par les soldats américains en poste à Salt Lake City. Aujourd'hui, on y recense quelque 180 000 habitants, ce qui en fait le premier centre urbain de l'Utah.

Haut lieu touristique de la ville, **Temple Square** est un site incontournable pour saisir la signification des croyances mormones. Des visites guidées gratuites permettent de découvrir le **Salt Lake Temple** ainsi que le Tabernacle, l'Assembly Hall, le Museum of Church History and Art, le Joseph Smith Memorial Building, le quartier général de l'Église mormone et la Beehive House, tous regroupés dans le square.

Le **Tabernacle**, érigé entre 1863 et 1867, possède une qualité acoustique extraordinaire grâce à son toit voûté. Entouré de 44 piliers, il a été entièrement construit en bois de pin, et son plafond est fixé par des lanières de cuir et des chevilles de bois. À l'intérieur se trouve un orgue magnifique de plus de 11 000 tuyaux; 6 500 personnes peuvent écouter quotidiennement un récital d'orgue ou, chaque dimanche matin, le Mormon Tabernacle Choir. Le Tabernacle sert également de lieu de rassemblement, deux fois par année, pour écouter l'allocution radiodiffusée du prophète.

Construit entre 1867 et 1880, l'**Assembly Hall**, qui faisait autrefois office d'église, accueille aujourd'hui des concerts. Ses

Salt Lake City
University of Utah
Virginia St.
S. 1300 E.
E. 500 S.
Sunnyside Ave.
Harvard Ave.
181
E. 700 S.
E. 800 S.
E. 900 S.
McClelland St.
N St.
L St.
S. 900 E.
186
S. Temple St.
I St.
S. 700 E.
71
Liberty Park
11th Ave.
F St.
D St.
B St.
E. 200 S.
E. 400 S.
E. 500 S.
E. 6th S.
E. 900 S.
E. 1300 S.
S. 300 E.
Memory Grove Park
Utah State Capitol
N. State St.
89
S. State St.
S. Main St.
184
NW Temple
SW Temple
Temple Square
N. 300 W.
S. 300 W.
N. Temple St.
W. 100 S.
W. 300 S.
W. 500 S.
W. 600 S.
W. 800 S.
W. 900 S.
W. 1300 S.
15
268
S. 6th W.
Salt Lake City Intermodal Hub
S. 800 W.
N. 900 W.
S. 900 W.
Jordan Park
W. 600 N.
W. 500 N.
W. 300 N.
N
80
W. 300 S.
W. 400 S.
W. 500 S.
Indiana Ave.
Emery St.
Riverside Park
Constitution Park
N. Redwood Dr.
68
S. Redwood Dr.
Starcrest Dr.
Orange St.
Salt Lake City Intl. Airport
0
0,5
1km
0
0,25
0,5mi
©ULYSSE

colonnes sont également en bois de pin, et son plafond est orné de fleurs de Sego, un des emblèmes de l'État.

L'**Utah State Capitol** est le siège du gouvernement de l'Utah. Ce capitole, construit d'après les plans de Richard Kletting entre 1912 et 1916, est le second à avoir été érigé dans l'Utah, le premier se trouvant dans la ville de Fillmore. Cinquante-deux colonnes corinthiennes supportent ce monument dont les façades extérieures sont en granit. Le bâtiment ouvre ses portes sur une jolie rotonde s'élevant à 50 m dont les murs sont en marbre de Géorgie. Quatre fresques y représentent des scènes historiques dont une dépeint l'expédition de Domínguez-Escalante en 1776, et une autre, l'arrivée, en 1847, de Brigham Young et du groupe de pionniers mormons. Des statues rappelant les personnages éminents qui ont marqué l'histoire de l'État trônent le long des couloirs. S'y trouve la Gold Room, soit la salle de réception réservée à l'accueil des hommes politiques illustres. Immédiatement à l'ouest de cette pièce sont situés les bureaux du gouverneur. La House of Representatives (Chambre des représentants), composée de 75 membres élus pour deux ans qui participent à l'élaboration des lois, ainsi que la Senate Room (chambre du Sénat), qui regroupe 29 sénateurs élus pour quatre ans, sont toutes deux accessibles au public. Enfin, le capitole abrite en son sein la Supreme Court (Cour suprême), garante du respect de la Constitution de l'État. Dans les jardins qui bordent le capitole, plusieurs sculptures se laissent admirer, telles celles du Mormon Battalion Monument, à côté du Date Garden, et du Chief Massasoit, qui trône devant la façade principale.

▲ Salt Lake Temple. ©iStockPhoto.com/Mark Jensen

▶ Utah State Capitol. ©Dreamstime.com

▶ Assembly Hall. ©Maria Isabel Villamonte/Dreamstime.com

MOAB ET SES ENVIRONS

Moab est une agréable petite ville, coincée entre les montagnes et le fleuve Colorado, où règne à longueur d'année une certaine ambiance de vacances. Au fil des ans, Moab est devenue l'une des villes les plus dynamiques de l'Utah, où activités de plein air riment avec art de vivre. De plus, la ville de Moab est, en raison de la beauté de sa région, un point de ralliement pour les photographes amateurs ou professionnels qui arpentent les sentiers des parcs avoisinants.

Environ 3 km après le centre d'accueil de l'**Arches National Park** se trouve un petit sentier de randonnée appelé Park Avenue. De difficulté moyenne en raison d'une courte colline à gravir, il offre une très belle vue sur la formation rocheuse dénommée Courthouse Towers. Plus loin sur la route surgit la **Balanced Rock**, un rocher en équilibre qui est l'une des attractions les plus connues du parc.

Il y a aussi le Garden of Eden, puis dans la Windows Section, la Windows Loop, qui est un court chemin menant aux arches appelées North Window, South Window et Turret Arch. Juste au nord, un autre chemin facile conduit à l'une des arches les plus spectaculaires du parc, la **Double Arch**.

La **Delicate Arch** demeure la plus belle de toutes. Cette arche de la perfection n'est pas la plus grande, mais la plus gracieuse. Il faut d'ailleurs la voir au lever ou surtout au coucher du soleil, quand la lumière joue un ballet de couleurs pourpres et violettes qui évoluent à mesure que s'égrènent les minutes. Cette arche est un véritable miracle de finesse dans cette contrée où la rudesse des paysages prédomine, et elle est devenue le symbole de l'Utah. Le sentier qui y mène grimpe sur près de 2,5 km, et sa principale difficulté réside dans le fait qu'il n'y a aucune ombre pour se protéger des rayons du soleil.

◀ Delicate Arch. *©Nicoletta Maiani/Dreamstime.com*

En prenant la route principale vers le nord, on atteint **Fiery Furnace**, un endroit qu'on parcourt uniquement dans le cadre d'une visite guidée. Les visiteurs qui désirent «se perdre» dans ce labyrinthe d'étroits canyons sont nombreux et, bien souvent en haute saison, il faut réserver plusieurs jours à l'avance.

Plus au nord se trouve le Devils Garden Trail. Ce sentier de randonnée qui débute au nord du camping du même nom conduit vers la **Landscape Arch**: large de près de 90 m et haute de 30 m, c'est la plus grande arche de tout le parc.

Le **Canyonlands National Park**, sillonné par la rivière Green et le fleuve Colorado, offre un spectacle désertique creusé de vastes canyons. L'eau a érodé au fil des années la roche meuble pour y dessiner des aiguilles, des arches et des mesas, et faire apparaître des strates de sédiments. Les Anasazis y avaient élu domicile pour chasser le daim, l'antilope et le bouquetin, et pour cultiver le maïs et les haricots. Ils y laissèrent de nombreux pétroglyphes. Peu d'explorateurs s'aventurèrent par la suite dans cette contrée aride qui longtemps resta en grande partie inexplorée. Lors de la ruée vers l'uranium, de nombreux prospecteurs arpentèrent la région, y traçant des pistes de terre encore visibles aujourd'hui. Ce n'est qu'à partir de 1964, date de la création du parc et de la fin de l'exploitation de l'uranium, que les visiteurs purent en apprécier les paysages.

Island in the Sky, le secteur le plus visité du parc, est certainement le plus impressionnant. Surplombant la rivière Green et le fleuve Colorado ainsi que les autres secteurs du parc, cette «île dans le ciel» promet de somptueux points de vue. Juste au sud de l'Island in the Sky Visitor Center, le **Shafer Canyon Overlook** permet de jeter un coup d'œil sur le **Shafer Trail**, cette saisissante piste qui descend abruptement vers Potash et Moab.

Reliant les parcs nationaux de Capitol Reef et de Bryce Canyon, la **Scenic Byway 12**, une fantastique route panoramique, traverse des paysages aussi divers qu'époustouflants: canyons, forêts de pins, falaises rouges, déserts et montagnes enneigées se succèdent sur quelque 200 km.

Boulder, un charmant petit village, fut le dernier à recevoir le courrier à dos de mulet. Il a su garder une simplicité et une tranquillité qui attirent les voyageurs en quête de repos et de solitude, et ce, sans mettre de côté un certain confort.

Amphithéâtre de dentelles de pierre, parois rocheuses multicolores et hauts plateaux érodés sont autant de formations géologiques à couper le souffle dans ce qui est probablement le plus beau parc des États-Unis: le **Bryce Canyon National Park**. Les centaines de cheminées des fées (*hoodoos*) se parent au fil des heures de variations de couleurs infinies conférant à l'endroit une beauté magique. Pour les Paiutes, des Amérindiens qui occupaient la région du sud de l'Utah, ces cheminées des fées représentaient le «Peuple

MOAB: LA MECQUE DU VÉLO DE MONTAGNE

Plusieurs sentiers ainsi que de nombreuses routes non revêtues permettent d'explorer à fond cette région aride entourée de montagnes imposantes.

Parmi les sentiers difficiles, le Slickrock Bike Trail vole aisément la vedette au chapitre de la popularité. Et pour cause! Situé à seulement 5 km du centre de Moab, dans la Sand Flats Recreation Area, ce sentier légendaire sillonne des dunes pétrifiées où l'adhérence des pneus se révèle presque magique... Et c'est tant mieux, car les pentes sont d'une raideur incroyable! Il faut donc s'y engager à fond si l'on veut tenter une montée ou une descente sans avoir à poser le pied au sol.

Le parcours principal est indiqué par des traits de peinture à même la surface rocheuse pour permettre de retrouver son chemin. Tout le long du sentier, les points de vue sur la région (monts La Sal, fleuve Colorado, parc national Arches, etc.) sont aussi nombreux qu'exceptionnels, pour ne pas dire hallucinants! Grandiose!

◀ Un cycliste dans la région de Moab.

de la Légende», figé dans la pierre par le «dieu Coyote». C'est à Ebenezer Bryce, charpentier de son métier, qui s'était installé en 1875 dans la vallée creusée par la rivière Paria coulant au nord du parc, que l'endroit doit son nom. Aujourd'hui ouvert à longueur d'année, le parc reçoit près de 1,5 million de visiteurs qui viennent admirer la splendeur de son décor féerique.

Le **Bryce Amphitheater**, au nord du parc, près du centre d'accueil et du Bryce Canyon Lodge, regroupe la plupart des attraits du parc. De superbes points de vue surgissent tout au long du **Rim Trail**, un sentier pédestre qui suit le bord de la falaise et surplombe l'amphithéâtre. Les **Sunrise Point**, **Sunset Point**, **Inspiration Point** et surtout **Bryce Point** offrent de superbes points de vue sur d'incroyables formations rocheuses. Pour voir de plus près les *hoodoos*, il faut emprunter l'un des sentiers qui descendent dans l'amphithéâtre. Ceux de **Queens Garden** et de **Navajo Loop** peuvent être combinés (4,6 km) et donneront un aperçu totalement différent de ces étranges cheminées des fées.

Très différent des autres parcs du sud de l'Utah, le **Zion National Park** présente un impressionnant paysage de falaises imposantes, que l'oxyde de fer a teintées de couleurs rougeâtres, et de gorges abruptes (certaines atteignent 900 m) creusées par la rivière Virgin.

En arrivant du Bryce Canyon National Park ou en partant vers l'est, la **Mount Carmel Highway** (route 9) serpente à flanc de colline et emprunte un tunnel de 1,8 km creusé dans les années 1930. Prouesse technique à l'époque, la taille de ce tunnel prenait en compte les dimensions des voitures d'alors. Les camions et

▲ Scenic Byway 12. ©istockphoto.com/Vlad Turchenko

▶ Bryce Canyon National Park. ©Dreamstime.com/Can Balcioglu

les autobus modernes doivent toutefois rouler au milieu de la route, ce qui occasionne régulièrement des embouteillages. À la sortie est du tunnel, le sentier du **Canyon Overlook** mène au-dessus d'une grande arche qui permet d'admirer en contrebas les vallées encaissées du parc de Zion, la montagne East Temple et un petit canyon encaissé, le Pine Creek. Au lever du jour, le spectacle est grandiose!

Le **Zion Canyon** est particulièrement réputé pour la beauté de ses sentiers de randonnée pédestre qui serpentent dans les montagnes tout en offrant de spectaculaires points de vue sur les canyons et la vallée. L'une des randonnées les plus faciles à faire est probablement celle qu'offre le Pa'Rus, un petit sentier de 5,6 km sur terrain plat où les chiens et les bicyclettes sont également admis. Ce chemin serpente le long de la rivière

▼ Zion Canyon. ©Dreamstime.com/Oleksandr Buzko

Virgin et offre quelques jolies vues sur les monts Watchman et Bridge. Un peu plus loin, la boucle menant aux Upper, Lower et Middle Emerald Pools conduit vers les petits réservoirs d'eau alimentés par des cascades; c'est un endroit populaire pour les pique-niques. Pour une vue plus globale du canyon et une randonnée plus difficile mais très intéressante, il faut suivre l'**Angels Landing Trail**. Les derniers 800 m se font à l'aide de chaînes sur une crête avec le vide de chaque côté. Mais en récompense, une vue imprenable se déploie sur tout le canyon. Tout au bout de la route, au Temple of Sinawava, le sentier de Riverside Walk permet de remonter la Virgin River en marchant dans l'eau. Cette promenade rafraîchissante conduit jusqu'à Wall Street, l'endroit le plus étroit du canyon.

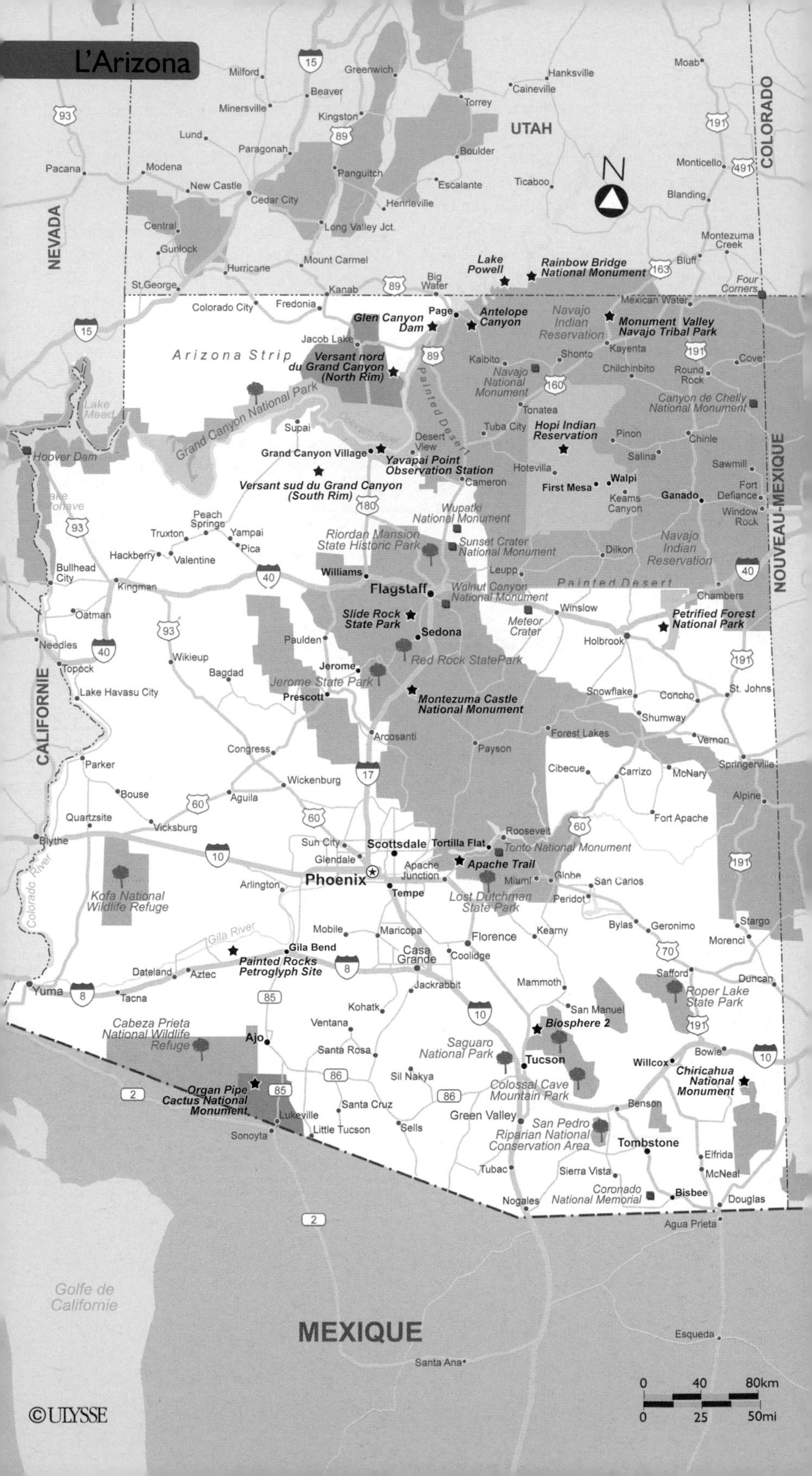
L'Arizona
UTAH
NEVADA
COLORADO
CALIFORNIE
NOUVEAU-MEXIQUE
MEXIQUE
Golfe de Californie
Milford
Greenwich
Hanksville
Moab
Beaver
Caineville
Minersville
Torrey
Kingston
Lund
Paragonah
Boulder
Monticello
Pacana
Modena
Panguitch
New Castle
Escalante
Ticaboo
Blanding
Cedar City
Henrieville
Central
Long Valley Jct.
Gunlock
Montezuma Creek
Hurricane
Mount Carmel
Lake Powell
Rainbow Bridge National Monument
Bluff
St.George
Kanab
Big Water
Four Corners
Colorado City
Fredonia
Mexican Water
Page
Glen Canyon Dam
Antelope Canyon
Navajo Indian Reservation
Monument Valley Navajo Tribal Park
Jacob Lake
Kayenta
Arizona Strip
Versant nord du Grand Canyon (North Rim)
Kaibito
Shonto
Chilchinbito
Round Rock
Cove
Navajo National Monument
Painted Desert
Lake Mead
Grand Canyon National Park
Canyon de Chelly National Monument
Tonatea
Supai
Colorado River
Tuba City
Hopi Indian Reservation
Pinon
Chinle
Hoover Dam
Desert View
Grand Canyon Village
Yavapai Point Observation Station
Salina
Sawmill
Hotevilla
Versant sud du Grand Canyon (South Rim)
Cameron
Walpi
First Mesa
Keams Canyon
Ganado
Fort Defiance
Lake Mohave
Window Rock
Wupatki National Monument
Peach Springs
Truxton
Yampai
Riordan Mansion State Historic Park
Sunset Crater National Monument
Pica
Hackberry
Valentine
Dilkon
Navajo Indian Reservation
Bullhead City
Williams
Leupp
Kingman
Flagstaff
Walnut Canyon National Monument
Painted Desert
Chambers
Oatman
Winslow
Slide Rock State Park
Meteor Crater
Petrified Forest National Park
Needles
Paulden
Sedona
Holbrook
Wikieup
Red Rock StatePark
Topock
Bagdad
Jerome
Jerome State Park
Lake Havasu City
Prescott
Montezuma Castle National Monument
Snowflake
Concho
St. Johns
Shumway
Arcosanti
Forest Lakes
Vernon
Congress
Payson
Parker
Cibecue
Carrizo
McNary
Springerville
Wickenburg
Bouse
Aguila
Alpine
Quartzsite
Fort Apache
Vicksburg
Roosevelt
Blythe
Sun City
Scottsdale
Tortilla Flat
Tonto National Monument
Glendale
Apache Junction
Apache Trail
Arlington
Phoenix
Miami
Globe
San Carlos
Tempe
Kofa National Wildlife Refuge
Lost Dutchman State Park
Peridot
Gila River
Mobile
Maricopa
Kearny
Bylas
Geronimo
Stargo
Florence
Morenci
Gila Bend
Casa Grande
Coolidge
Painted Rocks Petroglyph Site
Dateland
Aztec
Safford
Duncan
Mammoth
Yuma
Tacna
Jackrabbit
Roper Lake State Park
Kohatk
San Manuel
Cabeza Prieta National Wildlife Refuge
Ventana
Biosphere 2
Ajo
Saguaro National Park
Bowie
Santa Rosa
Tucson
Willcox
Chiricahua National Monument
Sil Nakya
Colossal Cave Mountain Park
Organ Pipe Cactus National Monument
Santa Cruz
Benson
Lukeville
Green Valley
San Pedro Riparian National Conservation Area
Sonoyta
Little Tucson
Sells
Tombstone
Elfrida
Tubac
Sierra Vista
McNeal
Coronado National Memorial
Bisbee
Nogales
Douglas
Agua Prieta
Esqueda
Santa Ana
0 40 80km
0 25 50mi
©ULYSSE

L'Arizona

Terre de légende dont le seul nom évoque des images profondément ancrées dans la conscience des Nord-Américains, voici l'Arizona! Les multiples facettes de cet État donnent lieu à de formidables visions: celles du Grand Canyon et ses mystères insondables, des vastes étendues désertiques peuplées de Navajos, d'un John Wayne engagé dans un duel au pistolet en plein midi, du fameux drame de l'O.K. Corral et, il va sans dire, de cowboys et d'Amérindiens s'affrontant sous l'impitoyable soleil parmi les cactus épars du rude paysage de l'Ouest sauvage.

Simples clichés, direz-vous? Peut-être. Mais l'Arizona n'en demeure pas moins tout cela et bien plus encore. Si vous vous passionnez pour les grands espaces, sachez que vous trouverez ici d'innombrables occasions d'activités de plein air, quelles que soient celles qui vous font vibrer. Si ce sont plutôt l'art et la cuisine qui vous intéressent, vous ne manquerez pas d'être captivé par les traditions dites « du Sud-Ouest », imprégnées d'influences amérindiennes et mexicaines qui se reflètent aussi bien dans votre assiette que dans la conception des bâtiments et leur décoration. Et si vous préférez jouer au golf pour ensuite vous faire dorloter dans un complexe hôtelier, vous trouverez tout ce qu'il faut sur place. Bref, votre expérience de l'Ouest sauvage ne sera limitée que par votre imagination.

La beauté de l'Arizona ne tient pas tant à ses dimensions géographiques qu'à la diversité de ses formations géologiques, de ses reliefs plus ou moins élevés, de son climat et de sa végétation, chacun des aspects de sa personnalité présentant des traits uniques et fascinants.

▲ Le versant sud du Grand Canyon. ©Martinmark/Dreamstime.com

WILLIAMS ET LE VERSANT SUD DU GRAND CANYON

Williams est une petite ville fascinante, à proximité de plusieurs attraits, qui offre en outre une foule d'activités, ce qui en fait un bon point de chute. Le versant sud (South Rim) du Grand Canyon se trouve si près d'ici que vous pourrez planifier une excursion d'un ou plusieurs jours, et pourquoi pas même de plusieurs semaines. Ne s'agit-il pas, après tout, du plus important attrait naturel de tous les États-Unis?

Le versant sud du Grand Canyon attire plus de visiteurs que n'importe quel autre attrait de l'Arizona. Il s'élève à une altitude imposante de plus de 2 100 m au-dessus du fleuve Colorado et offre

des panoramas à couper le souffle. Les formations rocheuses stratifiées du canyon réfléchissent la lumière du soleil à l'aube comme au crépuscule, pour le plus grand plaisir des spectateurs. Quant au **Grand Canyon Village**, situé à proximité de tout, il peut divertir les touristes pendant des semaines et servir de base à diverses excursions dans les profondeurs du canyon.

La **Yavapai Point Observation Station** est un poste d'observation qui fournit aux visiteurs une initiation détaillée à la géologie du Grand Canyon au fil d'intéressantes vitrines de fossiles. Des panneaux explicatifs placés sous chaque grande fenêtre permettent de mieux repérer les buttes, les temples et les canyons tributaires. Enfin, il s'agit là d'un des endroits favoris pour prendre d'incroyables photos des levers et couchers de soleil sur le canyon.

LE GRAND CANYON

On a souvent dit du Grand Canyon qu'il témoigne du passage du temps. Les strates dont il se compose se sont en effet lentement érodées et permettent aujourd'hui aux géologues de mieux comprendre l'histoire de la Terre.

Bien que le vent, l'eau et la glace aient tous contribué à sculpter et à façonner le Grand Canyon, c'est à l'érosion engendrée par le fleuve Colorado qu'on accorde le plus grand rôle dans sa formation. Les premiers explorateurs espagnols ont ainsi baptisé le fleuve en raison de sa couleur, qui s'explique par le limon dissous de ses berges (*colorado* signifiant « de couleur rouge »). Coulant à l'est du Grand Canyon, il s'est formé en même temps que les Rocheuses, il y a de cela quelque 60 millions d'années.

Les strates rocheuses les plus anciennes, composées de schiste vishnouien et de granit zoroastrien, dateraient d'au moins deux milliards d'années et seraient les plus résistantes à l'érosion. Une couche épaisse de 150 m, constituée de roche brune aux tons de lavande, se superpose à cette strate sans âge, allant du grès tapéatien au calcaire du Redwall; désignée du nom de « strate mississippienne », elle révèle des formations buttales. Plus haut apparaît la formation dite de Supai, rutilante de grès rouge et de schiste, et riche en traces de fougères et de quadrupèdes primitifs. Plus haut encore apparaissent les couches supérieures de schiste hermitique rouge et de grès ocre, dit «de Coconino». Enfin, la couche gris-crème de calcaire, dite «de Kaibab», couronne le versant sud du Grand Canyon.

▼ Le Grand Canyon. ©PhotoDisc

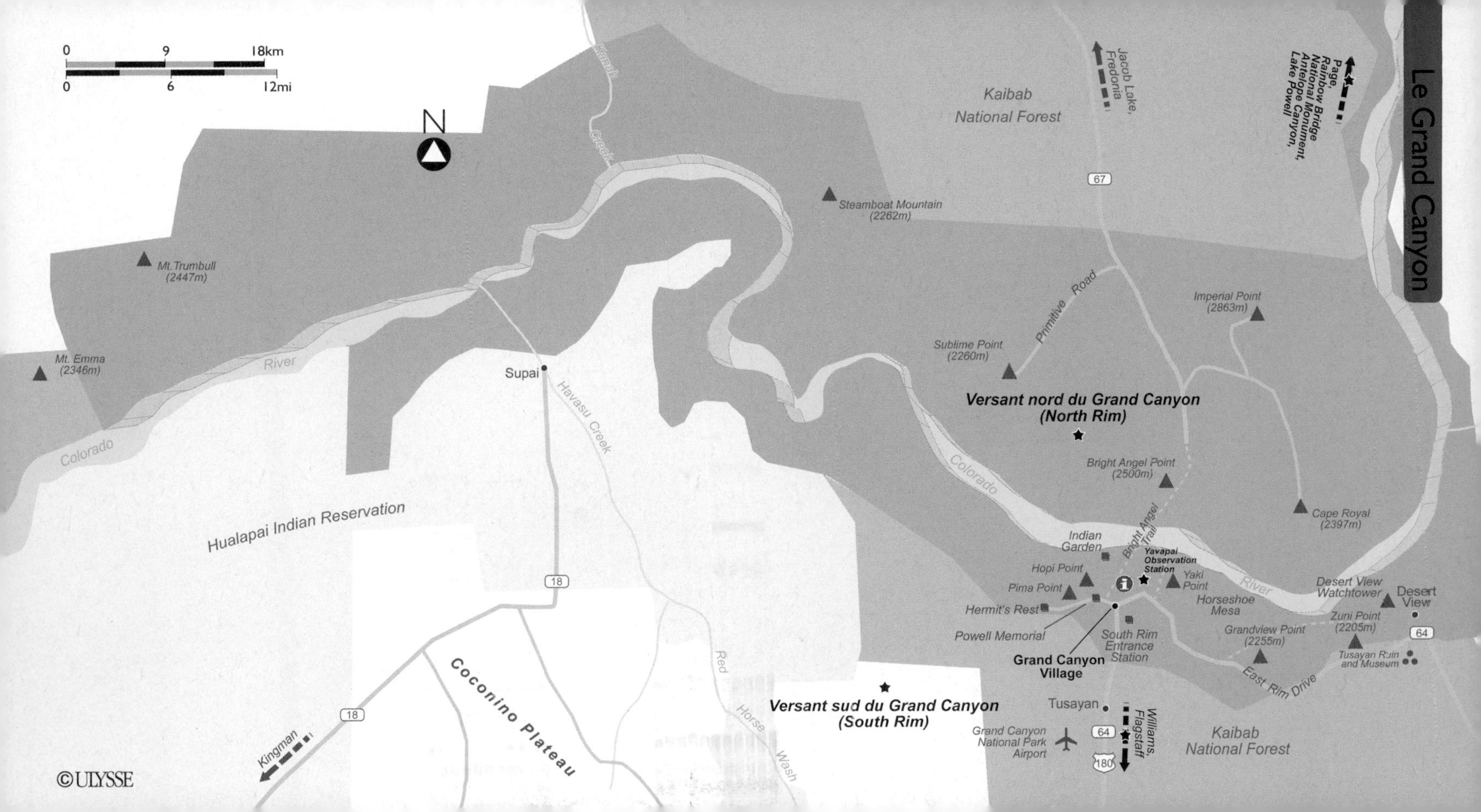

Le Grand Canyon
0
9
18km
0
6
12mi
N
Kaibab National Forest
Jacob Lake, Fredonia
Page, Rainbow Bridge National Monument, Antelope Canyon, Lake Powell
67
Kanab Creek
Steamboat Mountain (2262m)
Mt.Trumbull (2447m)
Mt. Emma (2346m)
River
Colorado
Supai
Havasu Creek
Primitive Road
Imperial Point (2863m)
Sublime Point (2260m)
Versant nord du Grand Canyon (North Rim)
Bright Angel Point (2500m)
Colorado
Cape Royal (2397m)
Hualapai Indian Reservation
Indian Garden
Bright Angel Trail
Yavapai Observation Station
Hopi Point
Yaki Point
River
Desert View Watchtower
Desert View
Pima Point
Horseshoe Mesa
Hermit's Rest
Powell Memorial
South Rim Entrance Station
Grandview Point (2255m)
Zuni Point (2205m)
64
Tusayan Ruin and Museum
Grand Canyon Village
East Rim Drive
18
Coconino Plateau
Red Horse Wash
Versant sud du Grand Canyon (South Rim)
Tusayan
Williams, Flagstaff
Grand Canyon National Park Airport
64
180
Kaibab National Forest
18
Kingman
©ULYSSE

PAGE ET LE VERSANT NORD DU GRAND CANYON

Vous serez sans doute surpris d'apprendre que le territoire que **Page** couvre aujourd'hui faisait jadis partie de pâturages navajos, cédés au gouvernement des États-Unis en vertu d'une entente commune, et que cette ville grouillante n'était à l'origine, dans les années 1950, qu'un simple campement érigé pour les ouvriers responsables de la construction de l'immense barrage qu'est le **Glen Canyon Dam**. Érigé en 1966 pour fournir en électricité les régions avoisinantes, ce barrage surplombe le **Lake Powell**, un superbe lac de retenue entouré de falaises de grès rouge et d'arches roses miroitant dans ses eaux turquoise.

L'**Antelope Canyon,** qu'on surnomme «la cathédrale naturelle», se trouve à 5 min de route de Page. Il s'agit d'un canyon profond de 400 m, sculpté par des milliers d'années de pluie et de vent, qui compte parmi les endroits favoris des visiteurs de la région. À seulement 4 km de Page, l'Antelope Canyon est un parfait exemple d'étroit canyon «en fente». En raison de sa beauté exceptionnelle, il fait d'ailleurs souvent l'objet de photographies cherchant à capturer la lumière que reflètent ses parois de grès chantournées.

▲ Glen Canyon Dam. ©Manuela Klopsch/Dreamstime.com

◄ Antelope Canyon. ©Gary718/Dreamstime.com

LE RAINBOW BRIDGE NATIONAL MONUMENT

Le Rainbow Bridge National Monument, haut de 88 m et large de 84 m, s'impose comme un exemple renversant des merveilles que la nature peut créer. L'érosion du grès kayenta et navajo a ici formé un énorme pont tenu pour sacré par les Navajos. Façonné il y a de cela quelque 200 millions d'années, le Rainbow Bridge a été déclaré monument national le 30 mai 1910 par le président Taft, et les visiteurs sont priés de ne pas s'en approcher, ni de passer sous son arche. On peut cependant l'admirer et le photographier à loisir d'une distance d'environ 60 m.

Le Rainbow Bridge National Monument est situé dans le sud de l'Utah, mais il est plus facilement accessible de l'Arizona, les bateaux des entreprises touristiques se trouvant au sud du lac Powell, près de la ville de Page.

▲ Phoenix. ©istockphoto.com/David Liu

PHOENIX

La ville de Phoenix est assez représentative du sud-ouest des États-Unis. Grâce à son ensoleillement quasi perpétuel, l'agglomération de la capitale de l'Arizona, avec sa vingtaine de villes dont Scottsdale et Tempe, porte bien son surnom de «Valley of the Sun» (Vallée du Soleil). Ces dernières années, le centre-ville de Phoenix s'est embourgeoisé à la suite de l'injection de plusieurs millions de dollars dans des projets qui ont insufflé une nouvelle vie au noyau urbain.

Fondée en 1881, la **St. Mary's Basilica** est l'église paroissiale catholique la plus ancienne de la Valley of the Sun. Elle est tenue par les Franciscains depuis 1895 et fut visitée par le pape Jean-Paul II en 1987. Sa façade en stuc rose pâle et ses deux clochers élancés en font incontestablement un point de repère historique dans le centre-ville. Les verrières furent exécutées par la Munich School for Stained Glass Art.

Les deux quadrilatères allant de Munroe Street à Washington Street, entre Fifth Street et Sixth Street, sont connus sous le nom de **Heritage and Science Park**. Ce parc transportera le promeneur dans le passé, dans le présent et dans l'avenir de Phoenix en l'espace de quelques pas. Le musée d'histoire de Phoenix, le centre des sciences de l'Arizona et le quartier historique se trouvent sur son site.

Le style moderne de la structure de verre et de métal du **Phoenix Museum of History** contraste grandement avec le contenu de ce musée. Initialement il s'appelait l'Arizona Museum, mais son mandat s'est depuis restreint: il comprend une petite section sur les Amérindiens et relate la vie des premiers colons et l'histoire de Phoenix. Y est aussi présentée une réplique du Hancock General Store et de la première prison de la ville, originellement situés tout près. On y explique les aspects social, commercial et domestique de la ville à ses débuts.

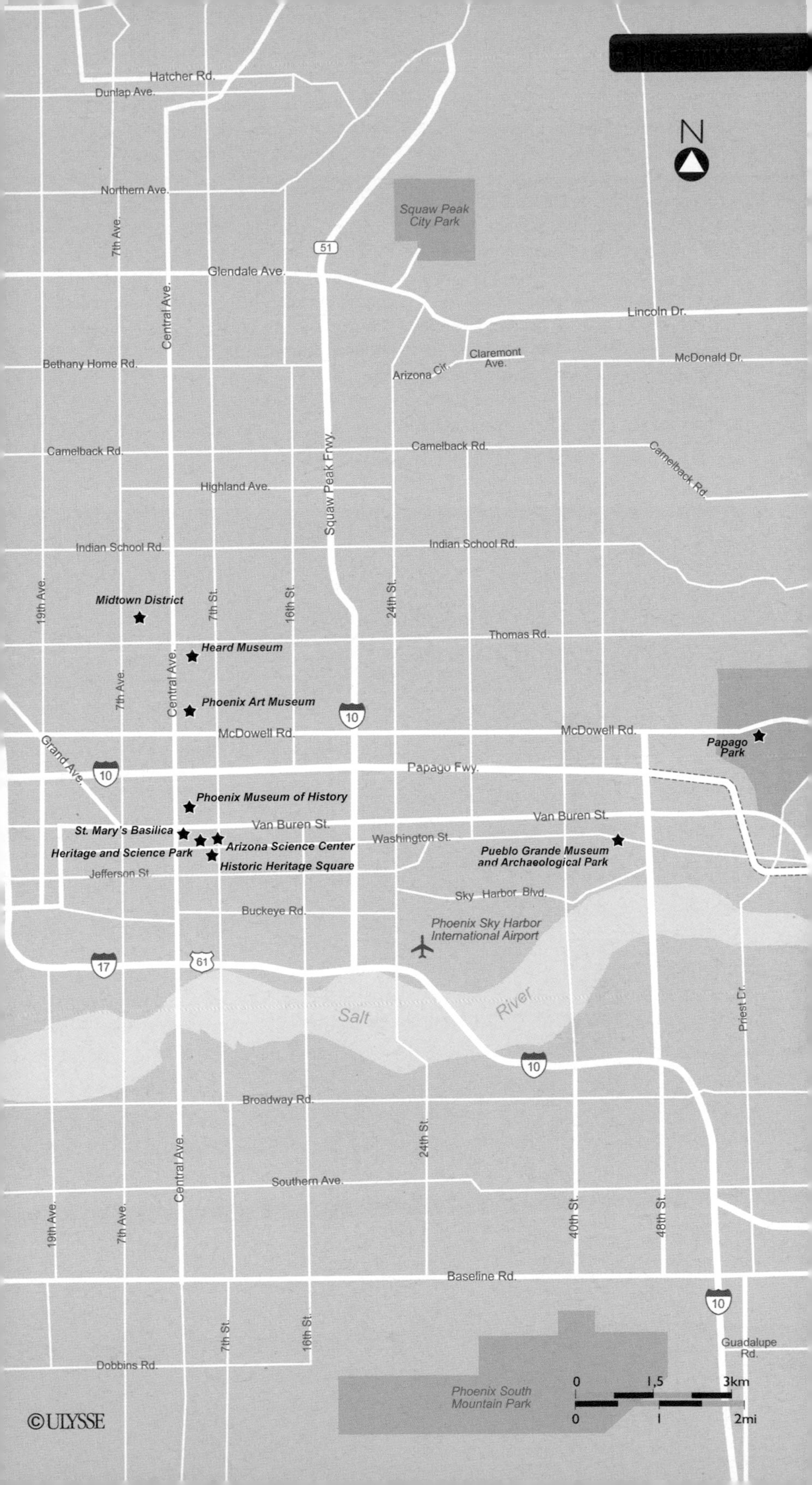

Hatcher Rd.
Dunlap Ave.
N
Northern Ave.
7th Ave.
Squaw Peak City Park
51
Glendale Ave.
Central Ave.
Lincoln Dr.
Bethany Home Rd.
Claremont Ave.
Arizona Cir.
McDonald Dr.
Camelback Rd.
Camelback Rd.
Camelback Rd.
Highland Ave.
Squaw Peak Frwy.
Indian School Rd.
Indian School Rd.
Midtown District
19th Ave.
7th St.
16th St.
24th St.
Thomas Rd.
Heard Museum
7th Ave.
Central Ave.
Phoenix Art Museum
10
McDowell Rd.
McDowell Rd.
Papago Park
Grand Ave.
10
Papago Fwy.
Phoenix Museum of History
Van Buren St.
Van Buren St.
St. Mary's Basilica
Washington St.
Arizona Science Center
Heritage and Science Park
Historic Heritage Square
Pueblo Grande Museum and Archaeological Park
Jefferson St.
Sky Harbor Blvd.
Buckeye Rd.
Phoenix Sky Harbor International Airport
17
61
Salt River
Priest Dr.
10
Broadway Rd.
24th St.
Central Ave.
Southern Ave.
19th Ave.
7th Ave.
40th St.
48th St.
Baseline Rd.
10
7th St.
16th St.
Guadalupe Rd.
Dobbins Rd.
0
1,5
3km
Phoenix South Mountain Park
0
1
2mi

Le musée organise entre autres des jeux et des expositions interactives pour les enfants.

À côté du Phoenix Museum of History se dresse l'**Arizona Science Center**, construit au coût de 47 millions de dollars; il compte plus de 350 bornes interactives tant pour les enfants que pour les adultes. La salle de cinéma, haute de cinq étages, de style IMAX, projette des documentaires à toutes les heures de la journée, et le planétarium, large de 20 m, peut accueillir plus de 200 personnes. Les diverses aires comprennent un simple laboratoire, une section de biologie humaine ainsi qu'une section informatique et une galerie d'art scientifique.

L'**Historic Heritage Square**, bien qu'il ne soit pas aussi ancien que les bâtiments de la Côte Est, relie Phoenix au passé. Il comprend quelques maisons de la colonie de Phoenix, dont la plus ancienne, la **Rosson House**, remonte à 1895.

GERONIMO

Je suis né dans les prairies où le vent soufflait librement et où rien n'obstruait la lumière du soleil. Je suis né en un lieu dépourvu de toute enceinte close.

– Geronimo

Geronimo, dont le nom dérive de Goyathlay (mot d'origine apache signifiant « celui qui baille »), est né en 1829 dans l'ouest du Nouveau-Mexique, qui se trouvait à l'époque en territoire mexicain. En 1858, des soldats mexicains tuent sa mère, son épouse et ses enfants, et Geronimo jure de s'en prendre à quiconque osera s'opposer à l'exécution de sa vengeance. Après la mort de Cochise, Geronimo devient le chef des Apaches Chiricahuas et se porte à la défense de son peuple contre les forces armées des États-Unis. Puis, en 1875, les autorités américaines ordonnent la déportation de tous les Apaches vivant à l'ouest du Rio Grande vers les terres arides et stériles de la réserve de San Carlos. Geronimo, tout naturellement furieux de ce geste, engage alors des centaines d'Apaches dans une guerre contre les troupes américaines.

Dans la foulée, la petite bande de Geronimo se voit poursuivie par au moins 5 000 soldats américains, 3 000 soldats mexicains et 500 éclaireurs amérindiens, auxquels ils parviennent à échapper pendant près d'une décennie. Geronimo a bien été capturé à deux reprises, mais il a réussi à s'échapper dans les deux cas, et d'aucuns ont attribué le succès de ses évasions et de ses nombreux raids à des pouvoirs surnaturels, notamment celui d'être invulnérable aux balles. Les Apaches voyaient

Le **Midtown District** se trouve à peine à 1,5 km au nord du centre-ville, mais passe parfois inaperçu. Deux excellentes raisons devraient pourtant inciter le visiteur à s'y rendre : le **Heard Museum**, fondé en 1929 par Dwight B. et Marie Bartlett Heard afin de préserver et d'exposer leur étonnante collection d'art amérindien, connaît une renommée internationale. Il abrite 10 superbes salles qui visent à faire connaître et respecter les peuples autochtones partout dans le monde ainsi que leur patrimoine culturel. On peut y voir des formes variées d'arts traditionnels ou contemporains (sculpture, gravure, poterie, tissage) ou encore assister à des spectacles de danse ou de musique; le **Phoenix Art Museum** se trouve à quelques rues au sud du Heard Museum. Les panneaux extérieurs saisissants, faits de quartz vert, font miroiter le bâtiment du musée sous le soleil omniprésent de l'Arizona. Trois expositions permanentes, constituées de plus de 13 000 œuvres, y sont présentées : l'art de l'Asie, l'art des Amériques et d'Europe jusqu'en 1900 et l'art de 1900 à aujourd'hui.

donc volontiers en Geronimo un chef spirituel et intellectuel d'un immense courage face au danger.

Geronimo a finalement fait sa reddition au général Nelson Miles le 4 septembre 1886, et il se distingue comme le dernier Amérindien à s'être officiellement rendu au gouvernement des États-Unis. Un des juges qui a présidé à son procès aurait déclaré : *Il n'existe sans doute, dans l'histoire, les traditions ou les mythes de l'humanité, aucun autre exemple de résistance aussi prolongée devant une telle force d'opposition.*

Geronimo a dicté son autobiographie, *Geronimo : His Own Story*, à S.S. Barrett tout juste avant sa mort, à Fort Sill, Oklahoma, le 17 février 1909.

Geronimo. *©Library of Congress Prints and Photographs Division Washington, [cph.3c24433]*

Depuis 400 av. J.-C., le secteur du **Papago Park** semble avoir toujours exercé un grand attrait sur l'homme. Le peuple Hohokam était attiré par la région en raison de la rivière Salt, qu'il utilisa pour irriguer ses cultures au moyen d'un système fort développé de canalisation. Au début des années 1900, la zone fut déclarée patrimoine national grâce à la présence considérable de saguaros. Ce statut lui fut cependant révoqué en 1930, lorsque les cactus ont mystérieusement disparu, fort probablement volés pour servir à l'aménagement paysager d'individus de la localité. Au total, le parc compte 607 ha de dunes, de ruisseaux et de lagunes favorisant la pratique d'une foule d'activités récréatives. Le parc représente en soi un formidable attrait en raison de ses formations rocheuses superbement sculptées par l'eau et de la possibilité d'y observer la faune et la flore indigène en plein centre urbain de Phoenix. Il constitue l'unique site historique national (National Historical Landmark) de Phoenix.

Le **Pueblo Grande Museum and Archaeological Park** rend hommage aux anciens Hohokams, qui n'ont laissé derrière eux qu'un faible indice de leur grandeur dans des ruines préhistoriques impressionnantes. Le «sentier des Ruines» longe un canal sur 1,5 km, en passant devant le terrain de balle où des fouilles ont lieu, et côtoie les murs et fondations effrités de ce qui reste d'un village de 202 ha. Le musée compte trois salles d'exposition. La première présente des bornes interactives d'ordre archéologique et historique. La deuxième, la salle principale, expose des objets intéressants trouvés au cours de fouilles dans les environs de Phoenix. La troisième propose régulièrement des expositions d'art local et de photographie consacrées à la culture amérindienne.

Porte d'entrée Hohokam au Pueblo Grande Museum and Archaeological Park. ©Karol Miles

Heard Museum.
©Photo courtesy of Scottsdale Convention & Visitors Bureau

▲ Old Town Scottsdale. ©Rebecca Deane

▲ Taliesin West.
©Photo courtesy of Scottsdale Convention & Visitors Bureau

SCOTTSDALE

Au cœur du centre-ville de Scottsdale, l'historique **Old Town Scottsdale** arbore un thème «Old West» bien établi, sinon authentique. Aujourd'hui la ville est au cœur même de la vie artistique dans la Valley of the Sun. Immédiatement située à l'est de Phoenix et au nord de Tempe, Scottsdale s'avère incontournable du fait de son atmosphère unique, de ses centaines de boutiques spécialisées, de ses points d'intérêt historiques et, il va sans dire, de ses innombrables galeries d'art.

Le **Scottsdale Center for the Performing Arts** et le **Scottsdale Museum of Contemporary Art** sont les fleurons culturels et artistiques de Scottsdale. Érigées côte à côte, les deux structures massives de béton présentent des lignes arrondies et fluides rappelant celles qui caractérisent les bâtiments d'adobe traditionnels de la région. Le Center for the Performing Arts abrite deux galeries permanentes et deux salles d'exposition temporaire où figurent des pièces de son importante collection de même que des œuvres provenant de partout dans le monde. Spectacles de danse, pièces de théâtre et concerts sont présentés dans une salle avant-gardiste, tandis qu'un petit cinéma propose une variété d'événements cinématographiques tout au long de l'année. Quant au Museum of Contemporary Art, il compte cinq salles d'exposition. Les deux édifices constituent de véritables œuvres d'art en soi.

Nichée dans les contreforts des monts McDowell, la propriété de Frank Lloyd Wright, ***Taliesin West***, est un véritable chef-d'œuvre architectural. Le célèbre architecte s'est rendu à Scottsdale en 1937 pour y construire son studio d'hiver, sa résidence personnelle de même qu'une école d'architecture. *Taliesin West* (*taliesin* est un mot gallois qui signifie «sommet étincelant») a été érigée à même le sable et la pierre de la région, amalgamés de manière à créer formes et espaces fonctionnels témoignant de l'étonnante capacité de Wright à harmoniser les intérieurs et les extérieurs à leur environnement. La propriété se parcourt librement à pied pour admirer ses aménagements paysagers hautement raffinés au fil de nombreuses fontaines, de ponts et de terrasses; cependant, pour découvrir l'intérieur glorieux de ce complexe, il faut prendre part à une visite organisée. Tout y est demeuré à peu près intact en mémoire de Wright, et les plafonds translucides, les angles étudiés de même que les espaces à ciel ouvert caractérisent à tour de rôle des espaces de conception unique tels que la Garden Room, le Cabaret Theatre et le Music Pavilion. *Taliesin West* abrite aujourd'hui le siège de la Frank Lloyd Wright Foundation et le campus d'une école d'architecture avant-gardiste.

▲ Tempe. ©Chris Curtis/Dreamstime.com

TEMPE

Tempe est une ville universitaire animée, traversée par les routes principales en provenance de Phoenix et d'ailleurs en Arizona. La quantité de lieux d'hébergement, de restaurants, de bars et de discothèques abordables y est un bon indicatif de la forte présence d'étudiants. Cependant, une grande diversité de sites historiques et culturels se retrouve à Tempe, qui, par ailleurs, alloue un pourcentage de son budget à l'art public.

Le **Tempe City Hall**, soit l'hôtel de ville, revêt l'aspect d'une pyramide inversée pour le moins unique et intéressante. Construit en 1970, il a remporté plusieurs prix, tant pour son esthétique que pour sa fonctionnalité. Au pied de la rampe qui permet d'y accéder se trouve un impressionnant cadran solaire en bronze installé ici à la mémoire de Joseph A. Birchet.

Fondée en 1885 sous le nom d'«Arizona Territorial Normal School», une simple école vouée à la formation des futurs enseignants, l'**Arizona State University (ASU)** s'impose aujourd'hui comme l'une des plus grandes universités des États-Unis. Des voies cyclables et des allées piétonnières y serpentent sur près de 300 ha entre les palmiers et les citrus, au gré de vertes pelouses et de jardins de cactus ponctués de fontaines.

APACHE TRAIL

L'Apache Trail n'est pas tant une destination qu'une aventure en soi. Cette route a été créée en vue de la construction et de l'approvisionnement du barrage Roosevelt entre 1906 et 1911. À cette époque, il s'agissait d'un chemin de terre accidenté à voie unique où la circulation était lente et à tout le moins précaire, si ce n'est que ses paysages spectaculaires n'ont depuis cessé d'attirer les touristes. Cette boucle sinueuse sillonne entre de profonds canyons, croise d'anciennes formations rocheuses et traverse la Tonto National Forest. Il s'agit d'un parcours plein de surprises, avec des pentes abruptes, des

▲ Apache Trail. ©Bcbounders/Dreamstime.com

▶ Tortilla Flat. ©Marie-France Denis

virages serrés et des tronçons cahoteux, mais les panoramas sans fin valent largement le déplacement.

Tortilla Flat compte fièrement six habitants et s'impose comme un arrêt incontournable sur l'Apache Trail, dans la mesure où il s'agit de poster une lettre, prendre une bouchée ou acheter un souvenir avant Globe ou Miami, distantes de plus de 35 km par des voies somme toute difficiles. Ce village a d'abord servi de halte pour les diligences, en 1904, à l'époque de la construction de la Mesa-Roosevelt Road, et continue à ce jour de répondre aux besoins des voyageurs. Les murs du Superstition Saloon sont tapissés

de billets de banque autographiés provenant des quatre coins du monde, d'une valeur d'environ 25 000$, une tradition qui remonte aux premiers jours de Tortilla Flat, à l'époque où les voyageurs laissaient ici quelques pièces à l'intention des éventuels vagabonds de passage.

L'OUEST DE L'ARIZONA

Du bleu étincelant des eaux du fleuve Colorado aux sables d'or du désert de Sonora, en passant par des paysages au relief lumineux, l'ouest de l'Arizona couvre la gamme complète des couleurs. Bien que cette région ait longtemps été éclipsée par des attraits tels que le Grand Canyon et la Valley of the Sun, elle n'en est pas moins riche d'histoire, de beautés naturelles et d'attractions modernes.

Des pétroglyphes du Painted Rocks Petroglyph Site. ©iStockPhoto.com/Alexey Stiop

Gila Bend (Gila se prononce «hi-La») a toujours été d'abord et avant tout une halte pour les voyageurs en route vers Yuma et la Californie à l'ouest, ou Phoenix à l'est. Au milieu du XIXe siècle, la petite communauté est devenue une halte pour les diligences, puis, vers la fin de ce siècle, une gare ferroviaire et un lieu d'escale pour les employés des chemins de fer.

L'attrait le plus impressionnant de la région de Gila Bend est le **Painted Rocks Petroglyph Site**. La route qui y mène n'est pas revêtue, mais elle s'avère courte et facilement praticable pour n'importe quel véhicule. Sur le site, un sentier facile et bien balisé serpente à travers près de 0,5 ha de rochers marqués d'anciens pétroglyphes, ces inscriptions symboliques et artistiques gravées sur la pierre. Les pétroglyphes et les paysages désertiques pour le moins spectaculaires qui caractérisent les lieux valent résolument le coup d'œil. C'est à cet endroit que les Autochtones de San Diego rencontraient jadis les Hohokams pour échanger coquillages et produits artisanaux contre du coton brut, des articles de coton et des poteries. Les chercheurs demeurent intrigués par la signification des symboles gravés sur la pierre, et toutes les hypothèses vont bon train, d'aucuns croyant qu'il s'agit de simples graffitis alors que d'autres prétendent qu'il s'agirait plutôt de contrats commerciaux.

Ajo est une ville pittoresque située au sud de Gila Bend, et elle sert volontiers de tremplin vers l'Organ Pipe Cactus National Monument. **The Plaza** occupe le centre d'Ajo et constitue un magnifique exemple d'architecture néocoloniale espagnole qui rappelle davantage le Mexique que l'Arizona. Cette place construite en 1917, et ponctuée de nombreuses arches d'un blanc étincelant, entoure sur trois côtés un parc planté de palmiers. Quant

Organ Pipe Cactus National Monument. ©iStockPhoto.com/Eric Foltz

▲ Yavapai County Courthouse. ©Chris Curtis/Dreamstime.com

au parc, il se prête on ne peut mieux à un pique-nique et permet d'apprécier au mieux ce que les gens d'ici qualifient de *Hometown U.S.A.* (une petite ville chaleureuse des États-Unis où l'on se sent comme chez soi).

L'**Organ Pipe Cactus National Monument** a ainsi été baptisé en l'honneur du cactus qu'on désigne en français du nom de «cierge marginé» (ou, plus communément, «tuyau d'orgue»), très rare aux États-Unis quoique plus commun au Mexique. Ces cactus dressent leurs longues tiges charnues d'un vert majestueux contre les montagnes rouges et le ciel azuré. Cela dit, s'y trouvent également de magnifiques spécimens de saguaros, d'ocotillos et de chollas, et ce, dans un paysage étonnamment luxuriant.

LE CENTRE-NORD DE L'ARIZONA

Terrain de jeu naturel, voilà la meilleure façon de décrire le centre-nord de l'Arizona. Un séjour dans cette région vous donnera l'occasion de découvrir une variété d'environnements distincts alors que vous passerez des plaines désertiques aux sommets montagneux. En choisissant de passer par les différentes villes de cette région, vous goûterez en outre les paysages variés de l'Arizona, plongerez jusqu'aux racines de l'Ouest sauvage et vous émerveillerez des splendeurs de la modernité.

L'histoire de **Prescott** reflète celle de l'État tout entier. Ses riches gisements d'or ont contribué au financement de la guerre de Sécession au profit de l'Union, faisant ainsi de Prescott un lieu d'une grande importance historique avant même que ne soit créé l'État de l'Arizona. Et cette histoire a soigneusement été préservée dans cette petite ville paisible, tapie à l'orée de la Prescott National Forest.

La **Whiskey Row,** un tronçon de la rue Montezuma dans le centre-ville de Prescott, de l'autre côté de la Courthouse Plaza, est d'abord et avant tout célèbre pour son passé de saloons, de maisons de jeu et de «services particuliers» à l'intention des clients désireux de passer du bon temps en compagnie de filles de joie. Un incendie ravagea complètement le secteur en 1900, mais grâce à une reconstruction rapide, la plupart des bâtiments conservent des vestiges de cette époque. La Whiskey Row regorge aujourd'hui de boutiques spécialisées, de galeries d'art, de restaurants et de cafés, tous remodelés pour faire revivre le bon vieux temps. Le majestueux **Yavapai County Courthouse** (palais de justice), qui se trouve à l'angle des rues Montezuma et Gurley, directement en face de la Whiskey Row, donne pour sa part un autre aperçu de la grandeur passée de Prescott.

Le **Sharlot Hall Museum** est à ne manquer sous aucun prétexte. Au début du XXe siècle, après avoir constaté que l'histoire de l'Arizona se perdait à la suite de pillages répétés et du décès des pionniers de la région, Sharlot Mabridth Hall a commencé à rassembler des vestiges des premiers temps de la colonie ainsi que divers objets amérindiens. Puis, en 1927, on lui offrit d'abriter son importante collection dans le manoir du gouverneur, et à sa mort, en 1943, on décida de donner son nom au musée ainsi créé. Aujourd'hui, outre la demeure du gouverneur, plusieurs autres bâtiments et espaces d'exposition occupent à Prescott un domaine de 1,2 ha soigneusement entretenu et ponctué de jardins.

À l'époque du mouvement hippie, vers la fin des années 1960 et au cours des années 1970, **Jerome** a vu affluer des artistes, des écrivains, des artisans et des musiciens qui ont rénové les maisons existantes et acheté des boutiques pour y vendre leurs œuvres. Aujourd'hui il s'agit d'une petite communauté paisible et d'une authentique petite ville de montagne perchée bien au-dessus des canyons.

À quelques kilomètres de Jerome se trouve le spectaculaire **Montezuma Castle National Monument,** qui est en fait un imposant ensemble d'habitations troglodytiques (construites à même la falaise), à plus de 30 m du sol. Érigé à partir du début du XIIe siècle, ce «château» s'élève sur cinq étages et compte une vingtaine de pièces. Entre 35 et 50 personnes pouvaient y vivre en même temps.

◂ Montezuma Castle. ©Desertgirl/Dreamstime.com

▸ Jerome. ©Dreamstime.com/Alexey Stiop

HOTEL

À **Sedona**, le **Tlaquepaque Arts & Crafts Village** est une villa à la mexicaine construite au début des années 1970. Son nom (qui se prononce «ti-lâké-pâké») est celui d'une banlieue de Guadalajara (Mexique), et elle a été édifiée dans le but de refléter l'élégance et le charme de la Ville reine mexicaine. La villa abrite désormais une variété de restaurants, de galeries d'art et de boutiques. Le domaine arboré qui l'entoure permet de mieux apprécier le style architectural apaisant des bâtiments d'adobe et des fontaines qui ornent les différentes cours. Une des structures les plus intéressantes du complexe est sa chapelle intime, qui renferme des tableaux exquis à l'image du pape Pie X et de saint Jean-Baptiste signés par Eileen Conn, une artiste locale.

Près de Sedona s'étend le **Slide Rock State Park**, un endroit tout à fait merveilleux où il fait bon s'arrêter par un après-midi chaud et humide. Jeunes et moins jeunes peuvent en effet y passer des heures à glisser sur une inclinaison naturelle dans les rochers à travers lesquels coule l'Oak Creek.

La ville de **Flagstaff** doit à l'astronome Percival Lowell la création du **Lowell Observatory**, lequel date de 1894. Cet homme, qui a découvert la planète Mars, nourrissait aussi l'ambition de construire le plus grand centre astronomique privé du monde. Plus de 20 astronomes et 12 éducateurs composent le personnel enthousiaste de cette institution, et ils se montrent toujours avides de partager leurs connaissances du monde céleste.

Le mandat du **Museum of Northern Arizona** de Flagstaff est d'informer le public quant à l'histoire et à la géologie du plateau du Colorado, et pour ce faire, il ne se limite pas à l'Arizona, mais couvre plutôt tous les territoires que le plateau touche, notamment l'Utah, le Colorado et le Nouveau-Mexique. Les collections du musée comptent quelque cinq millions de spécimens expliquant l'histoire, l'anthropologie, la biologie et la géologie de la région.

LE PUISSANT FLEUVE COLORADO

Le fleuve Colorado prend sa source à environ 80 km au nord de Denver, où il ne s'agit que d'un mince filet de neige fondue des Rocheuses, et se jette, 2 160 km plus loin, dans le golfe de Californie. Il donne vie, le long de son parcours, au désert autrement complètement aride de l'ouest de l'Arizona, et dans cette région qui ne reçoit même pas 180 mm de pluie par année, on peut dire qu'il s'agit d'un véritable miracle de la nature, et sans nul doute de la ressource la plus précieuse qui soit.

Au cours des millénaires, le fleuve a lentement creusé le paysage jusqu'à créer une série de canyons stupéfiants, dont le Grand Canyon lui-même. La plus grande partie du sol aujourd'hui disparu sous l'effet de cette érosion a été emportée par le Colorado et déposée sur ses berges dans sa course. Yuma elle-même est construite sur le sable et la vase ainsi charriés vers le sud en direction du Mexique. Les premiers colons dépendaient à n'en point douter du Colorado, mais le redoutaient tout autant dans la mesure où de subites crues printanières risquaient chaque fois d'inonder les basses terres et de tout emporter sur leur passage, hommes, bêtes, récoltes et constructions. Puis, la fin de l'été venue, c'était tout le contraire, le fleuve se transformant pour ainsi dire en ruisseau au débit si faible qu'ils ne pouvaient même plus irriguer leurs champs.

La maîtrise de l'impétueux Colorado ne devint possible qu'avec la construction du non moins imposant barrage Hoover, achevé le 29 mai 1935 après qu'on y eut coulé cinq millions de barils de béton. Derrière ce géant titanesque, le lac Mead retient aujourd'hui une masse d'eau suffisante pour abreuver le sud-ouest des États-Unis pendant deux ans, et par le biais de ce barrage et de plusieurs autres répartis sur la longueur du fleuve, l'alimentation en eau de la région peut être réglée en fonction des besoins des cultivateurs. Ainsi maintient-on le niveau du fleuve élevé pendant l'été, pour permettre aux fermiers d'irriguer leurs champs, après quoi on réduit considérablement son débit tout au long de l'hiver.

◄ Le fleuve Colorado. ©Jason Cheever/Dreamstime.com

▲ Monument Valley Navajo Tribal Park. ©Dan Breckwoldt/Dreamstime.com

LE NORD-EST DE L'ARIZONA

Les cultures amérindiennes se révéleront à vous de merveilleuse façon grâce à l'exploration du nord-est de l'Arizona. Vous y découvrirez de nouvelles langues, assisterez à des cérémonies immémoriales, contemplerez des ruines, des mesas, des buttes et des aiguilles rocheuses, et vous extasierez devant les modes de vie et l'évolution des civilisations anciennes qui ont jadis habité ces terres apparemment stériles et pourtant si stupéfiantes.

Le **Petrified Forest National Park** est un site fort apprécié qui permet d'admirer le résultat de milliers d'années d'activité géologique. Le parc est parsemé de troncs d'arbres entiers ou fragmentés qui ont été pétrifiés au cours de l'ère triasique après avoir surgi du sol. Pour avoir vu leur matière ligneuse se transformer en pierre, ces arbres absorbèrent les minéraux du sol, ce qui leur confère les couleurs vives qu'on leur connaît aujourd'hui.

Ganado abrite le **Hubbell Trading Post National Historic Site**, qui vend de l'artisanat local depuis 1878. Ce poste de traite, qui est le plus ancien commerce en activité ininterrompue de la **réserve navajo**, a d'abord servi de «pont» entre les Amérindiens et les populations non autochtones. Il s'est vu désigné lieu historique en 1967, après avoir été exploité par la famille Hubbell pendant 89 ans. Le poste de traite original propose paniers, katchinas, carpettes et divers autres objets artisanaux fabriqués par les Navajos, les Hopis et les Zunis.

Une communauté profondément spirituelle habite la **réserve hopi**, qui se trouve au cœur même du territoire navajo dans le quadrant nord-est de l'Arizona. Bien que cette région soit sèche et, aux yeux de certains, complètement stérile, les anciens Hopis y cultivaient avec succès le maïs, la courge et le melon, dans les vallées qui s'étendent au pied des hautes mesas, ces montagnes à sommet plat où ils vivaient.

Les **First Mesa Consolidated Villages**, qui regroupent les villages de Walpi, Sichomovi et Hano, sont perchés tout en haut de la première mesa, et le trajet vers le sommet est pour le moins spectaculaire, pour ne pas dire vertigineux. Sur le plateau, une visite guidée des villages, dont le plus intéressant, et de loin, est **Walpi**, qui est aussi le plus éloigné de l'entrée de la mesa, permet d'apprécier l'architecture des bâtiments et des matériaux durables qui ont servi à leur construction. Ce village a toujours été habité depuis environ 700 ans, et quelques Hopis y vivent encore à longueur d'année, bravant le froid hivernal sans électricité. Les femmes du village recueillent encore l'argile des sols environnants pour en faire des poteries traditionnelles cuites dans des fours chauffés aux excréments de moutons.

Le **Monument Valley Navajo Tribal Park** a été baptisé à juste titre du nom de «vallée des monuments». De hautes buttes de grès et des flèches élancées s'y élèvent en effet d'une centaine de mètres à plus de 1 000 m au-dessus d'un vaste paysage stérile qui a maintes fois servi de toile de fond, comme il le fait d'ailleurs encore, à divers films et spots publicitaires. La Mitchell Butte, les Gray Whiskers, le Big Indian et la Castle Butte se contemplent à loisir sur la route seulement.

LES DANSES CÉRÉMONIELLES NAVAJOS

Trois danses navajos parmi les plus populaires sont la Corral Dance (danse du corral), la Night-Way Dance (danse des voies obscures) et l'Enemy-Way Dance (danse des voies hostiles). La Corral Dance invoque le secours divin dans le but d'échapper aux fléaux que sont la foudre et les morsures de serpent; si on la désigne de ce nom, c'est qu'elle se déroule en partie à l'intérieur d'un enclos de branchage autour d'un feu de camp. La Night-Way Dance, qui dure neuf jours, doit soulager les souffrances des personnes atteintes de nervosité ou d'insanité. Et l'Enemy-Way Dance, accomplie en été, est une cérémonie purificatoire destinée à écarter les cauchemars et autres «ennemis de l'esprit»; les rites qui l'entourent se déroulent en trois endroits différents les trois nuits durant lesquelles elle est célébrée, au terme desquelles on sacrifie un mouton qui sera mangé au premier repas de la journée.

◄ Un jeune danseur navajo. ©istockphoto.com

▲ Tucson. ©Amanda Geyer/Dreamstime.com

TUCSON ET SES ENVIRONS

Dotée d'une originalité propre à elle, **Tucson** est loin de n'être qu'une ville du sud-ouest des États-Unis parmi tant d'autres. Souvent désignée du nom d'Old Pueblo, cette communauté en pleine croissance parvient à marier son histoire et sa culture à l'art et à la nature. Près de 150 galeries et studios constellent d'ailleurs la ville, et vous ne manquerez pas d'être ébloui par la multiplicité et la qualité des œuvres d'art public qu'on peut y admirer, soit plus de 200 murales et autres œuvres d'art extérieures dont beaucoup constituent les pièces maîtresses de nombreux parcs et espaces verts.

Le centre-ville de Tucson renferme une multitude de vieilles maisons d'adobe, de monuments historiques, de boutiques et de galeries d'art. Ce secteur de la ville est divisé en une série de *barrios* (mot

Evergreen Memorial Park
Biosphere 2
N
Blackridge Rd.
Glenn Rd.
Copper St.
15th Ave.
14th Ave.
Oracle Rd.
Balboa Ave.
N. Stone Ave.
Fontana Ave.
N. Park Ave.
Cherry Ave.
Grant Rd.
Grant Rd.
Mansfield Park
N. 11th Ave.
N. 9th Ave.
N. Main Ave.
N. Stone Ave.
Lester St.
Elm St.
N. 7th Ave.
N. 5th Ave.
N. 4th Ave.
N. 2nd Ave.
N. Euclid Ave.
N. Park Ave.
Mountain Ave.
N. 10th Ave.
W. Speedway Blvd.
E. Speedway Blvd.
N. 3rd Ave.
10
E. 1st St.
E. 2nd St.
University of Arizona
Arizona State Museum
E. University Blvd.
N. 11th Ave.
N. 9th Ave.
N. Stone Ave.
E. 4th St.
E. 5th St.
N. 6th Ave.
N. Euclid Ave.
W. St. Marys Rd.
N. Main Ave.
E. 6th St.
Santa Cruz River
E. 7th St.
E. 8th St.
E. 9th St.
N. Park Ave.
N. Highland Ave.
N. Vine Ave.
N. Warren Ave.
W. Franklin St.
N. Granada Ave.
N. Church Ave.
E. Alameda St.
Tucson Museum of Art
Pima Air and Space Museum
E. Pennington St.
E. Toole Ave.
E. 10th St.
W. Congress St.
E. Congress St.
E. Broadway Blvd.
E. Broadway Blvd.
Arizona-Sonora Desert Museum
EL PRESIDIO HISTORIC DISTRICT
S. Stone Ave.
S. 4th Ave.
S. Euclid Ave.
E. 12th St.
E. 12th St.
W. Granada Ave.
S. Toole Ave.
W. Cushing St.
ARMORY PARK HISTORIC DISTRICT
E. 14th St.
S. Park Ave.
S. Vine Ave.
S. Church Ave.
E. 15th St.
10
BARRIO HISTÓRICO DISTRICT
S. Main Ave.
S. 5th Ave.
E. 16th St.
18th St.
18th St.
S. 6th Ave.
20th St.
21st St.
Santa Rita Park
22nd St.
22nd St.
23rd St.
Old Tucson Studios, Mission San Xavier del Bac
0
0,5
1km
0
0,25
0,5mi
©ULYSSE

espagnol signifiant «quartiers»), y compris El Presidio, l'Armory Park et le Barrio Viejo, et peut être exploré à pied en un après-midi.

Le **Tucson Museum of Art**, installé sur le terrain de l'ancien Presidio, se trouve au cœur même du quadrilatère historique du vieux Tucson. À l'intérieur du bâtiment principal, un escalier en colimaçon descend jusqu'à une succession de petites salles où est présentée la collection permanente du musée, qui se compose d'œuvres précolombiennes, hispaniques, westerns et contemporaines, des expositions temporaires venant compléter le tout. La place du musée, baptisée **Plaza of the Pioneers**, révèle quant à elle des murales, des sculptures et des plaques commémoratives.

L'**University of Arizona** a vu le jour le 27 octobre 1887 avec l'achèvement de la construction de son tout premier bâtiment, aujourd'hui désigné du nom d'Old Main. La décision de doter la ville d'une université avait été prise en 1885 par la législature territoriale, qui avait par la même occasion résolu que Prescott deviendrait la capitale de l'État et que Phoenix accueillerait un asile pour aliénés. La population de Tucson n'était pas très emballée de ce choix à l'époque, mais il s'avère aujourd'hui que Prescott n'est plus la capitale de l'Arizona et que l'asile de Phoenix a fermé ses portes depuis nombre d'années, alors que l'université de Tucson se porte toujours très bien.

Fondé en 1893, l'**Arizona State Museum** donne aux visiteurs l'occasion de se familiariser avec l'histoire culturelle des peuples amérindiens du sud-ouest des États-Unis et du nord du Mexique. Une annexe est par ailleurs consacrée en grande partie aux peuples préhistoriques de l'Arizona, et abrite une habitation troglodytique mogollon reconstituée, des poteries hohokams et divers autres vestiges.

▲ Biosphere 2. ©Ronj2/Dreamstime.com

Biosphere 2 s'impose comme une merveille d'ingénierie : une serre hermétique d'une superficie de 1,3 ha à l'intérieur de laquelle se trouvent un environnement océanique, une forêt exotique et un désert exposé au brouillard côtier. Le 26 septembre 1991, huit «biosphériens» s'installèrent pour deux ans à l'intérieur de cet habitat contrôlé et, en dépit de quelques problèmes de taille, parvinrent à y vivre d'une manière autosuffisante. Aujourd'hui, plus personne ne vit dans la biosphère, qui est depuis devenue un centre interactif permettant aux scientifiques et aux visiteurs de mieux comprendre comment fonctionne la Terre. Depuis 2008, les visiteurs peuvent admirer, dans la biosphère, une étonnante forêt tropicale humide brésilienne. Un télescope permet en outre d'observer les étoiles sous la direction d'astronomes.

Les **Old Tucson Studios** ont à l'origine été construits pour le tournage du western de 1939 intitulé *Arizona*, et ils continuent de remplir leur fonction à ce jour. Des shérifs et des hors-la-loi échangent des coups de feu dans les rues, et des filles de saloon présentent des revues musicales au Grand Palace Saloon. En tout cinq spectacles différents par jour y sont présentés, sans compter les plateaux de tournage qui demeurent accessibles même lorsqu'on y travaille, ce qui donne parfois l'occasion de voir de plus près la manière de monter un western façon Hollywood.

L'**Arizona-Sonora Desert Museum**, qui réunit un zoo, un jardin botanique et un musée d'histoire naturelle, est sans conteste le musée le plus connu de Tucson. Plus de 1 200 espèces végétales et quelque 300 espèces animales peuplent les habitats naturels à parcourir. Entre autres, la grotte calcaire aux chauves-souris endormies, le canyon de montagne hanté par les loups et les ours noirs, de même que l'habitat souterrain d'une colonie de chiens de prairie, sans oublier la volière de colibris et le jardin de cactus géants, s'offrent à la vue des visiteurs.

La **Mission San Xavier del Bac**, surnommée «la colombe blanche du désert», est réputée être l'un des plus beaux exemples d'architecture Mission des États-Unis. Le père Estubio Kino a visité les lieux pour la première fois en 1692, après quoi il y est retourné en 1700 pour jeter les fondations de la toute première église de la région, aujourd'hui située à 3,2 km au nord de la mission à proprement parler, qui constitue un véritable joyau d'un blanc étincelant dont les deux flèches élancées pointent vers le ciel. L'église a été construite entre 1783 et 1797, et allie des influences Renaissance mexicaine, mauresques et byzantines, la structure révélant une succession de dômes et d'arches aux surfaces richement ouvragées. En 1997, la structure a fait l'objet d'une restauration minutieuse visant à rehausser et à préserver ses murales et ses fresques intérieures. L'exploration de la propriété procure une grande paix, voire une expérience spirituelle en semaine car les foules se font beaucoup plus nombreuses les fins de semaine.

Le **Pima Air and Space Museum** abrite une incroyable collection d'avions d'une autre époque, du plus petit avion piloté du monde, le *Bumble Bee*, jusqu'au plus grand, le bombardier B-52, sans oublier des appareils expérimentaux tels que d'anciens girodynes et des «soucoupes volantes primitives». Le simulateur de mouvement baptisé *Morphis* peut tout aussi bien entraîner le visiteur vers Mars que le faire remonter dans le temps en lui procurant des sensations dignes des montagnes russes. Le premier hangar accueille le musée avec une réplique de l'avion des frères Wright de même que des photos et des souvenirs de vols historiques. Les hangars n°s 1, 3 et 4 sont pour leur part consacrés aux avions de la Seconde Guerre mondiale, et les nombreux moteurs en coupe et appareils démontés qu'on y présente ne manqueront pas d'impressionner les visiteurs. Le Challenger Learning Center du hangar n° 2 organise des programmes éducatifs, propose des séjours de vacances et renferme un musée pour enfants où l'on peut admirer une maquette de la célèbre fusée X-15, de la capsule spatiale Mercury et même un modèle réduit du *Sojourner* qu'il vous sera loisible de piloter.

◀ Mission San Xavier del Bac.
©Dreamstime.com /Jim Parkin

▲ Chiricahua National Monument. ©Paul Moore/Dreamstime.com

LE SUD-EST DE L'ARIZONA

Attraits historiques et naturels attendent les visiteurs dans le sud-est de l'Arizona, et ils seront éblouis par leur grande variété. Ce coin de pays est l'une des destinations américaines par excellence en ce qui a trait à l'observation des oiseaux, ce qui s'explique, entre autres, par le fait qu'on y a créé de nombreuses forêts nationales et réserves protégées. Le sud-est de l'Arizona subit enfin une influence mexicaine marquée, manifeste dans la multiplicité des festivités et des établissements faisant authentiquement honneur aux traditions du sud de la frontière.

Le **Chiricahua National Monument** a été baptisé «terre des rochers debout» par les Apaches Chiricahuas, puis «paradis des rochers» par les premiers pionniers de la région. De nos jours, on ne sait plus quels mots employer pour décrire les extraordinaires sculptures de roche qui font la renommée de ce parc. De hautes aiguilles rocheuses, d'immenses colonnes de pierre et des rochers en équilibre semblent défier les lois de la pesanteur. Ce monument national a été créé en 1924, mais résulte de millions d'années d'érosion à la suite d'une puissante éruption volcanique qui a complètement chamboulé la région, il y a de cela quelque 27 millions d'années.

À **Bisbee**, une charmante ville minière de montagne, on trouve un peu de tout, aussi bien des galeries d'art exclusives que des boutiques d'antiquités et de chaleureux *bed and breakfasts*. Son exploration exige toutefois de bonnes jambes, car des milliers de marches relient les rues aux diverses maisons et auberges construites à flanc de colline. Un seul regard sur l'ensemble, parcouru d'artères pittoresques

Gold

qui évoquent la San Francisco du tournant du XXe siècle, vous permettra de comprendre pourquoi Bisbee figure au registre des monuments nationaux. On l'a aussi bien qualifiée de capricieuse que de charmante et de bohème, et elle est à vrai dire tout cela à la fois, si ce n'est que sa population éclectique se révèle amicale et enjouée. Son site, sur les monts Mule, à 1 767 m d'altitude, l'assure en outre d'un climat plus tempéré que les autres localités des environs, et ce, même en été, quoique les températures hivernales puissent y chuter considérablement à la tombée de la nuit.

Bisbee.
©Gill Kenny, Metropolitan Tucson Convention & Visitors Bureau

Le **Bisbee Mining and Historical Museum** existe depuis 30 ans et est aujourd'hui affilié à la Smithsonian Institution. L'histoire de Bisbee et de la région y est révélée à travers un remarquable assortiment de vitrines d'exposition, de vestiges, d'antiquités et de photographies fort bien présentés. L'*Urban Outpost Exhibit* retrace l'histoire des 40 premières années de Bisbee, période au cours de laquelle l'endroit s'est transformé de simple camp de mineurs en un véritable centre urbain. *Meanwhile Back at the Ranch* présente pour sa part des photos accompagnées de récits personnels de la vie de tous les jours dans les ranchs du Cochise County.

La seule mention de **Tombstone** fait surgir des visions de règlements de compte en plein midi, de la fusillade de l'O.K. Corral et de *desperados* endurcis. De nos jours, les trottoirs en planches et les bâtiments admirablement restaurés de la ville sont peuplés d'interprètes en costumes d'époque qui s'appliquent à recréer les beaux jours de la «ville trop coriace pour mourir». Les frères Earp et Doc Holiday reprennent jour après jour leur affrontement armé contre les frères Clanton et les frères McLaury à l'O.K. Corral, et les revenants de douzaines de personnages de l'Ouest d'antan continuent à hanter les rues poussiéreuses. S'il est vrai que Tombstone est devenue excessivement commerciale et honteusement touristique, elle n'en demeure pas moins un arrêt incontournable dans le sud-ouest des États-Unis.

Tombstone. ©istockphoto.com/Natalia Bratslavsky

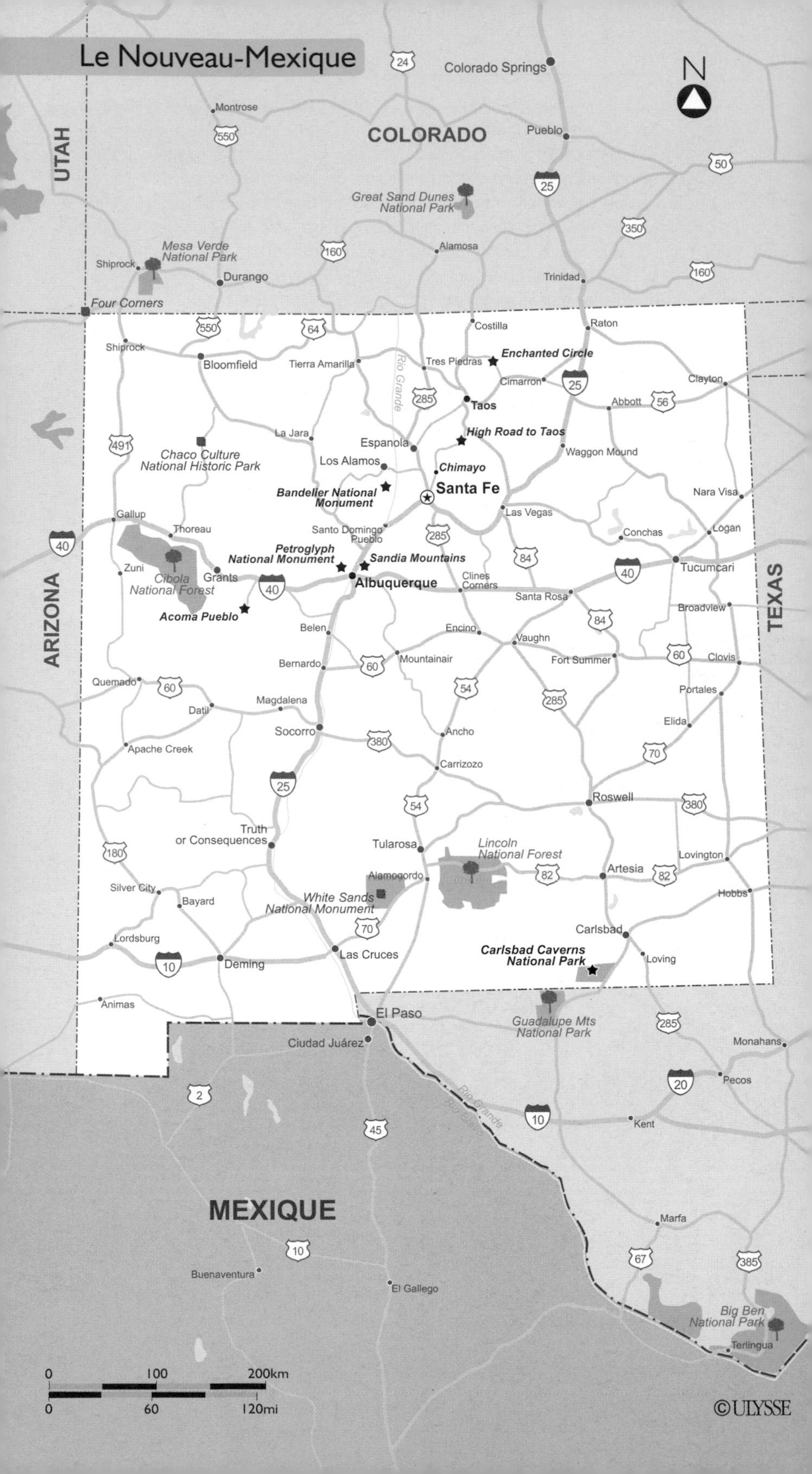
Le Nouveau-Mexique
N
Colorado Springs
COLORADO
Montrose
Pueblo
UTAH
Great Sand Dunes
National Park
Mesa Verde
National Park
Shiprock
Durango
Alamosa
Trinidad
Four Corners
Costilla
Raton
Shiprock
Bloomfield
Tierra Amarilla
Rio Grande
Tres Piedras
Enchanted Circle
Cimarron
Clayton
Taos
Abbott
High Road to Taos
La Jara
Espanola
Waggon Mound
Chaco Culture
National Historic Park
Los Alamos
Chimayo
Bandelier National
Monument
Santa Fe
Nara Visa
Gallup
Las Vegas
Thoreau
Santo Domingo
Pueblo
Conchas
Logan
Petroglyph
National Monument
Sandia Mountains
Tucumcari
Zuni
Cibola
National Forest
Grants
Albuquerque
Clines
Corners
Santa Rosa
ARIZONA
Acoma Pueblo
Broadview
TEXAS
Belen
Encino
Vaughn
Mountainair
Fort Summer
Clovis
Bernardo
Quemado
Portales
Datil
Magdalena
Elida
Socorro
Ancho
Apache Creek
Carrizozo
Roswell
Truth
or Consequences
Tularosa
Lincoln
National Forest
Lovington
Artesia
Alamogordo
Silver City
Bayard
White Sands
National Monument
Hobbs
Carlsbad
Lordsburg
Carlsbad Caverns
National Park
Loving
Las Cruces
Deming
Animas
El Paso
Guadalupe Mts
National Park
Ciudad Juárez
Monahans
Pecos
Rio Grande
Rio Bravo
Kent
MEXIQUE
Marfa
Buenaventura
El Gallego
Big Ben
National Park
Terlingua
0
100
200km
0
60
120mi
©ULYSSE

Le Nouveau-Mexique

Terre des grands espaces solitaires, impitoyables, désertiques et aux horizons infinis : voilà l'image que se font généralement du Nouveau-Mexique les étrangers.

Si cette vision reflète une réalité certaine, elle en cache toutefois une autre, celle du Nouveau-Mexique des montagnes Rocheuses, des forêts alpines aux lacs cristallins, des cavernes aux formations géologiques extraordinaires et des plateaux aux spectaculaires et colorées mesas.

Envahi initialement par les Amérindiens il y a plus de 10 000 ans, conquis au XVIe siècle par les Espagnols et passé des mains du Mexique à celles des États-Unis en 1846, le Nouveau Mexique s'enorgueillit aujourd'hui de son héritage « triculturel » : amérindien, hispano-mexicain et anglo-américain.

Avec une présence beaucoup plus visible qu'ailleurs en Amérique du Nord, les Autochtones, qui comptent pour environ 10% de la population, se réclament de trois groupes culturels différents : les Navajos, les Apaches et les Pueblos. Quoique de nombreux Amérindiens aient été assimilés au fil des ans, beaucoup d'entre eux vivent toujours en harmonie relative avec leurs coutumes ancestrales, dans des villages autonomes dont la fondation de certains, comme le spectaculaire Acoma Pueblo, remonte à quelques siècles avant l'arrivée des Espagnols.

▲ Old Town Albuquerque. ©Kathy Walz

ALBUQUERQUE ET SES ENVIRONS

Métropole du Nouveau-Mexique, **Albuquerque** semble, à première vue, être dominée par l'asphalte et l'automobile, symptôme d'une agglomération qui grandit trop brusquement. Beaucoup de touristes considèrent d'ailleurs la ville comme un simple point de transit qu'il faut s'empresser de quitter au profit de la touristique Santa Fe ou de l'authentique Taos. Cependant, qui prend le temps de se glisser dans ses rues y découvre une métropole cosmopolite riche en histoire où s'entremêlent les influences amérindiennes, anglo-américaines et hispano-mexicaines, et ce, à l'intérieur d'un cadre géographique des plus spectaculaires.

Ayant relativement bien conservé son charme et sa quiétude coloniale, l'**Old Town Albuquerque** se laisse découvrir aujourd'hui d'un pas nonchalant. Une balade dans la *villa* au gré de la curiosité permet d'y voir de superbes ruelles, jardins, vérandas et patios. Bien que pratiquement tous les bâtiments d'adobe aient été transformés en boutiques de souvenirs, restaurants ou musées, leur architecture coloniale n'en demeure pas moins dans la majorité des cas inviolée.

Du côté nord de l'Old Town Plaza se dresse la structure maîtresse de la *villa*, la **San Felipe de Neri Catholic Church**. Érigée en 1793 pour remplacer la première chapelle qui tombait en ruine, et malgré les nombreux travaux de rénovation qu'elle a subis au fil des ans, l'église possède toujours ses murs d'adobe originaux (d'un mètre d'épaisseur) et ses fenêtres construites à 6 m du sol, témoins de la défense du lieu de culte. Le couvent adjacent abrite un petit musée où sont exposées des peintures et des sculptures du XVIIe siècle.

Dans un énorme bâtiment moderne qui contraste avec son environnement, l'**Albuquerque Museum of Art and History** retrace dans son exposition permanente les quatre siècles d'histoire de la métropole et du Nouveau-Mexique, en se consacrant particulièrement à l'époque de la conquête espagnole. Le musée propose également des expositions thématiques sur des artistes néo-mexicains et organise des visites guidées de la vieille ville.

Deux imposants dinosaures de bronze marquent l'entrée du **New Mexico Museum of Natural History and Science**. Ce musée des plus intéressants présente, grâce à de nombreuses reconstitutions et à des technologies de pointe (cinéma 3D), l'histoire naturelle de la région.

Dirigé par une association représentant les 19 *pueblos* du Nouveau-Mexique et situé tout juste au nord du centre-ville, l'**Indian Pueblo Cultural Center** offre une excellente introduction à l'univers amérindien du Sud-Ouest. Le musée souligne les particularités culturelles et artistiques de chacun des *pueblos*, et retrace l'évolution culturelle des peuples autochtones du Nouveau-Mexique, depuis l'époque des premiers chasseurs-cueilleurs jusqu'à nos jours. La Pueblo House, une aile interactive du musée, permet aux enfants de s'initier à la culture Pueblo par la manipulation d'une gamme d'artéfacts tels qu'outils de pierre, poteries et tissus.

▶ San Felipe de Neri Catholic Church. ©Dreamstime.com/Tim Martin

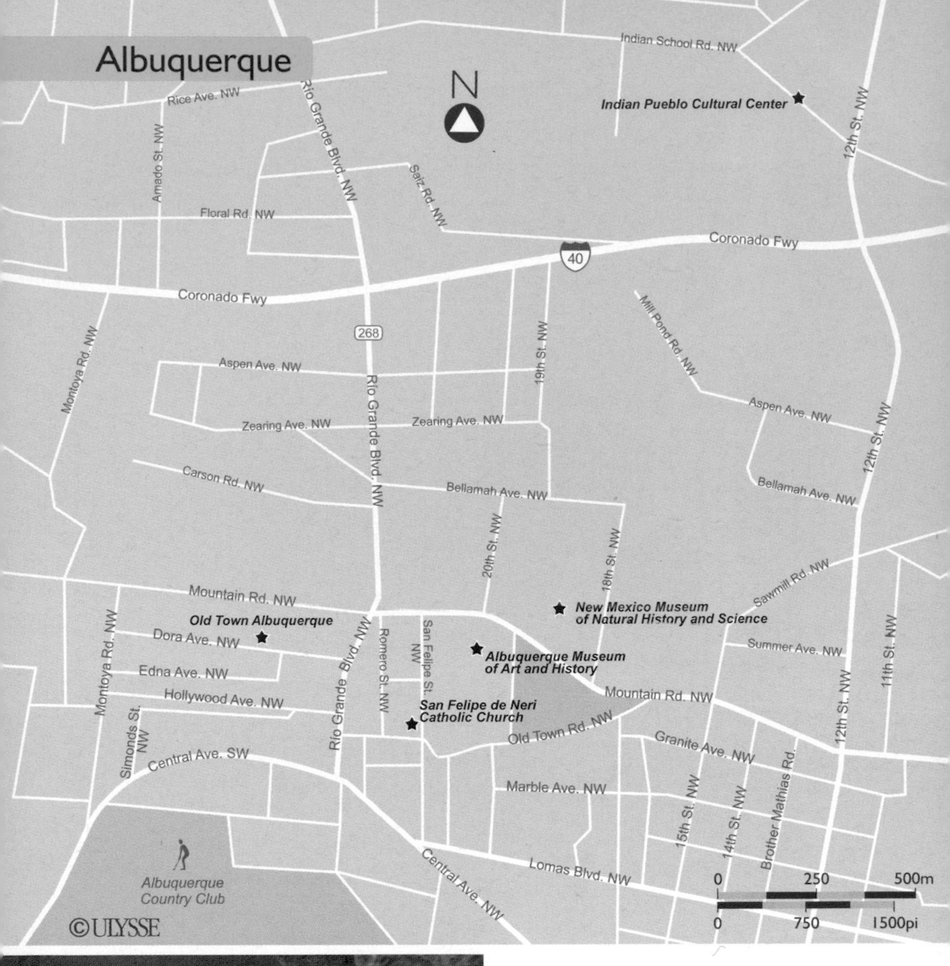

Au nord-ouest de la ville se trouve inscrite dans le roc une des plus fascinantes pages de l'histoire d'Albuquerque. Situé dans une coulée de lave pétrifiée, le **Petroglyph National Monument** comporte plus de 15 000 dessins représentant des hommes, des oiseaux, des serpents et d'autres animaux ainsi que des motifs géométriques. Certains pétroglyphes remontent à plus de 3 000 ans, mais la majorité ont été exécutés entre 1300 et 1680 apr. J.-C. par des Pueblos, dont les descendants s'y rendent d'ailleurs toujours en pèlerinage aujourd'hui.

◂ Petroglyph National Monument.
©Douglas Knight/Dreamstime.com

LA ROUTE 66

Dans *Les Raisins de la colère*, où John Steinbeck fait la chronique de la vie aux États-Unis à l'époque de la crise des années 1930, il qualifie la Route 66 de « Mother Road » (route mère), une désignation qui lui convenait très bien à une certaine période de l'histoire américaine. Officiellement baptisée à l'été de 1926, cette route devait relier Chicago et Los Angeles, en passant par des villes et villages autrement éloignés des grands axes de communication. De 1933 à 1938, en pleine crise économique, la construction de cette route a fourni de l'emploi à des milliers de jeunes hommes et, au terme du projet, son tracé diagonal desservait de petites communautés rurales du Kansas, du Missouri, de l'Illinois et de l'Arizona, ce qui donna de la vigueur à l'industrie du camionnage, alors menacée par le chemin de fer. Après la Seconde Guerre mondiale, beaucoup de soldats originaires des États du nord-est du pays cherchaient en outre à échapper aux rigueurs de l'hiver, et empruntèrent ainsi la Route 66 en quête de cieux plus cléments.

Mais l'adoption, en 1956, de la Federal Aid Highway Act, une loi visant à remplacer la vieillissante Route 66 par un grand axe routier moderne, fit tomber en désuétude cette route historique. En 1970, presque tous les tronçons de la vieille route avaient déjà été remplacés par des segments de la route I-40, une route inter-États à quatre voies. Beaucoup de localités situées sur l'ancien tracé perdirent dès lors de nombreux visiteurs essentiels à leur survie et finirent par s'éteindre, tandis que d'autres parvinrent tant bien que mal à survivre à cette débâcle. C'est d'ailleurs dans ces villages de second rang, et toujours en vie, que la Route 66 suscite le plus de fierté. Explorez la Mother Road pour connaître tous les secrets de cette fameuse porte vers l'ouest.

▼ La Route 66. © Joao Virissimo/Dreamstime.com

À l'ouest de la métropole s'élèvent, dans leurs divers tons de rouge, les majestueuses **Sandia Mountains** (le Sandia Peak s'élève à 3 250 m d'altitude). Véritable paradis pour les amateurs de plein air, hiver comme été, avec leurs sentiers de randonnée et leurs pistes de ski, elles font l'orgueil des habitants d'Albuquerque. Le **Sandia Peak Tramway**, un des téléfériques les plus longs du monde, permet pendant plus de 15 min d'admirer les environs spectaculaires (désert, canyons et forêts alpines) et de se sustenter au sommet, le souffle coupé par la beauté du panorama.

Le **Turquoise Trail**, surnom touristique donné à la pittoresque route 14 qui sillonne les versants des Sandia Mountains, croise d'anciens villages miniers ressuscités depuis quelques années grâce à l'initiative d'artistes et de jeunes entrepreneurs.

Madrid, un village qui connut la prospérité au début du siècle dernier en raison de ses riches gisements de charbon, fut complètement abandonné après la Seconde Guerre mondiale à cause de l'effondrement des cours du minerai noir. Madrid reprit vie vers les années 1970, après que s'y furent établis hippies et artistes. Les bâtiments de bois qui abritent aujourd'hui boutiques et cafés confèrent au village un charme poussiéreux typique des agglomérations du Sud-Ouest du début du XXe siècle. L'atmosphère y est des plus agréables, et ses habitants sont fort sympathiques.

À quelques kilomètres de Madrid, sur la route 14, apparaît **Cerrillos**, un autre petit village qui doit sa création à la richesse passée de son sous-sol (turquoise, zinc, argent et or). À son époque la plus florissante, autour de 1880, le village comptait quelque 2 000 habitants, 21 *saloons* et quatre hôtels. L'architecture d'adobe domine les rues en terre battue où se trouvent quelques boutiques de souvenirs et la chapelle San José, construite en 1922.

À l'ouest d'Albuquerque, une série de mesas aux parois multicolores viennent briser violemment l'horizon paisible des plaines. Sur l'une d'elles, à plus de 360 m du sol, se dresse l'**Acoma Pueblo**, l'un des plus mystérieux établissements humains qui soit. Il y a plus de 900 ans, des Indiens Acomas s'installèrent sur ce plateau presque inaccessible et sans source d'eau potable. En 1599, l'Espagnol Oñate et ses hommes se frayèrent un chemin par le seul accès menant au sommet, un escalier escarpé taillé dans le roc. Oñate exécuta 70 guerriers, coupa un pied

▼ Flore sauvage des Sandia Mountains.

au reste des hommes et condamna les femmes et les enfants à 20 ans d'esclavage. La construction de la **San Esteban del Rey Church**, terminée en 1640 et encore active de nos jours, marqua symboliquement la fin des hostilités entre les Espagnols et les Autochtones. Malgré la tragique histoire et l'isolement d'Acoma, une douzaine de familles y vit encore actuellement sans eau courante ni électricité, et des centaines d'Amérindiens s'y réunissent lors de fastes cérémonies.

Acoma Pueblo. ©Reb/Dreamstime.com

DE L'ORIGINE DES PUEBLOS

On peut retracer les racines de la culture Pueblo contemporaine chez les Anasazis qui se sont implantés dans le Sud-Ouest entre les XIIe et XIIIe siècles de notre ère.

À leur arrivée au Nouveau-Mexique, les Espagnols ont découvert environ 70 hameaux autochtones qui leur rappelèrent leurs villages andalous, d'où le fait que le mot *pueblo*, qui signifie « village » en français, servit à nommer les bourgs et par extension leurs habitants.

Bien qu'au XVIe siècle les Pueblos aient parlé une demi-douzaine de langues distinctes (trois aujourd'hui), ils partageaient néanmoins plusieurs points en commun, comme la spiritualité, la vie sédentaire et un mode de subsistance basé sur l'agriculture.

Aujourd'hui, la dynamique nation Pueblo se répartit dans 19 villages qui conservent à bien des égards leur esprit d'antan.

◂ Vestiges anasazis.
©istockphoto.com/Jeremy Edwards

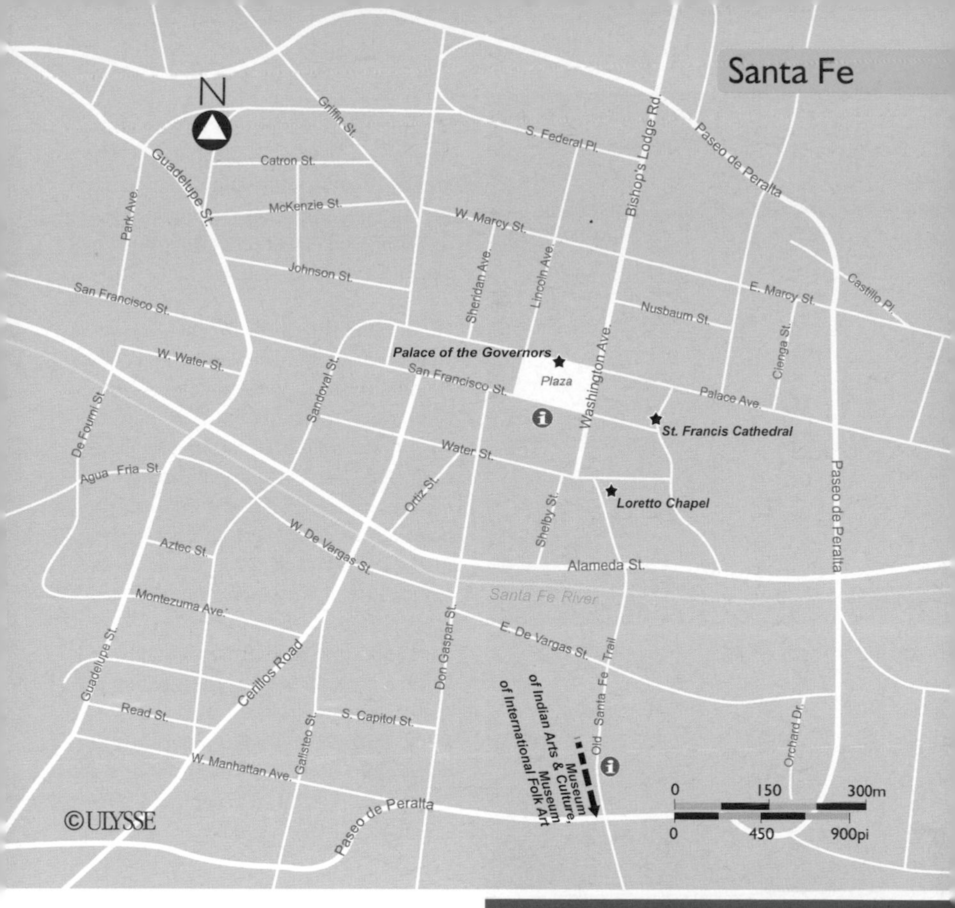

SANTA FE ET SES ENVIRONS

Capitale du Nouveau-Mexique, **Santa Fe** se présente aujourd'hui comme *The city different* (la ville différente), et elle l'est à bien des égards. Forte de ses 400 ans d'histoire, Santa Fe dévoile ses charmantes rues étroites où domine l'harmonieuse architecture de style hispano-amérindien. Véritable paradis pour les créateurs, la ville semble être une immense galerie d'art et, malgré sa petite taille (environ 72 000 hab.), Santa Fe célèbre avec faste son savoir-faire gastronomique.

Le **Palace of the Governors** fait face à la Plaza du côté est. Ayant servi de résidence à une centaine de gouverneurs depuis le règne des Espagnols, la demeure, construite en 1610, représente

Dans la ville de Santa Fe. ©Dreamstime.com/Sigen

le plus ancien édifice public des États-Unis et accueille depuis 1909 le **New Mexico History Museum**. L'exposition permanente retrace les quelque 400 ans d'histoire de l'État et propose également des visites guidées de Santa Fe.

La **St. Francis Cathedral** contraste merveilleusement avec l'architecture d'adobe prédominante dans la capitale. À l'intérieur de cette cathédrale, fondée en 1884 pour rivaliser avec celles du Vieux Continent, se trouve une partie de La Parroquia, une église d'adobe détruite lors de la rébellion des Pueblos en 1680, où niche la *Conquistadora*, la plus ancienne madone de bois en Amérique du Nord.

Sur l'Old Santa Fe Trail, au sud-ouest de la cathédrale, se dresse la **Loretto Chapel**, dont la construction est inspirée de la Sainte-Chapelle de Paris. Ce petit lieu de culte érigé en 1878 est célèbre pour son escalier de bois en colimaçon qui serait le fruit d'un miracle divin.

À 3 km au sud-est de la Plaza, dans le quartier dénommé «Museum Hill», le **Museum of Indian Arts & Culture** se voue à la promotion des nations amérindiennes du Nouveau-Mexique. Dans le même bâtiment, le spectaculaire **Museum of International Folk Art** abrite la plus grande collection d'art folklorique au monde, avec quelque 125 000 objets provenant d'une centaine de pays et de la région.

Une fascinante excursion dans la nature, au milieu de spectaculaires sites archéologiques, est possible au **Bandelier National Monument**. Couvrant 21 200 km² dans le Canyon de Frijoles, à 77 km à l'ouest de Santa Fe, le parc comprend des dizaines de sentiers de randonnée pédestre menant les visiteurs aux ruines anasazis datant du début du XIVe siècle.

▲ St. Francis Cathedral. ©Kingjon/Dreamstime.com

◄ Bandelier National Monument. ©Dreamstime.com/Ken Cole

L'ARCHITECTURE D'ADOBE

En l'absence de pierres dans certaines régions, les Pueblos construisaient leurs maisons en boue séchée empilée couche après couche pour former des structures rectangulaires aux contours arrondis.

Les toits se composaient de quelques *vigas* (poutres de bois) agencées parallèlement et à intervalles réguliers, ainsi que de petites tiges de bois installées au-dessus des *vigas*. Le tout était ensuite recouvert d'un plâtre brun clair qu'il fallait fréquemment remplacer après des précipitations.

Limités aux mêmes matériaux, les Espagnols améliorèrent les techniques de construction en introduisant, entre autres, l'adobe (une brique de boue séchée), qui permettait désormais de construire des bâtiments beaucoup plus massifs.

L'archétype du bâtiment de l'époque coloniale était parfaitement adapté au climat du Nouveau-Mexique avec ses murs épais, son toit plat et son nombre limité de petites fenêtres, qui permettaient de conserver la chaleur en hiver et de l'évacuer en été.

▼ Bâtiment d'adobe. *©Andrey Lebedev/Dreamstime.com*

▲ Santuario de Chimayo. ©Stephanie Coffman/Dreamstime.com

EN DIRECTION DE TAOS

De Santa Fe à Taos, il est fort agréable de prendre la **High Road to Taos**. Elle serpente à travers d'impressionnantes falaises rocheuses, vallées fertiles et forêts de conifères, et permet de visiter plusieurs villages pittoresques.

Cette route panoramique passe entre autres par **Chimayo**, un petit village célèbre pour sa communauté de tisserands dont le savoir-faire remonte au XVIIe siècle. Mais les gens se rendent à Chimayo d'abord et avant tout pour se recueillir au **Santuario de Chimayo**, une petite chapelle d'adobe construite en 1816, qui accueille jusqu'à 30 000 pèle-

LES *KIVAS*

Essentielles à la vie spirituelle et sociale des Pueblos, les *kivas* sont des enceintes circulaires ensevelies dans le sol auxquelles on accède généralement par des échelles. Elles symbolisent, selon la culture Pueblo, la communion entre le monde souterrain d'où origine l'homme et l'univers terrestre sur lequel il tire sa subsistance.

Kiva. ©istockphoto.com/Joe McDaniel

rins annuelement, notamment le Vendredi saint. La chapelle est surnommée la «Lourdes des Amériques», car de nombreuses guérisons miraculeuses s'y seraient produites.

Est-ce le ciel étincelant, les couchers de soleil couvrant la gorge du Rio Grande de teintes multicolores, ou encore l'air pur des montagnes qui ont convaincu, en 1898, les artistes Bert Phillips et Ernst Blumenschein en route vers le Mexique de s'arrêter définitivement à **Taos**?

Quelle qu'en soit la raison, bon nombre d'écrivains, de penseurs, de peintres et de sculpteurs aussi célèbres qu'Aldous Huxley, Carl Jung, D.H. Lawrence et Georgia O'Keeffe emboîtèrent le pas migratoire vers Taos, qui se poursuit encore de nos jours. Dans les années 1960, la communauté amérindienne du Taos Pueblo, symbolisant le mythe du bon Sauvage, ainsi que la réputation libertine de Taos auront tôt fait d'attirer plusieurs hippies en quête d'un monde meilleur. Aujourd'hui, de jeunes bohèmes se regroupent autour de la paisible Plaza et cherchent tant bien que mal à recréer l'esprit d'une époque révolue.

L'histoire a fait de Taos un village orgueilleux, magique et fort surprenant. Ce que Santa Fe était il y a quelques décennies, Taos l'est aujourd'hui: une petite ville nonchalante, sans prétention, et regorgeant de culture. Toutefois, à l'image de la capitale, de plus en plus de touristes se rendent chaque année à Taos, attirés par son charme, mais surtout par les innombrables activités de plein air qu'offrent les vastes espaces vierges de la région.

À l'est de la Plaza se trouve le domicile du plus notoire trappeur, militaire, guide et éclaireur du Sud-Ouest, le célèbre Kit Carson (1809-1868), au **Kit Carson Home & Museum**. La maison d'adobe, construite en 1825, illustre remarquablement bien la vie de l'homme mais aussi celle du Taos du XIXe siècle.

Située au sud-ouest de Taos, l'**Hacienda de los Martinez**, une imposante demeure d'adobe de 21 pièces construite en 1804, partagea l'austère vie quotidienne des Martinez à l'époque coloniale.

▲ Rio Grande Gorge Bridge. ©Sgc/Dreamstime.com

Le **Rio Grande Gorge Bridge**, le deuxième plus haut pont suspendu des États-Unis, relie les deux parties du plateau et offre des vues vertigineuses d'une splendeur indescriptible.

Pour plusieurs voyageurs, Taos rime d'abord et avant tout avec le **Taos Pueblo**, un village édifié au pied des montagnes Sangre de Cristo, où vivent quelque 150 Amérindiens de langue tiwa, auxquels s'ajoutent les 1 900 Autochtones résidant sur les terres ancestrales environnantes. Fondé vers la moitié du XIVe siècle, ce *pueblo*, tout comme l'Acoma Pueblo à l'ouest d'Albuquerque, représente le plus ancien établissement humain habité sans interruption en Amérique du Nord. Le village illustre mieux que tout autre *pueblo* du Nouveau-Mexique l'architecture traditionnelle d'adobe avec ses impressionnantes maisons superposées s'agglutinant sur quatre ou cinq étages, dont plusieurs ne sont accessibles qu'à l'aide d'échelles. Aujourd'hui, le *pueblo* conserve tant bien que mal son mode de vie ancestral; il ne possède ni eau courante ni électricité, on y cuit encore le pain dans des *hornos* (fours extérieurs de forme conique), et les artisans produisent de la superbe poterie, des bijoux en argent et des vêtements de cuir. En plus d'être ouvert pendant les jours de visite, le *pueblo* convie également le public à assister à certaines danses cérémonielles.

L'**Enchanted Circle** désigne une route pittoresque qui fait une boucle autour du Wheeler Peak (4 112 m), le plus haut sommet du Nouveau-Mexique. Le parcours de 134 km traverse de splendides paysages montagneux ainsi que quelques stations de ski et villages touristiques.

▲ Carlsbad Caverns National Park.
©Jack Rogers/Dreamstime.com

LE SUD

Aux confins australs d'une terre désertique brûlée par le soleil, aux horizons infinis parsemés sporadiquement de ranchs et de tours de forage, niche dans une chaleur écrasante l'une des merveilles géologiques du continent: les cavernes de Carlsbad.

Au sud-est du désert de Chihuahua, le **Carlsbad Caverns National Park** forme un important et fascinant réseau de galeries souterraines ornées de fantastiques stalagmites et stalactites. On sait qu'avant l'arrivée des Européens, les Amérindiens vouaient un culte particulier à ces grandioses cavernes; par la suite, les galeries souterraines, tombées dans l'oubli jusqu'au début du XXe siècle, furent redécouvertes par un cowboy qui avait vu des millions de chauves-souris tournoyer au-dessus d'une cavité.

DE L'ORIGINE DES NAVAJOS ET DES APACHES

De langue athapaskan et originaires de l'Ouest canadien, les Navajos et les Apaches arrivent beaucoup plus tardivement que les Pueblos dans le Sud-Ouest, probablement vers la fin du XVe siècle. Venus des contrées nordiques, ces Amérindiens nomades parcouraient le territoire à la recherche de gibier et entretenaient vraisemblablement de cordiales relations commerciales avec les Pueblos sédentaires.

Toutefois, les réseaux d'échanges économiques entre les Autochtones se démantelèrent avec l'arrivée des Espagnols qui introduisirent le bétail, les chevaux, les fusils et la maladie. Devenus d'habiles cavaliers, les Athapaskans d'origine se transformèrent en de redoutables pilleurs craints autant par les Espagnols que par les Pueblos.

Après la révolte des Pueblos en 1680, les Navajos, contrairement aux Apaches, se fondirent peu à peu dans la culture Pueblo, sans toutefois renoncer complètement à leur mode de vie nomade. Aujourd'hui, les Navajos habitent une immense réserve dans le nord-ouest du Nouveau-Mexique, et les Apaches occupent deux réserves, l'une dans le nord de l'État et l'autre dans le sud.

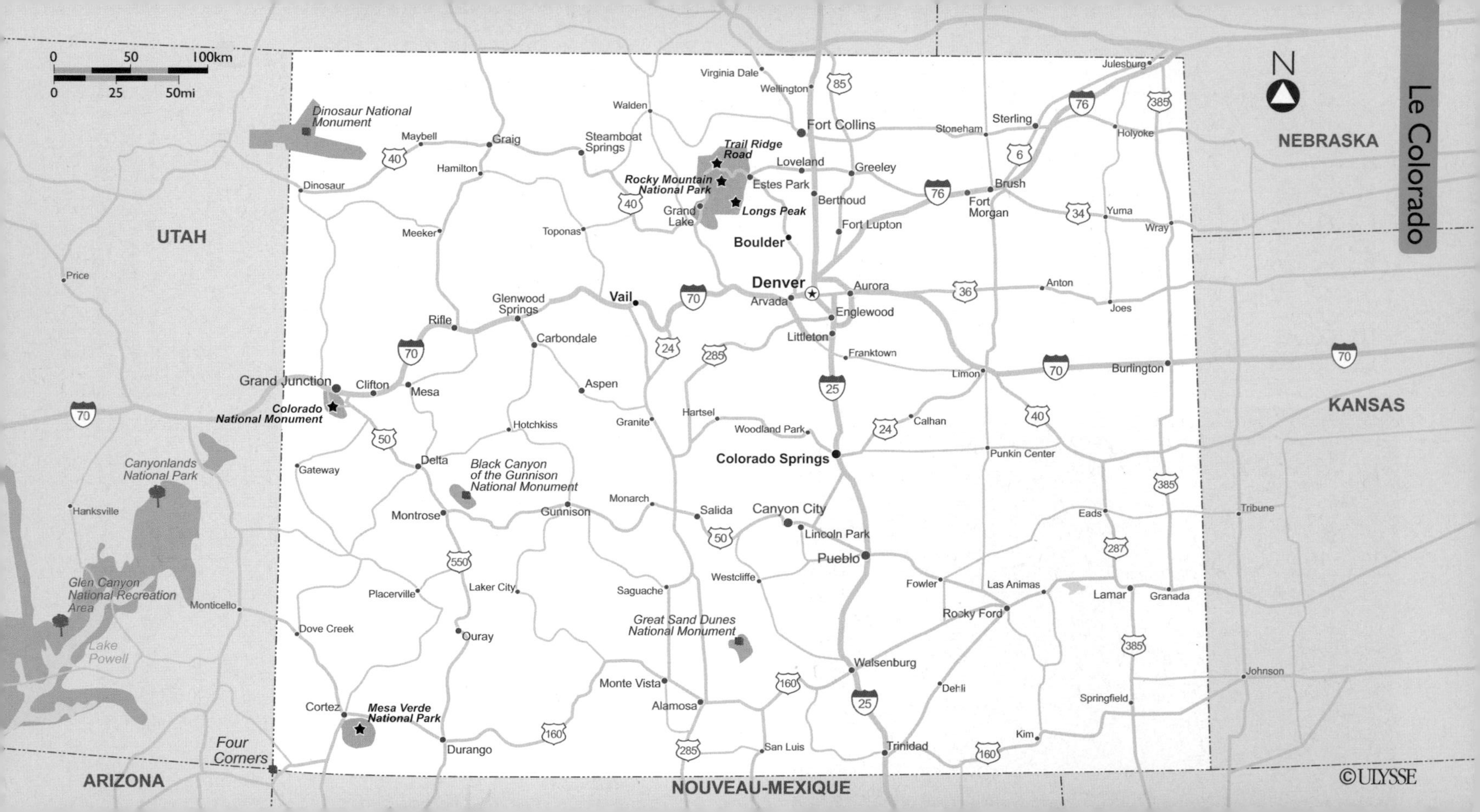

Le Colorado
N
©ULYSSE
NEBRASKA
KANSAS
UTAH
ARIZONA
NOUVEAU-MEXIQUE
0 50 100km
0 25 50mi
Julesburg
Holyoke
Wray
Yuma
Joes
Burlington
Sterling
Brush
Fort Morgan
Stoneham
Anton
Limon
Punkin Center
Eads
Lamar
Granada
Tribune
Johnson
Springfield
Kim
Las Animas
Rocky Ford
Delhi
Fowler
Trinidad
Walsenburg
Pueblo
Lincoln Park
Canyon City
Colorado Springs
Calhan
Franktown
Woodland Park
Fort Collins
Wellington
Virginia Dale
Greeley
Loveland
Berthoud
Fort Lupton
Estes Park
Longs Peak
Trail Ridge Road
Rocky Mountain National Park
Grand Lake
Boulder
Denver
Aurora
Englewood
Arvada
Littleton
Hartsel
Salida
Westcliffe
Great Sand Dunes National Monument
San Luis
Alamosa
Monte Vista
Saguache
Monarch
Granite
Walden
Steamboat Springs
Toponas
Vail
Aspen
Carbondale
Glenwood Springs
Hotchkiss
Gunnison
Black Canyon of the Gunnison National Monument
Laker City
Ouray
Durango
Graig
Hamilton
Maybell
Meeker
Rifle
Mesa
Delta
Montrose
Placerville
Mesa Verde National Park
Cortez
Dove Creek
Dinosaur National Monument
Dinosaur
Clifton
Grand Junction
Colorado National Monument
Gateway
Four Corners
Monticello
Canyonlands National Park
Hanksville
Glen Canyon National Recreation Area
Lake Powell
Price

Le Colorado

Rectangle quasi parfait tracé au cœur de la mosaïque américaine, le mythique Colorado, jadis terre d'aventure et d'espoir, ne renie en rien aujourd'hui cette réputation, loin de là! Bien que les aventuriers des temps modernes, chaussures dernier cri aux pieds et bâton de marche design à la main, aient remplacé les chercheurs d'or du XIXe siècle, ils parcourent toujours les mêmes lieux magiques qui ont séduit leurs prédécesseurs. Et les milliers de nouveaux arrivants, jeunes et diplômés, qui affluent chaque année dans l'État pour combler sa soif insatiable de main-d'œuvre, sont toujours en quête d'un sort meilleur qu'ils savent pouvoir connaître ici.

Le Colorado est surtout connu pour la spectaculaire variété de sa topographie, qui se décline en une large palette : vastes plaines à l'est, montagnes colossales au centre, immenses plateaux à l'ouest, le tout entrecoupé de canyons vertigineux et de fleuves au cours sans cesse changeant. Qu'il s'agisse du Rocky Mountain National Park aux cimes enneigées, du Colorado National Monument avec ses canyons d'ocre et de feu, du sombre Black Canyon ou des tranquilles mesas du sud-ouest de l'État, la montagne est omniprésente sur le territoire. Partout elle revendique l'admiration béate que ne manque pas de lui témoigner le voyageur ébahi : peu souvent aura-t-il vu réunies avec autant de panache la force de la nature et l'insolente beauté de ses attributs.

DENVER

Édifiée dans la frénésie de la ruée vers l'or il y a un siècle et demi, Denver, la capitale du Colorado, perpétue encore aujourd'hui sa relation privilégiée avec l'argent sous toutes ses formes : au cours des deux dernières décennies, des milliards de dollars ont été investis dans cette ville prospère, sous forme de gratte-ciel imposants, de stades sportifs, d'un aéroport international ultramoderne, d'un agrandissement du centre des congrès ou encore d'un système de transport urbain sur rail. Conséquence de ce déluge d'investissements : le centre-ville s'en est retrouvé complètement transformé, et la ville s'est donné un air de jeunesse qui est l'un des moteurs de son dynamisme actuel.

Le **Golden Triangle**, délimité par Colfax Avenue, Speer Boulevard et Lincoln Street, regroupe une grande partie des attraits culturels et historiques de Denver dont les suivants.

Le **Colorado State Capitol**, au dôme recouvert de feuilles d'or, ressemble en tout point à son homonyme de Washington puisque son architecte s'en est inspiré. On a porté un soin jaloux à sa construction, en n'utilisant que des matériaux de la région, allant même jusqu'à vider la seule et unique carrière mondiale d'onyx rose! Après avoir gravi les 93 marches menant à l'observatoire situé sous la rotonde, le visiteur aura une vue imprenable sur la ville et les Rocheuses à l'horizon. La 15e marche se trouve exactement à 1 609 m ou 5 280 pieds du niveau de la mer, soit un mille, d'où l'appellation de *Mile-High City* dont s'est affublée la ville de Denver.

▲ Colorado State Capitol.
©Bob Ashe for the Denver Metro Convention & Visitors Bureau

◀ Civic Center Park.
©Rich Grant for the Denver Metro Convention & Visitors Bureau

Denver
Clarkson St.
Washington St.
Pearl St.
Pennsylvania St.
Logan St.
Grant St.
Sherman St.
Lincoln St.
Broadway St.
18th Ave.
17th Ave.
16th Ave.
20th Ave.
19th Ave.
Colfax Ave.
14th Ave.
13th Ave.
Colorado State Capitol
Colorado History Museum
Civic Center Park
Denver Art Museum
Golden Triangle
Bannock St.
Cherokee St.
Delaware St.
Elati St.
Fox St.
Galapago St.
Santa Fe St.
Mariposa St.
Osage St.
Rio Ct.
Umatilla Ct.
Park Ave. W.
Benedict Ftn. Park
Lawson Park
25th St.
24th St.
22nd St.
21st St.
20th St.
19th St.
18th St.
17th St.
15th St.
14th St.
13th St.
Welton St.
California St.
Stout St.
Champa St.
Curtis St.
Arapahoe St.
Lawrence St.
Larimer St.
Blake St.
Wazee St.
Wynkoop St.
Wewatta St.
Market St.
Glenarm Pl.
Tremont Pl.
Court Pl.
16th Street Mall
Coors Field
Lower Downtown District
Speer Blvd.
University of Colorado Denver Auraria Campus
9th St. Park
Auraria Pkwy
7th St.
5th St.
Walnut St.
Wazee St.
Cherry Creek
Confluence Park
Little Raven St.
South Platte River
Six Flags Elitch Gardens
Gates Crescent Park
25
23rd Ave
Byron Pl.
Dick Connor Ave.
Bryant St.
0,5km
0,25
0
0,2mi
0,1
0
N
©ULYSSE

Face au Capitol s'étire le **Civic Center Park**, un immense havre de verdure au cœur de la ville, où des statues d'Amérindiens et de chevaux sauvages cohabitent avec des fontaines, des jardins floraux et d'autres ornementations paysagères, notamment un amphithéâtre grec.

Au sud du parc se profile la silhouette en gradins du **Colorado History Museum**, qui se consacre à l'histoire du Colorado et des peuples qui l'ont habité. S'y trouve notamment une collection fascinante de poteries anasazis dénichées dans le site historique de Mesa Verde, dans le sud du Colorado. Le musée fait usage de dioramas et d'autres techniques modernes pour illustrer différentes scènes de l'Ouest mythique avec ses forts, la chasse aux bisons et la Ruée vers l'or. On peut y voir également une pièce d'un intérêt historique certain: la gigantesque maquette de Denver en 1860, avant que la ville ne fût détruite à deux reprises, par un incendie et une inondation dévastatrice.

Le remarquable édifice du **Denver Art Museum**, œuvre de l'architecte italien de renom Gio Ponti, se démarque des constructions avoisinantes par son architecture singulière. Sa façade complexe se compose de 26 faces recouvertes d'un million de plaques de verre gris hérissées de pointes. Au crépuscule, ce mur de ceinture étincelant confère au musée l'allure d'une forteresse médiévale. L'intérieur n'en est pas moins intéressant, avec, entre autres, au deuxième étage, une collection unique d'art amérindien – la plus importante au monde – dans laquelle toutes les nations autochtones nord-américaines sont représentées avec leurs costumes, leurs poteries, leurs fétiches... y compris l'incontournable tipi des plaines! Le musée compte également de nombreuses autres collections: asiatique, précolombienne et espagnole, par exemple, ou encore africaine et océanienne. La section d'art asiatique recèle

▸ L'intérieur du Denver Art Museum.
©Steve Crecelius for the Denver Metro Convention & Visitors Bureau

quant à elle une curiosité fort intéressante : un mandala que des moines tibétains ont créé ici en 1996. La tradition veut que cette œuvre, faite de poudre de marbre, soit détruite sitôt achevée, mais, dans le cas présent, le musée a obtenu une dérogation afin de pouvoir l'exposer en permanence.

Le **Lower Downtown** (*LoDo*) est un quartier truffé d'édifices historiques situé entre Larimer Square et le stade de baseball **Coors Field**. C'est à la faveur de la construction, en 1995, de ce stade à l'architecture remarquable que le quartier s'est métamorphosé : autrefois jalonné d'entrepôts vétustes et de manufactures abandonnées, il s'est enrichi d'autant de cafés, bars et restaurants à la mode qui y drainent une faune urbaine vivante et enthousiaste.

Au-delà du centre-ville, le **City Park** s'étend sur 125 ha, ce qui en fait – et de loin! – le plus grand parc à l'intérieur de la ville. Parmi ses aménagements, on retrouve notamment deux lacs, un golf, des courts de tennis et plusieurs aires de pique-nique. Le parc est sillonné un peu partout par de nombreux sentiers propices à la marche et au jogging.

Au cœur du parc, le **Denver Museum of Nature & Science** fait partie des musées majeurs dont s'enorgueillit Denver. Ce musée d'histoire naturelle, l'un des principaux aux États-Unis, décrit, par le truchement de plusieurs dizaines de dioramas, l'histoire de la vie sur terre à différentes époques. Il met en particulier l'accent sur la période préhistorique américaine et sur l'habitat faunique du Colorado.

▼ Denver et le City Park.
©Ron Ruhoff for the Denver Metro Convention & Visitors Bureau

▶ Larimer Square, dans le Lower Downtown de Denver.
©Stan Obert for the Denver Metro Convention & Visitors Bureau

P
PAY
STATION
PARKING RATES

▲ Boulder. ©Photo courtesy of the Boulder CVB

BOULDER

Comme beaucoup de villes au Colorado (dont sa voisine Denver), Boulder doit sa création, au XIXe siècle, à la ruée vers l'or. C'est un tout autre filon, plus durable celui-là, qui fait aujourd'hui la fortune de la ville. En plus d'être le siège de l'**University of Colorado at Boulder**, elle est en effet l'hôte de nombreux instituts de recherche et d'une pléthore d'industries de haute technologie. À cela, il faut ajouter la proximité des Rocheuses, et les conditions voulues sont réunies pour attirer ici une population jeune, instruite et à l'aise financièrement, dont l'influence sur l'esprit et la qualité de vie de Boulder est déterminante. D'où sa réputation de ville de plein air par excellence, soucieuse de l'environnement et axée sur les arts et la culture.

Insolite dans ce coin de pays, la **Boulder Dushanbe Teahouse**, un don de la Ville de Dushanbe au Tajikistan, a dormi pendant de nombreuses années dans un entrepôt avant qu'on ne lui trouve en 1998 un site digne de sa magnificence. Il a fallu pas moins de 40 artisans tajiks pour achever sa décoration de motifs éclatants de couleur et d'exubérance. En tout point identique aux maisons de thé de ce lointain pays, la Boulder Dushanbe Teahouse est vite devenue un attrait incontournable.

Le **Boulder Creek Path**, un magnifique sentier qui longe le cours d'eau du même nom, s'étire jusqu'au Boulder Canyon, 22 km plus loin. Tout au long du parcours, plusieurs parcs publics offrent leur quiétude aux randonneurs et cyclistes qui y cohabitent en toute harmonie.

▲ Rocky Mountain National Park. ©istockphoto.com/Oleksandr Buzko

ROCKY MOUNTAIN NATIONAL PARK

Avec ses innombrables pics dont certains dépassent les 3 700 m, ses vallées verdoyantes et ses lacs limpides, il n'est pas surprenant de constater que le Rocky Mountain National Park accueille au-delà de trois millions de visiteurs par an. Cette armée de touristes, l'une des plus disciplinées qui soit (les *rangers* imposent – avec raison – une réglementation draconienne dans le but de protéger les milieux naturels), parcourt à pied, à cheval ou en voiture les routes, pistes ou sentiers qui sillonnent le parc. En voiture, l'automobiliste est confronté à un environnement très distinct au fur et à mesure qu'il grimpe: la forêt de pins, de sapins et d'épinettes du début se raréfie peu à peu, pour s'estomper complètement aux plus hautes altitudes et laisser toute la place à la toundra alpine, à la flore si particulière. En effet, les grands écarts de dénivellation du Rocky Mountain National Park favorisent l'apparition d'écosystèmes tout aussi variés.

Trois écosystèmes se distinguent au fil des différences de niveau. Les vallées ensoleillées du versant sud, tout de même situées à une altitude de 2 100 m à 2 800 m (écosystème montagnard), sont parsemées de pins ponderosas, alors que celles du côté nord, plus humides, abritent, outre cette espèce, le sapin de Douglas. Vient ensuite l'écosystème subalpin, à une hauteur de 2 800 m à 3 600 m, avec ses forêts d'épinettes et de pins déjà plus tordus et rachitiques. Finalement, au-dessus de 3 600 m, au sein de l'écosystème alpin, alors que l'air commence à se raréfier et que l'environnement hostile ne permet plus la croissance d'arbres, seuls quelques rares arbustes et les lichens réussissent à survivre.

Le parc recèle une grande variété d'animaux dont les plus connus sont l'élan d'Amérique, le cerf-mulet des montagnes Rocheuses et le mouflon d'Amérique. L'élan se tient, en été, dans le milieu alpin du parc, au sommet des montagnes; il n'est pas rare de pouvoir en observer. Par contre, le mouflon, dont la silhouette caractéristique est devenue le symbole du parc, se tient, beaucoup plus à l'écart, à flanc de montagne. Souvent, les hordes de cerfs-mulets montent, le matin ou le soir, près des routes dans le but de s'alimenter.

Sans doute le sommet le plus renommé du parc puisque visible à des lieues à la ronde, le **Longs Peak** culmine à plus de 4 200 m, ce qui en fait la plus haute montagne du parc. Durant la saison estivale, plus de 15 000 personnes téméraires en tentent l'escalade par le sentier **Keyhole**, le seul accessible au commun des mortels. Seuls les deux tiers persistent jusqu'au sommet, tant l'exploit est difficile.

La traversée du parc par la **Trail Ridge Road**, bien que ce soit la façon la plus facile d'apprécier la splendeur du panorama, n'est pas pour autant une promenade du dimanche! Au cours des 76 km du trajet, le visiteur passe d'une altitude de 1 500 m à plus de 4 000 m, pour descendre à nouveau à 1 500 m. Ce parcours en «montagnes russes», accessible uniquement en été, s'effectue toutefois au sein d'un paysage époustouflant de pics enneigés et de précipices abyssaux entre lesquels s'étirent de vertes vallées où paissent tranquillement cerfs-mulets, élans et mouflons. Les multiples points d'observation disséminés stratégiquement sur la route permettent de faire une pause et de contempler la majesté des Rocheuses. D'ailleurs, plusieurs de ces haltes marquent le point de départ de sentiers de randonnée pédestre fort intéressants.

◄ Longs Peak. *©James Insogna/Dreamstime.com*

LES ORIGINES DU ROCKY MOUNTAIN NATIONAL PARK

On sait peu de chose des premiers Amérindiens qui se sont aventurés dans ce qui est aujourd'hui le Rocky Mountain National Park. Tout au plus est-il établi que la tribu des Utes occupa le territoire jusqu'en 1700, alors que les Arapahoes, venus des plaines de l'Ouest à la recherche de gros gibier, les en chassèrent en les repoussant vers l'est.

Des squelettes de tipis et autres vestiges de campements d'été furent les seuls indices que trouvèrent les premiers Européens en découvrant le territoire.

Les trappeurs français ne firent que contourner les limites actuelles du parc, tant leur apparaissait ardue l'ascension de ces pics inhospitaliers. Même le major Stephen H. Long passa à bonne distance du sommet qui porte aujourd'hui son nom, au cours de son expédition de 1820.

L'histoire moderne du parc débute au tournant du XXe siècle, quand l'écrivain et photographe naturaliste Enos Mills commence à faire campagne pour que la région devienne le dixième parc national du pays. Mills entreprit alors dans ce but une vaste opération s'étendant sur plusieurs années à travers le continent, assortie de centaines de lettres et d'articles. Ses efforts furent finalement couronnés de succès en 1915, lorsque le président Wilson fit de la région le Rocky Mountain National Park.

VAIL

Parmi les nombreux centres de villégiature (*resorts*) qui parsèment l'Amérique, Vail détient la palme de la popularité: sans cesse classée au premier rang des stations de ski nord-américaines par la presse spécialisée, c'est aussi la destination la plus fréquentée dans ce même créneau. Rien de surprenant à cela, car l'endroit est tout simplement irrésistible avec son village alpin blotti au fond d'une vallée flanquée d'impressionnants massifs au dénivelé idéal pour la pratique des sports d'hiver. Bien qu'elle soit considérée avant tout comme une station d'hiver – après tout, le ski se pratique ici sept mois par année! –, on y propose durant l'été une gamme d'activités sportives et récréatives exploitant à bon escient la montagne et ses installations.

▼ Vail. ©istockphoto.com/Robert Morton

Dans les années 1950, Vail et ses environs n'étaient qu'un ensemble de montagnes, certes avec beaucoup de potentiel récréatif mais encore relativement vierge. C'est un vétéran de la Seconde Guerre mondiale, Peter Siebert, qui allait trouver le filon pour exploiter un centre de ski haut de gamme au début des années 1960, en y construisant un village et les premières remontées. Il connaissait bien les lieux pour s'y être entraîné avec les troupes alpines de l'Armée américaine durant la guerre. En quelques années seulement, Vail allait devenir la station de ski la plus importante des États-Unis. Aujourd'hui encore, elle demeure le centre de sports d'hiver le plus renommé d'Amérique, avec Whistler, en Colombie-Britannique.

LE COLORADO, PARADIS DES SKIEURS ET DES PLANCHISTES

Arapahoe Basin, Aspen, Beaver Creek, Breckenridge, Copper Mountain, Crested Butte, Keystone, Snowmass, Steamboat, Telluride, Vail, Winter Park... Bref, les grands amateurs de ski ou de planche à neige ont sûrement déjà entendu au moins l'un de ces noms: ce sont les plus importantes stations de sports d'hiver du Colorado, dont la moitié de l'État se trouve dans les montagnes Rocheuses.

Renommées pour les panoramas qu'elles offrent à leur clientèle, les stations de ski des Rocheuses ont des conditions d'enneigement exceptionnelles, sans oublier leurs complexes hôteliers où la vie nocturne est animée. Vail et Aspen demeurent cependant les stations les plus populaires.

▲ Coke Ovens. © Shaday365/Dreamstime.com

COLORADO NATIONAL MONUMENT

Un des secrets les mieux gardés du Colorado, le Colorado National Monument en mettra plein la vue aux visiteurs avec ses canyons à la patine chatoyante et ses monolithes d'un ocre saisissant (visite impérative en fin d'après-midi alors que la lumière rasante du soleil exalte les orangés!). Formés au rythme des caprices d'une érosion complexe pendant des millions d'années, les impressionnants décors du Colorado National Monument se déroulent tout au long des 37 km de la **Rim Rock Drive**, cette route construite lors de la crise des années 1930, qui le traverse de part en part, empruntée par les automobilistes et les nombreux cyclistes qui se la partagent.

Le paysage se renouvelle constamment depuis la **Grand Valley** jusqu'aux sommets du parc et tout autour des plateaux. La nature ici s'en est donné à cœur joie: une grande variété de dômes, arches, corniches et monolithes s'offre à la vue un peu partout, faisant de ce parc naturel une espèce de Grand Canyon à l'échelle réduite! Ils sont tellement évocateurs, ces rocs de grès, que plusieurs parmi les plus impressionnants possèdent une identité propre, tels les **Balanced Rock**, les **Coke Ovens** ou l'**Independence Monument**, tous ainsi baptisés en raison de la forme qu'ils suggèrent. L'«Independence Monument», justement, reflète de façon éclatante le travail de l'érosion: au départ, cette flèche de 160 m de hauteur était un mur massif de roc séparant deux canyons; au fil de l'élargissement de ces canyons, le mur a rétréci et des parties s'affaissèrent pour finalement ne laisser debout que cet évocateur monolithe. D'ailleurs, la singulière diversité de ces monolithes est observable grâce aux multiples belvédères aménagés de façon ingénieuse dans les endroits les plus spectaculaires.

MESA VERDE NATIONAL PARK

Il existe dans le Sud-Ouest américain nombre de sites historiques avec *cliff dwellings* (littéralement: maisons construites à même la falaise). Aucun cependant n'est aussi célèbre et remarquable que le Mesa Verde National Park, un éblouissant regroupement d'habitations troglodytiques construites il y a plus de 700 ans. Observées à distance, ces habitations apparaissent comme de complexes châteaux de sable enchâssés dans le roc.

C'est en 550 que les ancêtres des Pueblos, appelés aussi «Anasazis» (nom navajo qui signifie «les anciens ennemis»), ont commencé à établir des villages sur le plateau de Mesa Verde. Après plus de 600 ans de vie sur le plateau, ces Amérindiens se mirent à ériger de complexes structures de briques et de pierres à même les interstices des falaises de grès. Malgré l'ampleur des travaux et le nombre important des constructions, les Anasazis ne les occupèrent qu'une centaine d'années, après quoi ils délaissèrent les lieux pour une raison à ce jour inconnue.

Le **Chapin Mesa Archeological Museum** est le premier arrêt recommandé pour comprendre la vie des Pueblos. Juste à côté se trouve la **Spruce Tree House**, qui comporte les seules ruines importantes accessibles librement. Se rendre à ces ruines vaut amplement l'effort, tant l'harmonie et la magnificence qui s'en dégagent impressionnent. Le sentier qui mène aux ruines se prolonge jusqu'au **Petroglyph Point Trail**, une agréable piste qui permet d'observer des pétroglyphes et de profiter de belles vues sur le Spruce Canyon et le Navajo Canyon.

COLORADO SPRINGS

S'il est une ville du Colorado qui sied à l'idée qu'on se fait du mot «tourisme», c'est bien Colorado Springs! Dans cette ville, tout est au service de sa vocation, du paysage béni des dieux aux attraits dits «touristiques» (bien terrestres ceux-là!), en passant par un climat idéal.

Certes l'un des sites naturels les plus originaux du Sud-Ouest américain, le parc **Garden of the Gods** s'impose d'emblée comme l'attrait le plus spectaculaire de la région, un paradis pour les photographes! Une succession de saillies géantes en

▲ Spruce Tree House. ©Sgc/Dreamstime.com

▶ Garden of the Gods. ©istockphoto.com/Justin Williford

grès rouge jaillit des entrailles de la Terre en une multitude de formes biscornues et suggestives, le tout disposé de façon aléatoire dans un immense écrin de verdure : un site unique, d'une beauté brute rarement égalée. Serpentant à travers le parc, une route pavée réserve à chaque tournant un point de vue différent sur ces formidables formations rocheuses. Chacune d'entre elles possède un nom et une personnalité propre, tellement leurs silhouettes sont évocatrices.

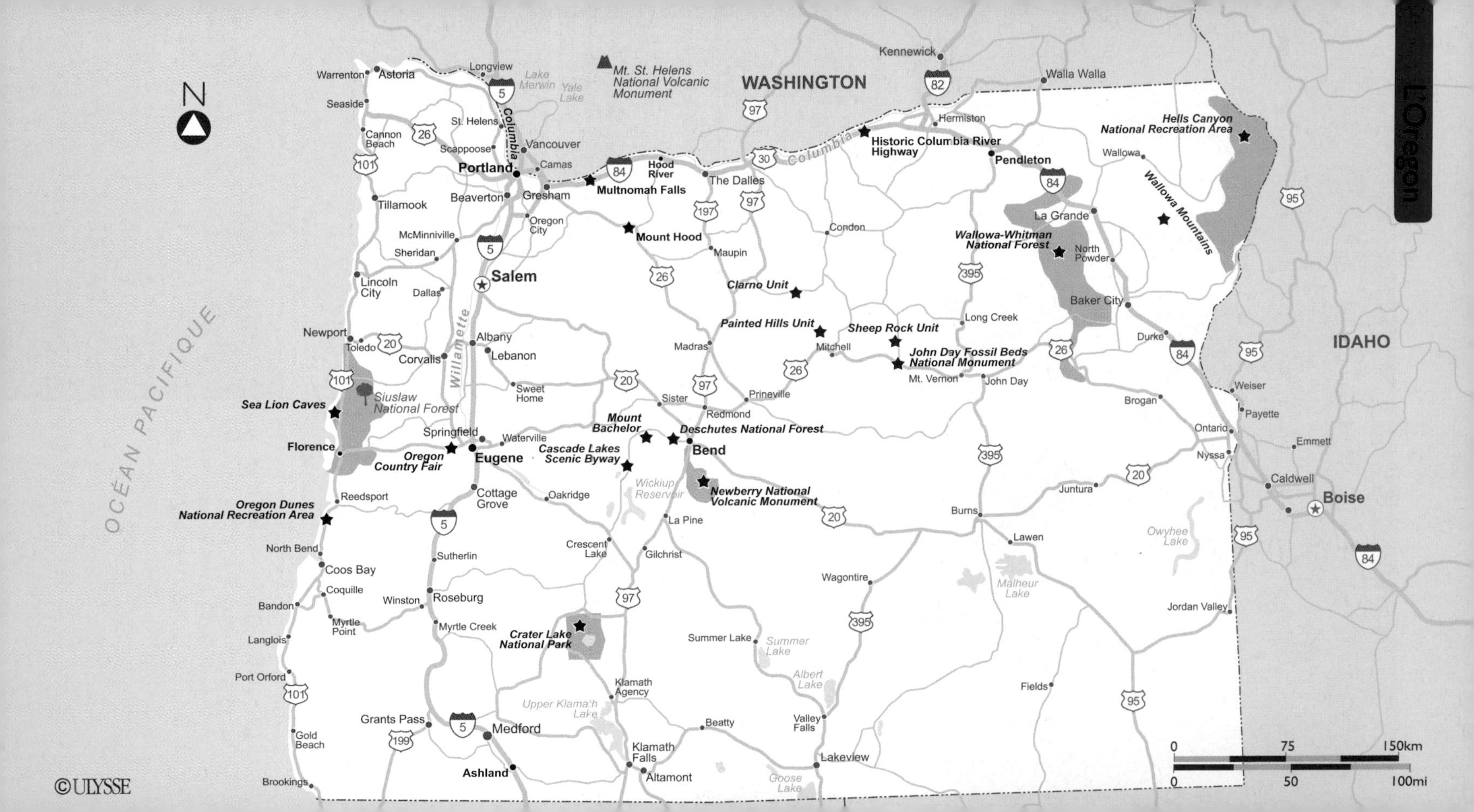

L'Oregon
WASHINGTON
IDAHO
OCÉAN PACIFIQUE
N
Mt. St. Helens National Volcanic Monument
Hells Canyon National Recreation Area
Wallowa Mountains
Wallowa-Whitman National Forest
Historic Columbia River Highway
Multnomah Falls
Mount Hood
Clarno Unit
Painted Hills Unit
Sheep Rock Unit
John Day Fossil Beds National Monument
Deschutes National Forest
Mount Bachelor
Cascade Lakes Scenic Byway
Newberry National Volcanic Monument
Crater Lake National Park
Sea Lion Caves
Siuslaw National Forest
Oregon Country Fair
Oregon Dunes National Recreation Area
Warrenton
Astoria
Longview
Lake Merwin
Yale Lake
Kennewick
Walla Walla
Seaside
Cannon Beach
St. Helens
Scappoose
Columbia
Vancouver
Camas
Portland
Gresham
Hood River
The Dalles
Hermiston
Pendleton
Wallowa
La Grande
North Powder
Baker City
Tillamook
Beaverton
Oregon City
McMinniville
Sheridan
Maupin
Condon
Salem
Lincoln City
Dallas
Willamette
Newport
Toledo
Albany
Lebanon
Corvalis
Madras
Mitchell
Long Creek
Mt. Vernon
John Day
Durke
Weiser
Payette
Emmett
Sweet Home
Sister
Redmond
Prineville
Brogan
Ontario
Nyssa
Caldwell
Boise
Florence
Springfield
Waterville
Eugene
Bend
Reedsport
Cottage Grove
Oakridge
Wickiup Reservoir
La Pine
Juntura
Burns
Lawen
Owyhee Lake
North Bend
Coos Bay
Coquille
Bandon
Myrtle Point
Winston
Roseburg
Sutherlin
Crescent Lake
Gilchrist
Wagontire
Malheur Lake
Jordan Valley
Langlois
Myrtle Creek
Summer Lake
Port Orford
Upper Klamath Lake
Klamath Agency
Albert Lake
Fields
Grants Pass
Medford
Beatty
Valley Falls
Gold Beach
Ashland
Klamath Falls
Altamont
Lakeview
Goose Lake
Brookings
5
26
101
84
197
97
30
82
395
20
95
199
0
75
150km
50
100mi
©ULYSSE

L'Oregon

Situé au sud de l'État de Washington et au nord de la Californie, l'Oregon représente le 10e État de l'Union par sa superficie avec ses 251 180 km² qui bordent la côte du Pacifique. Relativement peu peuplé et abritant de luxuriantes forêts sur plus de la moitié de son territoire, l'Oregon constitue un véritable paradis pour les amoureux de la nature. S'y trouvent notamment 180 000 km de fleuves et de rivières, plus de 6 000 lacs, et une grande diversité topologique et climatique.

L'État se divise en quatre grandes régions géographiques. La région côtière, montagneuse, est formée par la Coast Range et se termine au sud par les Klamath Mountains. Ces formations montagneuses en bordure de l'océan créent de splendides paysages qui font la réputation de la côte de l'Oregon. Longeant la partie orientale de la chaîne Côtière, la fertile vallée de la rivière Willamette abrite les principales agglomérations urbaines de l'État, et notamment la plus importante d'entre elles, Portland. À l'est de la vallée, l'imposante chaîne des Cascades traverse l'Oregon du nord au sud et se prolonge jusque dans les États de Washington et de Californie. Elle regroupe les plus hauts sommets de la région et culmine au mont Rainier à 4 391 m d'altitude.

Toute la partie orientale de l'État, soit près des deux tiers du territoire, forme un haut plateau d'une altitude moyenne de 1 500 m où l'on trouve de spectaculaires canyons et plusieurs chaînes dont les Blue Mountains et les Wallowa Mountains. Cette région, appelée le High Desert, se révèle très aride, voire désertique au sud, et s'avère plus propice à l'élevage et à la culture des céréales au nord.

▲ Portland et le mont Hood. ©istockphoto.com/David Birkbeck

PORTLAND

L'histoire de Portland remonte à 1829, alors qu'un ancien trappeur du nom d'Étienne Lucier y bâtit la première maison. Son développement s'accentue au milieu du XIXe siècle avec la ruée vers l'or californienne puis à la fin du siècle avec la construction du chemin de fer de la Northern Pacific.

La ville connaît une croissance modérée qui continue au cours du XXe siècle. Portland restera toujours soucieuse de l'esthétisme de son aménagement urbain et, aujourd'hui, la métropole conserve des dimensions humaines et un charme certain, avec d'intéressants quartiers.

L'**Oregon Historical Society Museum**, un bâtiment de huit étages facilement reconnaissable par son impressionnante murale en trompe-l'œil, constitue un véritable point de repère et un rendez-vous incontournable de Portland. Siège de l'Oregon Historical Society, fondée en

Portland
Willamette River
NW. Yeon Ave.
NW. Front Ave.
NW. 29th Ave.
NW. Nicolas St.
Fremont Bridge
NW. Thurman St.
NW. 26th Ave.
NW. 25th Ave.
NW. 24th Ave.
NW. 21st Ave.
NW. Northrup St.
Broadway Bridge
NW. Lovejoy St.
NW. Johnson St.
NW. 19th Ave.
NW. 18th Ave.
NW. 23rd Ave.
NW. 22nd Ave.
NW. Hoyt St.
NW. 9th Ave.
NW. Broadway
NW. Flanders St.
NW. Davis St.
W. Burnside St.
W. Burnside St.
SW. Washington St.
SW. Alder St.
SW. 19th Ave.
SW. 4th Ave.
SW. 3rd Ave.
SW. Canyon Rd.
SW. 10th Ave.
SW. Park Ave.
SW. Jefferson St.
Oregon Historical Society Museum
SW. Clay St.
SW. Columbia St.
SW. Market St.
Pacific Hwy. W.
SW. Broadway
Washington Park
Sunset Hwy.
SW. Clifton St.
SW. Montgomery Dr.
SW. Elm St.
SW. 16th Ave.
Oregon Zoo
SW. Broadway Dr.
SW. Broadway Dr.
Duniway Park
SW. Barbur Blvd.
SW. Naito Pkwy.
Narquam Nature Park
SW. Gibbs St.
Council Crest Park
SW. Dosch Rd.
SW. Council Crest Dr.
SW. Bancroft St.
SW. Naito Pkwy.
SW. Terwilliger St.
SW. Hamilton St.
SW. Fairmount Blvd.
SW. Sunset Blvd.
0
0,5
1km
0
0,25
0,5mi
©ULYSSE

1873, il présente de nombreuses expositions colorées et interactives qui plairont à tous les groupes d'âge.

Véritable îlot de paix aménagé à l'écart du centre-ville sur les West Hills, l'immense **Washington Park** regroupe quelques-uns des attraits les plus intéressants de Portland. La visite de l'**Oregon Zoo** permet non seulement de découvrir une faune diversifiée, mais aussi une reconstitution des plaines et des forêts humides africaines, de la toundra de l'Alaska, de la côte péruvienne, de la jungle du Sud-Est asiatique et de la chaîne des Cascades.

▼ Portland Japanese Garden. ©Jason Vandehey/Dreamstime.com

Reconnu comme un des plus beaux jardins japonais des États-Unis, le **Portland Japanese Garden** abrite cinq admirables jardins traditionnels à thème, notamment le Tea Garden, où la maison de thé propose aux visiteurs la traditionnelle cérémonie du thé. La terrasse du pavillon du Flat Garden, quant à elle, offre des vues imprenables sur le centre-ville de Portland et sur le mont Hood.

Les amateurs de vin se doivent de faire une escapade du côté du **Yamhill County**, situé à une vingtaine de minutes au sud-ouest du centre-ville de Portland. Ils y découvriront avec plaisir près d'une quarantaine de vignobles produisant un nectar de qualité fort appréciable.

▸ Yamhill County. ©John Kropewnicki/Dreamstime.com

PORTLAND SATURDAY MARKET

Situé dans le Skidmore Historic District, communément appelé Old Town, le Portland Saturday Market est le plus vaste marché d'artisanat en plein air en activité continue aux États-Unis, et il attire plus de 750 000 curieux chaque année. Quelque 400 artistes et artisans y présentent depuis 1974 leurs plus belles pièces dans une atmosphère égayée par des musiciens, des chanteurs et des amuseurs de rue.

Malgré son nom de « marché du samedi », il ouvre aussi ses portes le dimanche, et ce, du mois de mars jusqu'en décembre. Durant la semaine qui précède la fête de Noël, le marché est exceptionnellement ouvert tous les jours : c'est le Festival of the Last Minute… pour acheter ses cadeaux à la dernière minute!

▸ Portland Saturday Market. ©Travel Portland

ENTER
ESPRESS

PORTLAND, LA « VILLE DES ROSES »

Pour accueillir la Lewis and Clark Exposition de 1905, des milliers de rosiers sont plantés en 1902 à travers la ville de Portland, d'où son surnom de *City of Roses*. Alors que se termine l'exposition, qui connaît un grand succès, le maire de l'époque, Harry Lane, voit ainsi une belle occasion d'organiser un « festival de roses » pour continuer à attirer les visiteurs dans la ville. C'est ainsi que, deux ans plus tard, en 1907, se tient le premier Portland Rose Festival, qui est toujours, plus d'un siècle plus tard, le plus important festival à se tenir à Portland. D'ailleurs, la ville possède quelques-uns des plus anciens jardins de roses municipaux des États-Unis. Le Peninsula Park Rose Garden date de 1912, et le jardin de roses le plus connu de Portland, aménagé dans le parc Washington, est créé au cours de la Grande Guerre, alors que les rosiers des jardins européens sont acheminés vers l'Amérique pour les protéger de la destruction. Aujourd'hui, la ville de Portland accueille plus de deux millions de visiteurs au cours de son festival de roses annuel, qui a lieu de la fin mai à la mi-juin. La Grand Floral Parade, grand événement du festival, est reconnue comme l'un des plus importants « défilés floraux » de tous les États-Unis.

EUGENE

Regroupant une population constituée aussi bien d'ouvriers de l'industrie forestière que d'étudiants universitaires ou de « post-hippies alternatifs », Eugene fait preuve d'une vitalité et d'un dynamisme culturels impressionnants pour une ville de 150 000 habitants. Fondée en 1846 par Eugene Skinner et vouée à l'époque au commerce agricole et à l'industrie forestière, la ville connaît un développement particulier dans les années 1960, alors qu'y affluent nombre de jeunes en quête de nouvelles valeurs et d'un retour à la terre. On y sent encore aujourd'hui cette culture alternative, dans l'activisme environnemental que connaît la ville comme dans sa vie culturelle.

Sans aucun doute l'attraction principale d'Eugene et de la région, l'**Oregon Country Fair** rassemble tout ce qu'il y a d'alternatif, de « post-hippie » et de « nouvel âge » dans le coin. Pendant trois jours, les kiosques y regorgent de produits artisanaux ainsi que de nourriture santé, et de nombreux musiciens et amuseurs publics s'y produisent en spectacle.

▼ Oregon Country Fair. ©Michael Holden

▲ La rivière Deschutes près de Bend. ©istockphoto.com/Lawrence Sawyer

BEND

Complexe naturel impressionnant, le **Newberry National Volcanic Monument** constitue un site incontournable pour qui désire saisir toute la nature des formations géologiques originales qui marquent la région de Bend. On découvre notamment sur le site la **Lava Butte**, un cône volcanique parfait de plus de 160 m. Une route pavée permet d'accéder à une tour d'observation du haut de laquelle la vue des monts Cascades et d'autres reliefs volcaniques est impressionnante.

Splendide boucle de 140 km offrant un panorama incroyable sur le mont Bachelor, la Three Sisters Wilderness et le **Broken Top**, la **Cascade Lakes Scenic Byway** serpente littéralement entre mon-

tagnes, lacs et rivières. Cette superbe route panoramique permet d'apprécier la splendeur de la **Deschutes National Forest**.

Responsable en grande partie de la popularité de Bend, le célèbre **Mount Bachelor**, du haut de ses 3 000 m, constitue de loin le centre de ski le plus réputé du Nord-Ouest américain.

Le **John Day Fossils Beds National Monument**, un site archéologique d'importance, renferme un grand nombre de fossiles d'une remarquable diversité, dont certains remontent à près de 40 millions d'années. Le site est en fait constitué de trois secteurs, le **Sheep Rock Unit**, le **Painted Hills Unit** et le **Clarno Unit**, séparés de plusieurs dizaines de kilomètres. Le centre d'accueil des visiteurs principal se trouve au Sheep Rock Unit, à plus de 180 km de Bend.

◂ Trottoir de bois du Painted Hills Unit.
©Heather Hood/Dreamstime.com

LA RIVIÈRE WILLAMETTE

La rivière Willamette, un cours d'eau tributaire du fleuve Columbia, serpente dans le nord-ouest de l'État d'Oregon sur 300 km. Entre l'Oregon Coast Range, qui longe l'océan Pacifique, et la chaîne des Cascades, elle forme avec ses affluents la vallée de la Willamette, où vivent plus de 70% des habitants de l'État, incluant la population de la métropole de l'Oregon, Portland.

Cette vallée très fertile, colonisée par des Canadiens français qui ont francisé le mot amérindien Walamt en « Willamette », est alimentée par les pluies qui se déversent du côté ouest des Cascades. D'ailleurs, la plupart des immigrants ayant suivi l'Oregon Trail, l'une des principales routes de migration transcontinentale en Amérique du Nord, s'y sont jadis établis.

CRATER LAKE NATIONAL PARK

D'une circonférence de 53 km et d'une profondeur de près de 640 m, le féerique **Crater Lake**, autrefois un sommet enneigé qui fut par la suite façonné par la nature, constitue évidemment le point d'intérêt central du seul parc national de l'Oregon. Entouré de neige presque toute l'année, ce fabuleux lac aux eaux limpides, le plus profond du pays, offre un panorama saisissant. Une route permet d'en faire le tour et d'apprécier sous différents angles son cratère majestueux. Dans le parc, des dizaines de kilomètres de sentiers de randonnée pédestre permettent d'atteindre les sommets montagneux et d'impressionnantes chutes.

▲ Crater Lake. ©Dreamstime.com/Dean Pennala

▲ Oregon Dunes National Recreation Area. ©John Kercher

ASHLAND

L'**Oregon Shakespeare Festival** justifie à lui seul une visite de la charmante petite ville d'Ashland. Reconnu internationalement depuis nombre d'années, il met évidemment à l'honneur les œuvres classiques du maître anglais dans l'Elizabethan Stage/Allen Pavilion de 1 190 places, mais laisse également une grande place aux productions contemporaines qui ont lieu aux plus intimes New Theatre et Angus Bowner Theatre.

FLORENCE

S'étendant sur plus de 80 km sur la côte au sud de Florence jusqu'à Coos Bay, l'**Oregon Dunes National Recreation Area** constitue sans conteste l'attrait principal de la région. Outre ses fantastiques dunes et ses plages à perte de vue, le site comprend des lacs, des sentiers de randonnée pédestre et des terrains de camping.

Bien qu'assaillies par les touristes, les **Sea Lion Caves** méritent le détour, ne serait-ce que pour profiter de la magnifique route US 101 qui longe plages et falaises et qui surplombe l'océan. Ces grottes océaniques naturelles, peuplées de centaines de phoques, ne manquent certes pas d'intérêt... et d'odeurs! Il est toutefois dommage que les promoteurs aient poussé un peu loin leur exploitation, allant jusqu'à y construire un ascenseur.

COLUMBIA RIVER GORGE

Majestueux fleuve creusant une large saillie au creux des somptueux monts Cascades, la **Columbia River**, située à la frontière des États de l'Oregon et de Washington, offre sûrement l'un des plus spectaculaires paysages de tout le Nord-Ouest américain. Montagnes volcaniques verdoyantes, gracieuses chutes et impressionnantes falaises gravitent autour de cet imposant cours d'eau qui joua un rôle majeur dans le développement de la région en tant que principale voie de communication.

Pour qui veut apprécier les spectaculaires panoramas des gorges et profiter des magnifiques sites naturels, notamment les imposantes et légendaires **Multnomah Falls**, l'**Historic Columbia River Highway** (US 30) est un incontournable. La route compte deux tronçons; celui qui débute à Troutdale semble le plus intéressant.

Plusieurs visiteurs dorment à Portland et manquent malheureusement de temps pour explorer plus longuement les gorges et la région du mont Hood plus au sud. Ils peuvent cependant effectuer ce qu'il est convenu d'appeler la **Mount Hood-Columbia Gorge Loop**.

Hood River, sur le trajet du Mount Hood Columbia Gorge Loop, est un véritable paradis pour le plein air grâce à sa situation privilégiée sur les berges du fleuve Columbia et à sa proximité du mont Hood. Cette petite agglomération connaît depuis plusieurs années une effervescence incroyable pour tout ce qui touche les activités en milieu naturel. Les touristes sportifs qui s'y retrouvent apportent une fraîcheur et une vitalité qui ont des répercussions positives sur toutes les sphères de la vie communautaire de la ville, la plus dynamique de la région.

PENDLETON

Pour ceux qui ont la chance de disposer de beaucoup de temps pour explorer le nord-est de l'Oregon, Pendleton peut constituer un bon tremplin pour pousser plus loin la découverte en direction de la **Wallowa-Whitman National Forest**, des **Wallowa Mountains** et surtout du **Hells Canyon**. Alors que la forêt recèle mille et une beautés et nombre de possibilités pour les amoureux du plein air, le Hells Canyon offre d'époustouflants paysages et de belles occasions de balades.

Si les Wallowa Mountains et la Wallowa-Whitman National Forest s'avèrent relativement accessibles, il en va autrement du Hells Canyon, du moins du côté de l'Oregon. Pour profiter au maximum de cette merveille naturelle, il est en effet préférable de se rendre dans l'État voisin, l'Idaho, plus précisément dans la ville de Lewiston, où sont organisées de multiples expéditions sur la **Snake River** et dans le Hells Canyon.

▾ Snake River. ©Gene Lee/Dreamstime.com

▸ Le mont Hood surplombant la campagne de l'Oregon. ©Jeanne Hatch/Dreamstime.com

L'Idaho
COLOMBIE-BRITANNIQUE (CANADA)
Waterton Lakes National Park
ALBERTA (CANADA)
Glacier National Park
Lethbridge, Calgary
WASHINGTON
MONTANA
OREGON
NEVADA
UTAH
WYOMING
N
Copeland
Eureka
Bonners Ferry
Lake Koocanusa
Colombia Falls
Browning
Shelby
Chester
Libby
Whitefish
Sandpoint
Clark Fork
Pend Oreille Lake
Kalispell
Bigfork
Dupuyer
Conrad
Flathead Lake
Dutton
Trout Creek
Elmo
Coeur d'Alene
Spokane
Mission Cataldo
Kellogg
Thompson Falls
Polson
Choteau
Carter
Condon
Augusta
Great Falls
Missouri River
Mullan
Plains
St.Maries
St.Regis
Ravalli
Sand Coulee
Rosalia
Fernwood
Frenchtown
Ovando
Wolf Creek
Harvard
Colfax
Missoula
Moscow
Dworshak Reservoir
Drummond
Clearwater River
Helena
Clarkson
Orofino
Garrison
Lewiston
Hells Gate State Park
Philipsburg
Townsend
Hamilton
Boulder
Kooskia
Cottonwood
Anaconda
Grangeville
Darby
Butte
Three Forks
Elk City
Divide
Sula
White Bird
Hells Canyon National Recreation Area
Belgrade
Salmon
Gibbonsville
Wisdom
Glen
Twin Bridges
Riggings
Enterprise
North Fork
Ennis
Salmon River Mountains
Salmon
Snake River
Dillon
Cameron
Temdoy
New Meadows
McCall
Donnelly
Dell
Cascade Park
Leadore
Cambridge
West Yellowstone
Monida
Cascades
Challis
Smiths Ferry
Weiser
Stanley
Clayton
Duboic
Sawtooth National Recreation Area
New Plymouth
Ashton
Mackay
Emmett
Terreton
Rexburg
Howe
Caldwell
Sun Valley
Ketchum
Roberts
Thornton
Arco
Nampa
Boise
Victor
Hailey
Craters of the Moon National Monument and Preserve
Idaho Falls
Swan Valley
Hill City
Shelley
Murphy
Mountain Home
Carey
Moreland
Snake River
Glenns Ferry
Richfield
American Falls Reservoir
Blackfoot
Grand View
Shoshone
Aberdeen
Pocatello
Bruneau
Tuttle
Malad Gorge State Park
Hagerman Fossil Beds National Monument
Wendell
American Falls
Minidoka
Niagara Springs State Park
Shoshone Falls
Soda Springs
Twin Falls
Burley
Declo
Arbon
Georgetown
Grasmere
Roy
Rogerson
Malta
Malad City
Montpelier
Riddle
Preston
Holbrook
Bear Lake
Owyhee
Snowville
Plymouth
Garden City
Contact
Logan
Salt Lake City
Great Salt Lake
0 50 100km
0 30 60mi
©ULYSSE

L'Idaho

L'Idaho a choisi pour emblèmes d'État le papillon monarque, le cheval appaloosa, le merlebleu azuré, le pin blanc et même la quadrille. Mais un autre symbole culturel subsiste : Idaho, c'est aussi le nom d'une variété de pommes de terre très appréciée, dont la chair est particulièrement bien adaptée à la cuisson au four.

Ce magnifique État américain est riche de plus de 2 000 lacs, de campagnes verdoyantes et de centaines de sommets entre lesquels cinq grandes rivières navigables ont creusé leur chemin vers le Pacifique. Géographiquement, les frontières de l'Idaho le séparent, à l'ouest, de l'État de Washington et de l'Oregon. Au sud, le Nevada et l'Utah le bordent. À l'est, il y a le Wyoming et le Montana. Finalement, au nord, se trouve la province canadienne de la Colombie-Britannique.

Le territoire de l'État, le 13e en importance avec une superficie de près de 215 000 km², est une mosaïque de régions bien différentes les unes des autres. Au nord, il y a la région de Coeur d'Alene et des vastes lacs qui font le bonheur des plaisanciers. Le centre-nord, quant à lui, a comme capitale régionale Lewiston, l'endroit le moins élevé de tout l'État, à 235 m d'altitude. Le sud-ouest, région la plus peuplée, abrite pour sa part la capitale, Boise. Vers l'est se trouvent le cœur montagneux de l'État et un centre de ski dont la seule évocation du nom allume le regard des skieurs : Sun Valley. Au sud, des plaines quasi désertiques caractérisent la région de Twin Falls. Le relief s'accentue toutefois quelque peu dans l'est et le sud-est, à Pocatello et à Idaho Falls.

▲ La Mission Cataldo. ©Idaho Tourism

◀ Nature sauvage autour de Cœur d'Alene. ©Timothy Eberly

COEUR D'ALENE

Importante station touristique située dans les montagnes Rocheuses, la ville de Coeur d'Alene, dont la région métropolitaine compte aujourd'hui plus de 100 000 habitants, a été fondée en 1878. Elle porte le nom de la nation amérindienne Coeur d'Alene, baptisée ainsi par des Canadiens français qui exploraient la région au début du XIXe siècle car ces Autochtones étaient d'excellents traiteurs de fourrure (l'alêne est un poinçon servant à percer le cuir). Les Schee-Chu-Umsh, de leur nom autochtone, habitaient un immense territoire qui couvrait ce qui est maintenant le Dakota du Nord, l'est de l'État de Washington et l'ouest du Montana. Désormais, la plupart de leurs 2 000 descendants vivent dans la petite réserve amérindienne Coeur d'Alene.

Certaines attractions éloignées de la ville méritent qu'on fasse une excursion à l'extérieur de Cœur d'Alene. C'est notamment le cas de la **Mission Cataldo**. Un parc d'État, l'Old Mission State Park, a été créé pour protéger et mettre en valeur cette ancienne mission. Ce sont les Coeur d'Alene eux-mêmes qui avaient demandé aux Jésuites de s'installer parmi eux. L'église, le cimetière et le presbytère sont ouverts au public, de même que le centre d'accueil qui présente une exposition sur les Amérindiens.

▲ Hells Canyon. ©Kurt Rickerd/Dreamstime.com

▲ Snake River. ©istockphoto.com/Gene Lee

LEWISTON ET HELLS CANYON

Lewiston offre déjà au premier abord un panorama à couper le souffle, puisque la ville a été construite à la sortie du Hells Canyon, 600 m en contrebas. Le paysage est soudain plus vaste que le regard, et il est presque impossible de résister à la tentation de s'arrêter à l'une ou l'autre des haltes aménagées en bordure de la route. Lewiston est une ville industrielle où le plus important événement de l'année demeure la tenue d'un rodéo de trois jours en septembre.

La **Snake River** est gonflée par les eaux des montagnes jusqu'à Lewiston, où elle est rejointe par la **Clearwater River**. La Snake entre ici dans l'État de Washington, et elle se jette, quelques centaines de kilomètres plus loin, dans le fleuve Columbia. Voilà qui explique que Lewiston revendique le titre de seule ville portuaire de l'Idaho.

L'État de l'Idaho a aménagé un parc avec une marina, une plage, un camping et un centre d'interprétation en bordure de la rivière: le **Hells Gate State Park**. De l'autre côté de la rivière se trouvent la ville de Clarkston et l'État de Washington. Est-il besoin de rappeler que les explorateurs Lewis et Clark ont inspiré les noms des deux villes?

▲ Plaque d'immatriculation de l'État de l'Idaho. ©*Michael Gannon*

LES FAMEUSES PATATES DE L'IDAHO

En 1928, le gouvernement de l'Idaho met pour la première fois l'image d'une pomme de terre sur les plaques des voitures enregistrées dans l'État. C'est ainsi que, depuis plus de 80 ans, les noms d'« Idaho » et de « pomme de terre » sont synonymes à travers le monde. Et malgré les batailles sans fin contre les champignons ou les maladies, ce tubercule qui fut souvent discrédité demeure toujours le produit d'exportation le plus connu de l'État, alors qu'aujourd'hui la variété la plus populaire est la Russet Burbank. Bien que les produits laitiers et le bétail rapportent plus de revenus à l'État, l'industrie de la pomme de terre verse annuellement sa part de taxes au gouvernement : 15% des 4,5 milliards de dollars payés en impôts agricoles, soit quelque 665 millions. De plus, 40 000 personnes travaillent pour cette industrie dans l'Idaho. Ce n'est pas tout : à Blackfoot se trouve un musée de la patate. L'Idaho Potato Museum loge dans un dépôt ferroviaire datant de 1913. Ce musée unique présente l'histoire de la pomme de terre, les techniques de culture et des anecdotes. On y apprend entre autres que la première patate fut plantée dans l'État en 1837, par un missionnaire presbytérien.

BOISE

Boise (se prononce *boillessé*) doit son nom à des trappeurs français qui furent bien contents de trouver sur le site des arbres pour leur faire oublier l'aridité des paysages qu'ils venaient de traverser. La ville a d'ailleurs fait des arbres sa marque de commerce, puisqu'on en cultive maintenant 140 espèces différentes pour les besoins municipaux. Boise ne fut vraiment fondée qu'en 1863, lors d'une ruée vers l'or. Par la suite, elle profita de sa situation sur l'**Oregon Trail** et finit par ravir à Lewiston le titre de capitale de l'État.

Tradition oblige, une visite de l'**Idaho State Capitol,** dont le magnifique dôme de facture classique s'élève à une hauteur de 63 m, demeure le meilleur moyen de comprendre le fonctionnement politique et l'histoire de l'État. La particularité de ce capitole est de se chauffer à même les sources d'eau chaude qui abondent sous la ville. Certaines résidences cossues de Warm Springs Street font d'ailleurs de même.

Le **Julia Davis Park**, situé entre la rivière Boise, Myrtle Street et Capitol Boulevard, est en fait le secteur culturel, historique et artistique de la ville. S'y trouvent entre autres un musée d'histoire particulièrement bien conçu, l'**Idaho State Historical Museum**; un musée d'art qui révèle entre autres plus de 2 000 œuvres d'artistes américains du XXe siècle, le **Boise Art Museum (BAM)**; un jardin zoologique comprenant plus de 200 animaux du monde entier, le **Zoo Boise**; et un vibrant hommage à la communauté afro-américaine qui a contribué à l'essor de l'État, l'**Idaho Black History Museum**.

Une autre institution muséale de Boise qui mérite d'être signalée est le **Basque Museum & Cultural Center**, qui a pour mission de conserver bien vivante l'histoire et la culture basques en Idaho.

Boise, la nuit venue. ©Pianisssimo/Dreamstime.com

LES BASQUES DE L'IDAHO

Issue de la province espagnole de Biscaye, la plus grande vague d'immigration basque aux États-Unis eut lieu vers la fin du XIXe siècle et le début du XXe siècle, et c'est surtout dans l'Idaho que les Basques se sont alors installés. Plusieurs immigrants basques y furent à l'époque bergers, ou encore travaillèrent pour des compagnies minières et forestières. L'État compte encore aujourd'hui l'une des plus importantes populations de la diaspora basque dans le monde.

Capitale et métropole de l'Idaho, Boise accueille la plupart des Basques établis dans l'État. D'ailleurs, la ville abrite entre autres le Basque Museum & Cultural Center. Les Basques y forment une communauté très active, qu'ils dénomment eux-mêmes le « Basque Block ».

▸ Festival basque de Boise. *©Gabriel Aldamiz-Echevarria*

▸ Basque Museum & Cultural Center. *©Bob and Dolores Brown*

AUTOUR DE LA RIVIÈRE SNAKE

Pour bien profiter des spectaculaires paysages que renferme la région, il faut quitter l'autoroute près de Tuttle et rejoindre le **Malad Gorge State Park**. Ce parc préserve un canyon de 3 km de long, où la rivière Malad dévale de chutes en rapides, jusqu'à ce qu'elle tombe littéralement dans la rivière Snake en un lieu appelé **Devils Wash Bowl**. Des sentiers et une passerelle permettent de profiter pleinement du spectacle.

Juste un peu en amont de la rivière Snake, le long de sa berge sud, se trouve un site protégé exceptionnellement riche en ossements fossilisés. C'est le **Hagerman Fossil Beds National Monument**. Les plantes et les animaux exhumés ici datent de l'ère pliocène.

▸ Le canyon de la rivière Snake. *©Albo/Dreamstime.com*

Puis, ce qui impressionne, ce sont les sources qui jaillissent en grand nombre du **Niagara Springs State Park**, pour choir le long de la paroi du canyon de la rivière Snake. La sauvagine abonde dans ce lieu qui a également été classé par le gouvernement fédéral en raison de sa beauté.

Un peu loin, le **Cascade Park** a été aménagé pour permettre d'admirer une belle chute: les **Shoshone Falls**, qui tombent d'une hauteur de 65 m.

◀ Hagerman Fossil Beds National Monument. *©Idaho Tourism*

▼ Shoshone Falls. *©Brian Morgan/Dreamstime.com*

KETCHUM, SUN VALLEY, CRATERS OF THE MOON

Il existe plusieurs bonnes raisons de se rendre à **Ketchum**. La première, c'est la station de ski de **Sun Valley**, qui se trouve tout juste à côté. C'est un nom qui allume une étincelle dans l'œil du skieur. Ici, son sport est roi en hiver.

▼ Ketchum Creek Falls. *©Lindsay Noechel/Dreamstime.com*

Pour les plus romantiques, cependant, Ketchum a également une autre signification, puisque c'est ici qu'est décédé, le 2 juillet 1961, un géant de la littérature américaine. **Ernest Hemingway** est enterré dans le cimetière de Ketchum, et on lui a en outre dédié un monument en ville. L'auteur de *Pour qui sonne le glas*, *le Vieil Homme et la mer* et *Paris est une fête* avait en effet choisi de vivre à Ketchum, dont il appréciait la tranquillité.

De la route 20, en direction est, le paysage change encore, et l'armoise cède progressivement la place à une roche noire dont les formes tourmentées composent des visions apocalyptiques. Cette roche, c'est du basalte craché en grande quantité par les volcans de la région. C'est aussi le «matériau de base» d'un parc constitué en 1924 pour conserver l'étrange beauté de ce «jardin du diable» qu'est le **Craters of the Moon National Monument and Preserve**.

POCATELLO

Beaucoup d'universités et de collèges américains ont mis sur pied des musées aux fonctions diverses sur leur campus. L'**Idaho State University** n'est pas en reste, puisqu'elle loge le petit **Idaho Museum of Natural History**, qui vulgarise de manière intéressante les sciences naturelles.

Sun Valley. ©istockphoto.com/Christian Nafzger

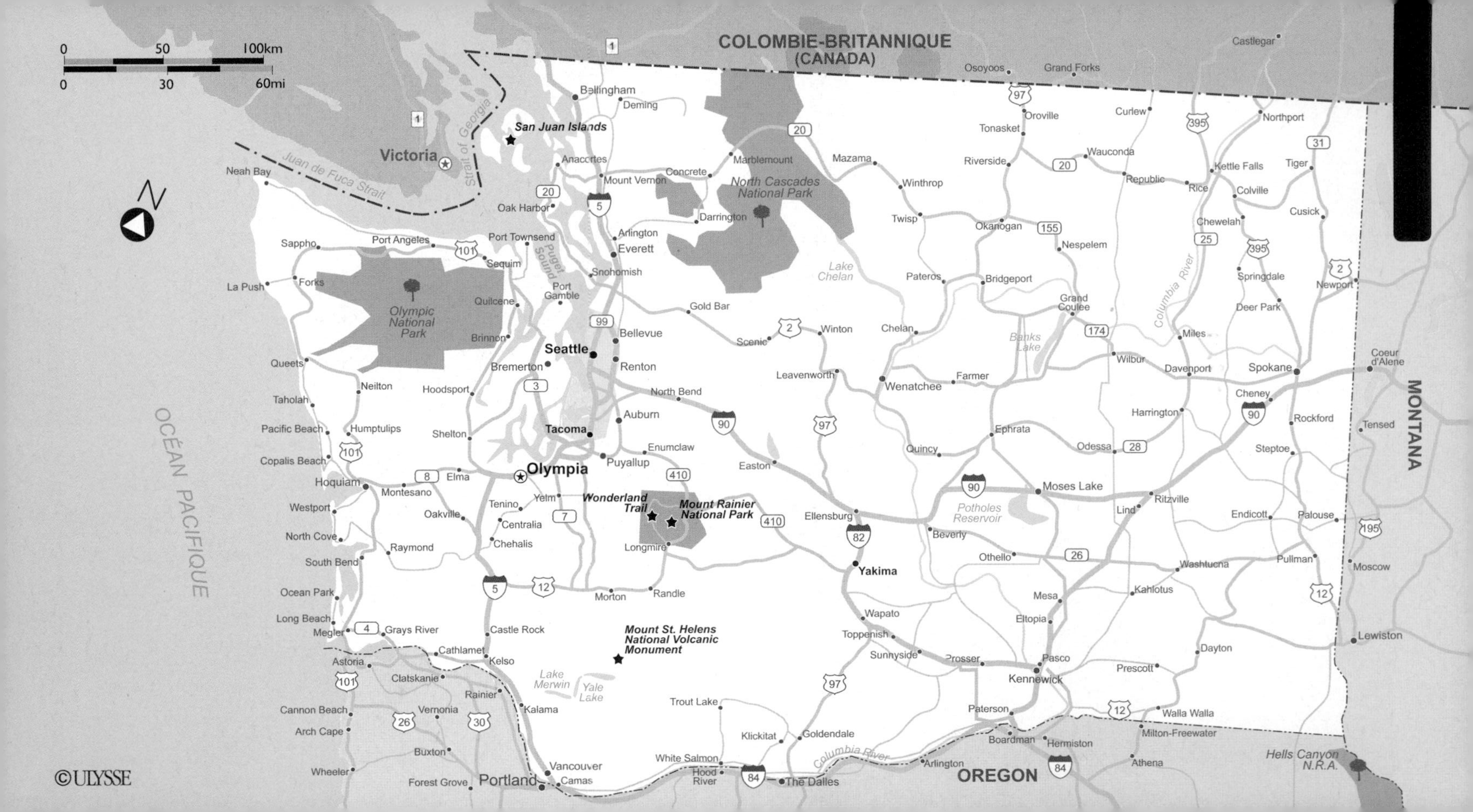
COLOMBIE-BRITANNIQUE
(CANADA)
MONTANA
OREGON
OCÉAN PACIFIQUE
0
50
100km
0
30
60mi
Castlegar
Osoyoos
Grand Forks
Victoria
Strait of Georgia
Juan de Fuca Strait
San Juan Islands
Neah Bay
Bellingham
Deming
Anacortes
Mount Vernon
Oak Harbor
Concrete
Marblemount
North Cascades National Park
Darrington
Arlington
Everett
Snohomish
Port Townsend
Puget Sound
Port Gamble
Sequim
Port Angeles
Sappho
Forks
La Push
Olympic National Park
Quilcene
Brinnon
Queets
Neilton
Taholah
Humptulips
Pacific Beach
Copalis Beach
Hoquiam
Westport
North Cove
South Bend
Raymond
Ocean Park
Long Beach
Megler
Grays River
Astoria
Cathlamet
Clatskanie
Rainier
Cannon Beach
Arch Cape
Vernonia
Buxton
Wheeler
Forest Grove
Portland
Vancouver
Camas
Kalama
Kelso
Castle Rock
Lake Merwin
Yale Lake
Mount St. Helens National Volcanic Monument
Hoodsport
Shelton
Montesano
Elma
Oakville
Bremerton
Seattle
Bellevue
Renton
Tacoma
Olympia
Auburn
Puyallup
Enumclaw
Tenino
Yelm
Centralia
Chehalis
Wonderland Trail
Mount Rainier National Park
Longmire
Morton
Randle
Gold Bar
North Bend
Scenic
Winton
Leavenworth
Easton
Lake Chelan
Chelan
Wenatchee
Mazama
Winthrop
Twisp
Pateros
Bridgeport
Okanogan
Riverside
Tonasket
Oroville
Curlew
Wauconda
Republic
Nespelem
Grand Coulee
Banks Lake
Farmer
Quincy
Ephrata
Ellensburg
Yakima
Wapato
Toppenish
Sunnyside
Prosser
Trout Lake
Klickitat
Goldendale
White Salmon
Hood River
The Dalles
Columbia River
Arlington
Boardman
Hermiston
Paterson
Kennewick
Pasco
Eltopia
Mesa
Othello
Beverly
Potholes Reservoir
Moses Lake
Lind
Ritzville
Odessa
Harrington
Wilbur
Davenport
Miles
Columbia River
Kettle Falls
Colville
Rice
Chewelah
Springdale
Deer Park
Northport
Tiger
Cusick
Newport
Spokane
Cheney
Rockford
Tensed
Coeur d'Alene
Steptoe
Endicott
Palouse
Pullman
Moscow
Washtucna
Kahlotus
Prescott
Dayton
Lewiston
Walla Walla
Milton-Freewater
Athena
Hells Canyon N.R.A.
1
5
20
99
3
101
8
7
12
4
26
30
410
2
97
90
82
155
174
28
395
25
31
195
84
©ULYSSE

Washington

▲ Yakima Valley. ©Cinda Hogan/Dreamstime.com

YAKIMA VALLEY

Les **vignobles de la Yakima Valley** bénéficient d'un été long aux températures chaudes pendant la journée et fraîches durant la nuit ainsi que d'un riche sol volcanique. La région produit de très bons vins de différents cépages, notamment le chardonnay, le sauvignon blanc, le pinot noir, le riesling et le cabernet sauvignon.

YAKIMA INDIAN RESERVATION

Ville principale de la Yakama Indian Reservation, la plus vaste réserve amérindienne de l'État, **Toppenish** exhale une véritable atmosphère de western. La bourgade a volontairement conservé son cachet d'antan, exhibant ses maisons de bois et ses grands balcons, si caractéristi-

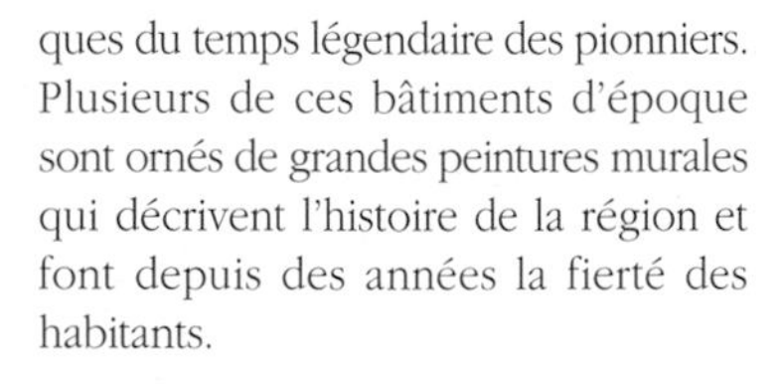

ques du temps légendaire des pionniers. Plusieurs de ces bâtiments d'époque sont ornés de grandes peintures murales qui décrivent l'histoire de la région et font depuis des années la fierté des habitants.

▲ Mésange à tête noire.
©Dreamstime.com/Michael Woodruff

LA FAUNE AILÉE DE YAKIMA

La ville de Yakima est située à l'est de la chaîne des Cascades, à la jonction des rivières Yakima et Naches, dans une région fertile. Son nom vient de la nation amérindienne des Yakamas, qui vit aujourd'hui dans une réserve au sud de la ville. La région est reconnue pour sa grande variété d'espèces d'oiseaux: grands hérons bleus, outardes (bernaches du Canada), harles bièvres, pics mineurs, pics flamboyants, troglodytes de Bewick, mésanges à tête noire et autres bruants chanteurs. Ces représentants de la faune ailée peuvent être vus tout au long de l'année. En été s'y ajoutent les gobe-mouches, les hirondelles, les fauvettes et les loriots; en hiver, les pygargues à tête blanche et les garrots à œil d'or.

▲ Johnston Ridge Observatory. ©Dreamstime.com/Daniel Slocum

MT. RAINIER NATIONAL PARK

De la simple balade familiale à l'ascension sportive, le Mt. Rainier National Park, avec ses innombrables sentiers, en offre vraiment pour tous les goûts et tous les niveaux. La saison pour la randonnée pédestre s'étend généralement de juillet à octobre. Plusieurs d'entre eux, d'une longueur de 1 km à 10 km, offrent des vues imprenables sur la majestueuse montagne qu'est le mont Rainier ou encore des approches spectaculaires des glaciers.

Le **Wonderland Trail**, un sentier qui fait le tour de l'imposant sommet enneigé sur une distance de quelque 150 km, s'adresse aux randonneurs désireux de passer une douzaine de jours en pleine nature et de profiter de panoramas à couper le souffle.

◄ Mt. Rainier National Park.
©Dreamstime.com/Orange Line Media

MT. ST. HELENS NATIONAL VOLCANIC MONUMENT

En 1982, un territoire de 440 km² autour du célèbre volcan Mt. St. Helens fut inclus dans le Mt. St. Helens National Volcanic Monument. Bien que plusieurs observatoires, notamment le **Johnston Ridge Observatory**, le plus important d'entre eux, permettent de simplement profiter des magnifiques vues sur le mont St. Helens et ses environs, l'activité principale du site est sans aucun doute la randonnée pédestre. En effet, de nombreux sentiers, de longueur et de difficulté variables, sillonnent le parc. De quelques centaines de mètres à une vingtaine de kilomètres, ils peuvent parfois accueillir les personnes à mobilité réduite.

TACOMA

Au sud-est du centre-ville de Tacoma se dresse l'**Union Station**, une ancienne gare imposante de style néobaroque, dont la rotonde, ornée de splendides vitraux, est surmontée d'une impressionnante coupole. Ce magnifique édifice, dessiné par les architectes qui ont conçu la Grand Central Station de New York, fut érigé en 1911.

Considéré par plusieurs comme le plus intéressant complexe zoologique des États-Unis, le **Point Defiance Zoo & Aquarium** présente différents écosystèmes, aussi bien arctiques que tropicaux. Des ours polaires, des bœufs musqués, des renards arctiques, des bélugas ainsi que des requins, des éléphants et des singes évoluent au milieu de reconstitutions soignées de leur habitat naturel. Le jumelage du zoo et de l'aquarium permet aux visiteurs de faire un tour du monde animal terrestre et aquatique, dans des décors par ailleurs dignes de mention.

OLYMPIA

Grâce à ses ressources hydrauliques et à son port, Olympia connaît une croissance rapide dès 1846. Plus ancienne agglomération de l'État de Washington, elle est désignée capitale en 1889. Aujourd'hui, cette petite ville administrative s'avère étonnamment dynamique et animée.

Coloré, l'**Olympia Farmers Market** constitue un rendez-vous incontournable pour qui veut s'offrir une immersion dans la vie quotidienne de la capitale de l'État de Washington.

La visite d'Olympia serait incomplète sans un arrêt au **State Capitol Campus**, un complexe qui regroupe la Chambre des représentants, le Sénat, la demeure du gouverneur, la bibliothèque d'État et le palais de justice. L'immense dôme de l'imposant et majestueux **Legislative Building**, terminé en 1928, constitue d'ailleurs un bon point de repère pour se diriger dans la ville.

OLYMPIA, CAPITALE POLITIQUE ET ARTISTIQUE

Olympia, capitale de l'État de Washington et centre culturel majeur dans la région du Puget Sound, est constellée de lieux de diffusion et ponctuée, tout au long de l'année, de manifestations artistiques et de festivals d'arts. Petite ville d'environ 50 000 habitants, elle possède entre autres plusieurs troupes de théâtre et compagnies de danse, ainsi qu'un orchestre symphonique. S'y tient notamment un festival de films. En plus de compter plusieurs galeries d'art et musées, Olympia s'enorgueillit de son Washington Center for the Performing Arts, qui a accueilli depuis 1985 près de deux millions de personnes dans des milliers d'événements. La ville est également l'hôte de plus de 80 œuvres d'art public.

▲ Legislative Building. ©Alexey Zimin/Dreamstime.com

Les amoureux de la nature ne manqueront pas de se rendre au **Nisqually National Wildlife Refuge**, un site naturel voué principalement à la préservation de la faune ailée et des écosystèmes fragiles. Plusieurs activités y sont proposées, comme la pêche, la navigation de plaisance et la randonnée pédestre sur des sentiers qui donnent accès à des passerelles d'observation.

▶ Nisqually National Wildlife Refuge. ©Ian Campbell

SEATTLE

Métropole de l'État de Washington, Seattle est parsemée de parcs et de musées aussi intrigants que pertinents. Dans le quartier historique de Pioneer Square, on reste subjugué devant les totems de Duane Pasco; sur le Waterfront, on apprécie le va-et-vient des traversiers; au Pike Place Market, on se retrouve dans le plus vieux marché public encore en activité aux États-Unis; dans le centre-ville, on lève les yeux vers les gratte-ciel et la Space Needle pour s'offrir quelques photographies mémorables.

C'est dans le **Pioneer Square** que se trouvent la plupart des édifices historiques de la ville construits au tournant du XXe siècle. Ces structures d'une autre époque brillent plus par leur devanture que par leur intérieur: en effet, hormis quelques ascenseurs immémoriaux et gravures autochtones, l'intérêt qu'on peut leur porter relève de la fascination pour l'architecture plus que de toute autre chose. C'est également ici qu'est née l'expression *Skid Road*, à l'époque où le bois de construction était acheminé vers le front de mer, puis expédié dans des villes comme San Francisco et Portland. Les rues pavées, qui exsudent caractère et chaleur, ainsi que les nombreuses œuvres d'art public qui ornent le quartier, sans oublier les restaurants branchés, ont incité nombre de yuppies, d'architectes, d'artistes et de gens des médias à s'y installer.

Au cœur du quartier historique s'étend le **Pioneer Square Park**, un excellent point de rencontre pour les visiteurs et les résidants. Au sud du parc se trouvait la Skid Road originale, ce «couloir de bois» où l'on glissait les billes de bois vers le front de mer. Dans ce lieu imbibé d'histoire s'élève un buste du Chief Sealth, cet Autochtone dont on emprunta le nom pour baptiser Seattle.

◀ Pioneer Square. ©Estelle Skeels

Queen Anne Ave. N.
1st Ave. N.
Thomas St.
John St.
Seattle Center
Pacific Science Center
Space Needle
5th Ave. N.
Broad St.
Harrison St.
Mercer St.
Republican St.
Thomas St.
99
John St.
Aurora Ave. N.
N
Westlake Ave. N.
Eagle St.
Denny Way
Broad St.
Olympic Sculpture Park
Clay St.
Cedar St.
Vine St.
Belltown
6th Ave.
Denny Park
Vine St.
Western Ave.
Wall St.
Battery St.
8th Ave.
9th Ave.
Terry Ave. N.
Boren Ave. N.
Fairview Ave. N.
Denny Way
Battery St.
1st Ave.
Bell St.
Blanchard St.
Lenora St.
99
Blanchard St.
6th Ave.
7th Ave.
Boren Ave.
Pier 66
Bell Street Pier
Lenora St.
Pier 63
9th Ave.
Virginia St.
Olive Way
Stewart St.
Alaskan Freeway
5th Ave.
Pier 62
Pine St.
Pine St.
Seattle Aquarium
Washington State Convention Center
Elliot Bay
Pike Place Market
Waterfront
Pike St.
7th Ave.
15
Waterfront Park
Economy Market
Union St.
Terry Ave.
Seattle Art Museum
Blake Island Marine State Park, Tillicum Village
99
University St.
Frwy. Park
Pier 56
5th Ave.
Seneca St.
Seneca St.
4th Ave.
Spring St.
Pier 52
Western Ave.
1st Ave.
2nd Ave.
Madison St.
6th Ave.
Hubbell Pl.
8th Ave.
9th Ave.
Marion St.
5th Ave.
Columbia St.
Frye Art Museum
Cherry St.
Pioneer Square Park
99
Pier 48
James St.
Pioneer Square Building
Quartier des affaires
Smith Tower
Jefferson St.
Boren Ave.
Klondike Gold Rush National Historic Park
15
First Hill Park
Pier 46
S. Main St.
S. Washington St.
Yesler Way
Alaskan Way
1st Ave. S.
S. Jackson St.
International District, Chinatown-Hing Hay Park
0
125
250m
0
400
800pi
©ULYSSE

Le **Pioneer Square Building** fait face au parc à l'est. La construction de cet édifice de style victorien, œuvre d'Elmer Fisher, débute après le grand incendie de 1889 et se termine en 1892. Il se voit même attribuer le titre de «plus bel édifice à l'ouest de Chicago» par l'American Institute of Architects. Les amateurs d'architecture ne manqueront pas d'admirer l'ascenseur aux grilles d'antan, le premier du genre à Seattle. Une tour trônait même au haut de l'édifice jusqu'en 1949, date à laquelle un tremblement de terre la fit tomber.

▼ Seattle. *©Seattle's Convention and Visitors Bureau*

L'histoire de la ruée vers l'or du Klondike prend tout son sens dans le **Klondike Gold Rush Seattle Unit**. Le centre d'accueil des visiteurs de ce site historique, qui a ouvert ses portes en 1979, a réuni nombre d'archives en relation avec l'apport de la ville de Seattle à cette ruée sans précédent en Amérique.

Le front de mer ou **Waterfront** constitue une longue promenade qui longe **Elliot Bay**, où s'alignent les différents quais du port de Seattle, parsemés de boutiques de souvenirs et d'établissements hôteliers. S'y trouvent nombre de bateaux de toutes tailles bercés par les vagues.

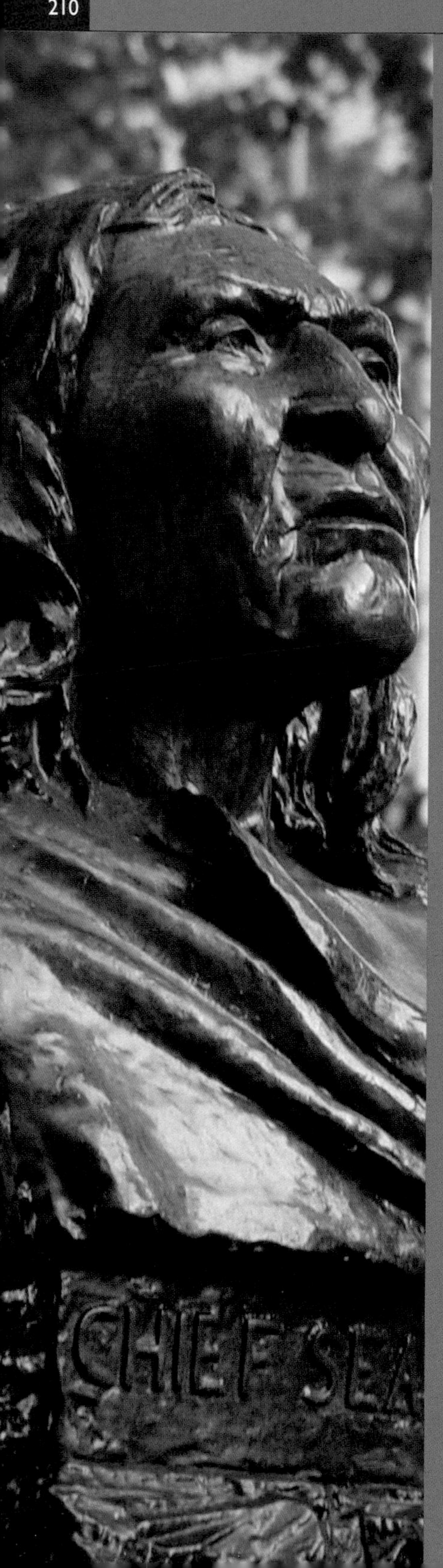

QUI RIRA LE DERNIER...

Il est fréquent de se donner rendez-vous près du totem représentant le buste du Chief Sealth, originalement volé, en 1899, aux Autochtones de Fort Tongass, en Alaska. L'histoire raconte en effet que R.D. McGilivery, troisième lieutenant d'une expédition dans le nord du Pacifique, constata, en mettant pied à terre, que les habitants du village, à l'exception d'un Autochtone apeuré, avaient déserté les lieux pour aller pêcher. Le lieutenant en profita pour mettre la hache dans le totem avec l'aide de quelques marins, puis le scia en deux pour pouvoir le transporter plus facilement jusqu'au *City of Seattle*, qui mouillait au large, et le ramener jusqu'à la ville. Or, ce totem devait connaître de nouvelles mésaventures en 1937, lorsqu'un vandale de bas étage déposa une pile de journaux à sa base et y mit le feu. La Ville de Seattle entreprit alors de renvoyer le totem en Alaska pour que des parents des habitants de Fort Tongass puissent le réparer, une tâche pour laquelle ils demandèrent quelques milliers de dollars... vengeant ainsi leurs frères et sœurs disparus depuis.

◄ Bronze du Chief Sealth. *©Karl Lemay*

Du **Pier 56**, un traversier mène au **Blake Island State Park**. L'île Blake s'étend sur 215 ha et honore la mémoire de George Smith Blake, un commandant en charge des levés hydrographiques de la U.S. Coast Survey de 1837 à 1848. Le camping ou la pratique d'activités de plein air, comme la plongée ou la randonnée pédestre, demeurent très appréciés des visiteurs du parc. La visite de l'île donne aussi l'occasion de rencontrer les Amérindiens du **Tillicum Village**, qui proposent une dégustation des plats typiques de leur nation, comme le saumon fumé. De plus, des Autochtones portant des masques exécutent des danses rituelles qui transportent le spectateur aux confins de cultures souvent méconnues. Les impressionnants totems qui jonchent l'île évoquent à coup sûr les rêves d'enfance. Des artisans y travaillent le bois et en font des masques, alors que d'autres créent des peintures qui représentent différents animaux constellant le ciel des traditions spirituelles des résidants.

L'un des points de mire du front de mer est le **Waterfront Park**, qui s'étend entre le Pier 57 et le Pier 59. Mais ce petit parc passerait inaperçu s'il n'abritait pas le **Seattle Aquarium**, une des raisons principales de visiter cette partie de la ville. Plus de 400 espèces d'oiseaux, de plantes, de poissons et de mammifères marins s'offrent ici à la vue des visiteurs. Entre autres, on peut y observer des saumons, des pieuvres rouges, plusieurs espèces d'étoiles de mer dont le solaster, l'étoile tachetée et la vermeille, ainsi que des loutres de rivière, qui avalent un grand nombre de crabes et d'huîtres et cabriolent pour le plaisir des petits et des grands.

Vers le nord jusqu'au Pier 66, le **Bell Street Pier**, qui s'étend sur 5 ha, abrite une marina, des places publiques, un complexe de restauration, sans oublier la vue émouvante sur le Puget Sound et ses îles. Le **Bell Harbor International**

▲ Le Waterfront. ©Dreamstime.com/Tom Dowd

Conference Center, pour sa part, occupe 16 000 m² et peut accueillir jusqu'à 5 000 congressistes.

Seattle est une ville résolument moderne avec ses gratte-ciel qui atteignent des hauteurs vertigineuses, ses équipes de sport et ses centres commerciaux – véritables antres de la consommation. Il est toutefois fort agréable de visiter le **Pike Place Market**, qui se situe aux antipodes de cette modernité en constante évolution que cultive la métropole du nord-ouest des États-Unis. Ce marché aux étals généreux propose à travers des arômes et des couleurs un aperçu de ce que pouvait être la vie à Seattle au début du XXe siècle.

L'**Economy Market**, du côté sud de Pike Street, abrite aussi une gamme de petits restaurants qui proposent des mets simples à déguster sur le pouce tout en continuant la visite des lieux. Mais l'at-

traction incontournable du marché est sans aucun doute son **Bronze Pig** (un cochon de bronze de 250 kg, surnommé *Rachel*, très populaire auprès des enfants et très largement photographié), qui se veut l'ultime symbole du Pike Place Market.

Pour bien saisir l'ambiance pluriethnique du **Chinatown-International District**, hôte des communautés chinoise, philippine, vietnamienne, japonaise et sud-asiatique, il faut se rendre au **Hing Hay Park**, construit en 1975 et d'une superficie de 1 200 m², qui renferme une jolie pagode et qui est entièrement pavé de briques rouges. L'emplacement du parc en fait l'un des points centraux du quartier où les résidants pratiquent le tai-chi et s'adonnent au jeu d'échecs sur des tables conçues à cet effet. Des événements spéciaux sont fréquentés par une foule enjouée et participative.

Située dans le quartier des affaires (**Financial District**), à mi-chemin entre le Pioneer Square et le centre-ville, la **Smith Tower**, construite en 1914 et haute de 42 étages, est l'œuvre de la firme d'architectes Gaggin & Gaggin de Syracuse, dans l'État de New York. L'entrepreneur L.C. Smith, le magnat de la machine à écrire Smith-Corona qui a donné son nom à l'édifice aux fenêtres ornées de bronze, a également fait décorer l'intérieur de la tour avec du marbre d'Alaska et de l'onyx mexicain. L'ensemble est doté d'une fondation à l'épreuve du feu constituée de quelque 300 000 kg de béton, ainsi que d'une structure résistant aux tremblements de terre.

Le superbe édifice postmoderne du **Seattle Art Museum (SAM)** est l'œuvre de l'architecte Robert Venturi. L'art oriental est le thème principal de la collection

▲ Enseigne « Public Market» surplombant le Pike Place Market. ©*Tim Thompson*

◀ Piments en vente au Pike Place Market. ©*Dreamstime.com/Steve Estvanik*

SIR PETER PUGET, CONTRE-AMIRAL

Né en 1765, Peter Puget est un officier de la Royal Navy (marine de guerre britannique). Sa carrière navale débute en 1778, alors que, tout jeune, il devient le domestique des capitaines lors de leurs voyages dans les Antilles, à Gibraltar et dans la Manche. En 1791, il est nommé lieutenant sur le bateau de George Vancouver, le *Discovery*, qui est accompagné du navire *Chatham* et qui sillonne le nord de la côte ouest de l'Amérique, pour en faire le levé hydrographique et pour trouver le passage du Nord-Ouest. Hydrographe talentueux, il se fait donner le commandement du *Chatham* en 1793. C'est alors que George Vancouver lui fait l'honneur de donner son nom à la Puget Island et au Puget Sound, ce bras de mer dont Puget a fait l'exploration et le levé hydrographique. En 1801, il s'installe avec sa famille à Presteigne, au pays de Galles. En raison de son ancienneté, Peter Puget portera le titre de contre-amiral à partir de 1821. Après son retrait de la Royal Navy et au retour d'un voyage en Inde, il déménage en Angleterre, à Londres puis à Bath, où il est traité pour son problème de goutte et où il s'éteindra en 1822.

▼ Puget Sound. ©Dreamstime.com/Tom Dowd

permanente de ce musée. Mais l'un de ses aspects attrayants se trouve à l'extérieur, dans l'**Olympic Sculpture Park**, où des œuvres d'art public incontournables accueillent les visiteurs.

Au nord-ouest du quartier de **Belltown** se trouve le **Center on Contemporary Art (CoCA)**. Ce musée a emménagé ici en 1995, pour le grand plaisir des résidants de Belltown. Il se targue de présenter les œuvres contemporaines les plus diverses qui soient dans la région.

La **Space Needle** semble trôner seule dans le ciel de Seattle. C'est en 1959 qu'Edward Carlsson dessine sur un bout de papier sa «vision» d'une tour qui s'élèverait au-dessus de l'horizon. Et en 1962, son rêve se concrétise alors que l'«aiguille de l'espace» attire des millions de curieux du monde entier. Au sommet de la Space Needle, la vue du Puget Sound, le lac Washington, du mont Rainier et du mont St. Helens, lorsque le ciel n'est pas couvert de nuages, est extraordinaire.

Tout juste au sud-ouest de la Space Needle se trouve le **Pacific Science Center**, un musée des sciences et des technologies, où plusieurs installations interactives facilitent la compréhension de phénomènes naturels qui se produisent dans la vie de tous les jours. L'architecte Minoru Yamasaki a conçu les cinq bâtiments qui abritent les expositions.

▾ *Hammering Man*, à l'entrée du Seattle Art Museum (SAM). *©Tim Thompson*

▲ Coucher de soleil sur les San Juan Islands.
©Natalia Bratslavsky/Dreamstime.com

SAN JUAN ISLANDS

San Juan Island, l'île la plus importante de cet archipel, bénéficie de magnifiques paysages ruraux et côtiers, d'une vie maritime et culturelle active, ainsi que d'infrastructures touristiques de qualité. Elle abrite la seule agglomération digne de ce nom dans tout l'archipel, Friday Harbor, dont la population atteint à peine 2 000 habitants.

Bien qu'elle soit l'île la plus développée et la plus peuplée, l'île de San Juan n'est cependant pas la seule à mériter l'attention. Facilement accessibles par traversier, Shaw Island, Orcas Island et Lopez Island ont mille et un trésors à offrir aux visiteurs qui veulent couler des jours paisibles, vents du large en prime.

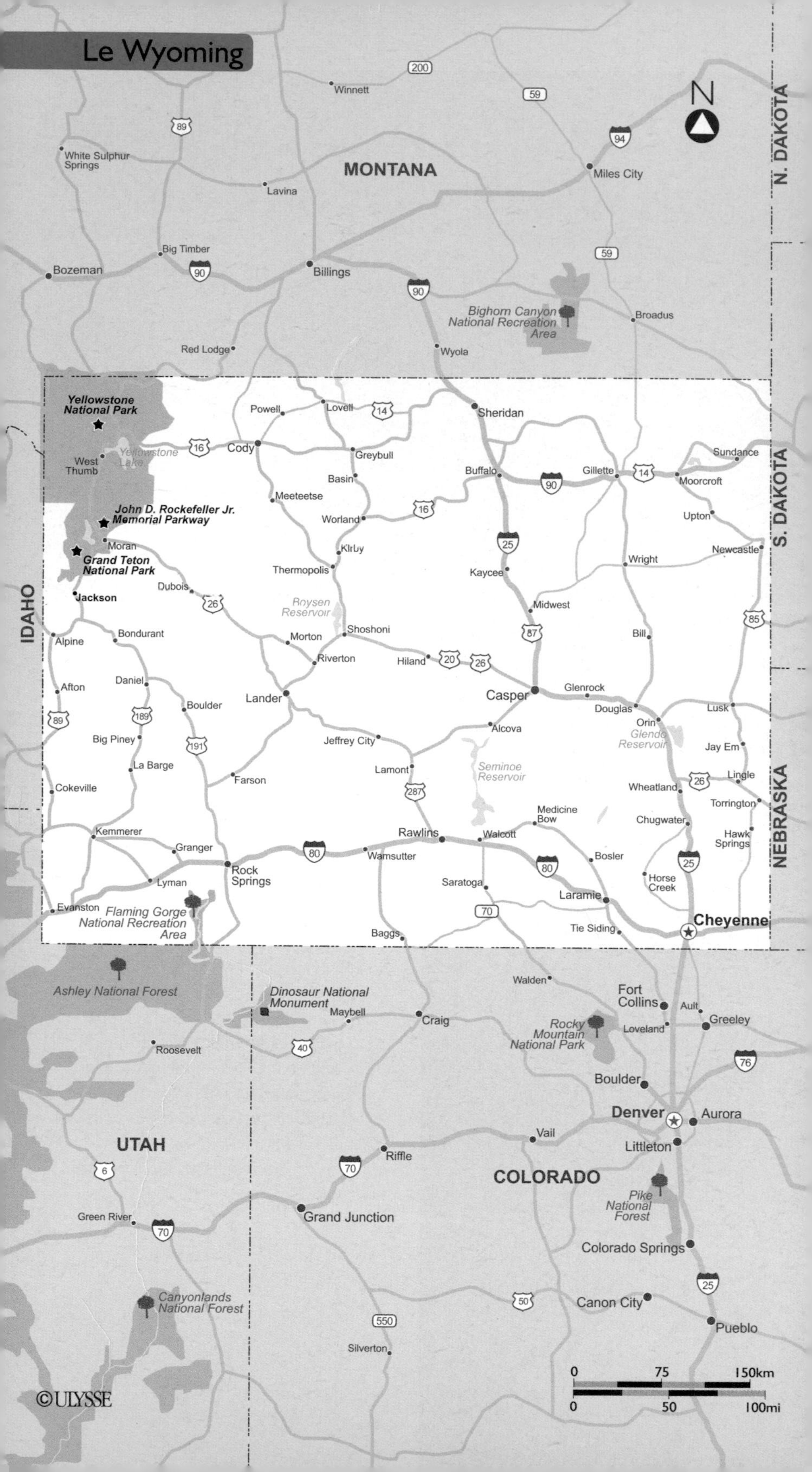
Le Wyoming
MONTANA
N. DAKOTA
S. DAKOTA
NEBRASKA
IDAHO
UTAH
COLORADO
Winnett
White Sulphur Springs
Lavina
Miles City
Big Timber
Bozeman
Billings
Broadus
Bighorn Canyon National Recreation Area
Red Lodge
Wyola
Yellowstone National Park
Yellowstone Lake
West Thumb
Powell
Lovell
Sheridan
Cody
Greybull
Basin
Buffalo
Gillette
Sundance
Moorcroft
Meeteetse
Worland
Upton
John D. Rockefeller Jr. Memorial Parkway
Moran
Grand Teton National Park
Kirby
Thermopolis
Kaycee
Wright
Newcastle
Dubois
Jackson
Boysen Reservoir
Midwest
Alpine
Bondurant
Morton
Shoshoni
Bill
Riverton
Hiland
Afton
Daniel
Lander
Casper
Glenrock
Douglas
Lusk
Boulder
Alcova
Orin
Glendo Reservoir
Big Piney
Jeffrey City
Jay Em
La Barge
Lamont
Seminoe Reservoir
Lingle
Farson
Wheatland
Cokeville
Torrington
Medicine Bow
Chugwater
Kemmerer
Rawlins
Walcott
Hawk Springs
Granger
Wamsutter
Bosler
Rock Springs
Lyman
Saratoga
Horse Creek
Laramie
Evanston
Flaming Gorge National Recreation Area
Cheyenne
Tie Siding
Baggs
Walden
Ashley National Forest
Dinosaur National Monument
Fort Collins
Ault
Maybell
Craig
Greeley
Rocky Mountain National Park
Loveland
Roosevelt
Boulder
Denver
Aurora
Vail
Littleton
Riffle
Pike National Forest
Green River
Grand Junction
Colorado Springs
Canyonlands National Forest
Canon City
Pueblo
Silverton
0 75 150km
0 50 100mi
©ULYSSE

Le Wyoming

La vue des sommets éblouissants des Grand Teton provoque un sentiment d'admiration mêlée de respect. Même celui qui n'a aperçu ces montagnes spectaculaires du Wyoming qu'en photo ou en peinture demeure habité par leur grande beauté.

Yellowstone, le premier parc national à avoir vu le jour aux États-Unis, demeure toujours en tête de liste des « endroits les plus remarquables à visiter ». Nulle part ailleurs ne trouve-t-on une aussi grande variété de phénomènes hydrothermiques en une aussi grande quantité : geysers en éruption, bassins de boue en ébullition, fumerolles sifflantes, sources minérales bouillonnantes.

On estime que ce parc présente 10 000 phénomènes thermaux, dont environ 2 000 geysers actifs. Des attraits tels que l'Old Faithful Geyser et les Mammoth Hot Springs font aujourd'hui partie du lexique des Américains, si ce n'est de leur identité.

Nul autre endroit parmi les États américains n'abrite une aussi grande concentration de mammifères que Yellowstone, ni même un écosystème aussi mouvementé. Le parc est le domicile d'une soixantaine d'espèces de mammifères, notamment huit espèces d'ongulés (le mouflon d'Amérique, l'antilope d'Amérique, la chèvre de montagne, le bison, le wapiti, l'élan d'Amérique, le cerf-mulet des montagnes Rocheuses et le cerf de Virginie) et deux espèces d'ours (l'ours noir et le grizzly).

Enfin, n'oublions pas le magnifique Grand Canyon de Yellowstone, où coulent de spectaculaires chutes; le lac Yellowstone, d'une superficie de 352 km², le plus vaste en Amérique du Nord à une telle altitude; et des montagnes sauvages atteignant 3 050 m tout autour. Il n'y a rien d'étonnant au fait que les gens de la ville n'aient jamais cru, à l'époque, les histoires qu'on leur racontait sur le Wyoming!

▲ Paysage naturel de Jackson Hole. *©istockphoto.com/Ken Canning*

JACKSON HOLE

À l'origine, Jackson Hole était une modeste bourgade établie à l'entrée d'une haute vallée pour servir une population d'éleveurs. Sa plus grande particularité historique est d'avoir abrité le premier gouvernement entièrement féminin des États-Unis. En effet, en 1920, tous les membres du conseil municipal portaient la jupe.

Aux amateurs de faune, Jackson Hole offre un attrait majeur : le **National Museum of Wildlife Art**. Les nombreuses salles de cette institution muséale possèdent de magnifiques collections, toutes vouées à la représentation de l'art animalier dans ce qu'il offre de meilleur, avec ses 500 artistes d'hier et d'aujourd'hui de renom comme John James Audubon.

GRAND TETON NATIONAL PARK

Cette imposante chaîne de montagnes, dont le **Grand Teton** constitue le point culminant à 4 198 m, comprend 16 sommets de 3 350 m et se dressent sur un axe nord-sud d'une trentaine de kilomètres s'élevant au-dessus d'un chapelet de lacs enveloppés de conifères.

Les forces géologiques responsables de la création des Teton sont toujours actives et continuent de façonner ces aiguilles, dans leur période adolescente si on les considère en termes de cénozoïque. Il y a quelque cinq millions d'années, des tremblements de terre ont commencé à se produire (par cycle d'un millénaire environ) le long de la faille où les montagnes rejoignent aujourd'hui la vallée de Jackson Hole.

▲ Chemin de fer le long de la route 175. ©istockphoto.com/David Schellhaas

LE PEUPLEMENT PAR LE CHEMIN DE FER

La construction de l'Union Pacific Railroad à travers le Wyoming en 1867-1868 permet aux colons venus de l'est de s'établir de façon permanente sur le territoire. La ville de Cheyenne, aujourd'hui la capitale de l'État, se voit ériger sur des plaines arides à l'automne 1867, pour devenir, peu de temps après, une plaque tournante du transport de matières premières et des produits de la terre, ainsi qu'un site d'entretien du matériel ferroviaire. Partout ailleurs, plusieurs localités voient le jour. Laramie, Rawlins, Rock Springs et Evanston, qui n'étaient que des camps d'ouvriers du chemin de fer, se transforment du jour au lendemain en centres d'affaires.

Ce modèle de développement urbain est repris par d'autres compagnies ferroviaires, comme la Burlington Northern et la Chicago North Western, qui installent des lignes secondaires dans le nord et l'est du Wyoming. C'est ainsi que l'expansion du réseau ferroviaire au Wyoming assura le peuplement du territoire au moyen d'un mode de transport sécuritaire et rapide, à la fois pour les personnes et les marchandises, alors qu'auparavant les chemins de terre et les chariots étaient peu performants.

▲ Le lac Jackson Hole. ©Dreamstime.com/Dean Pennala

Au fil du temps, le massif ouest de terrain montagneux s'est soulevé tandis que le massif de la vallée s'est abaissé, de sorte que le Grand Teton s'élève à environ 1 830 m au-dessus du lac Jenny, situé dans le creux de la vallée. Le vent, l'eau et les dernières glaciations (il y a seulement de 10 000 à 15 000 ans) ont continué de sculpter les montagnes.

Encore en 1929, les montagnes ainsi que leurs six lacs de piémont se trouvaient à l'intérieur des limites initiales du parc. L'extension de ces limites à la partie supérieure de Jackson Hole, comprenant la rivière Snake, provoqua cependant des querelles désagréables entre défenseurs de l'environnement et propriétaires de ranchs.

Au cœur de cette affaire se trouvait le philanthrope John D. Rockefeller, qui, ayant fait l'acquisition de plusieurs propriétés de ranchs dès la fin des années 1920, en fit don plus tard au National Park Service afin que soit créé un monument national, qui fut inauguré en 1943 et annexé au parc national en 1950. Le long couloir qui aujourd'hui relie les parcs nationaux de Grand Teton et de Yellowstone fut d'ailleurs nommé en son honneur: le **John D. Rockefeller Jr. Memorial Parkway**.

Le Grand Teton National Park couvre maintenant 1 255 km². Malgré la proximité du Yellowstone National Park, le Grand Teton diffère grandement de son cousin plus renommé. Les paysages du

Grand Teton, en contrepartie, semblent si près qu'on semble pouvoir les atteindre à bout de bras. Toutefois, pour jouir pleinement du parc, un visiteur se doit de participer aux maintes activités proposées.

La Teton Park Road longe la rive du lac Jenny, au pied du Grand Teton, puis du lac Jackson, ce lac glaciaire naturel dont la superficie s'est accrue considérablement en 1911, à la suite de l'érection d'un barrage en terre (reconstruit depuis) sur la rivière Snake. De nombreux refuges du parc se trouvent sur la rive d'un lac ou à proximité. Plus que des destinations en soi, ils servent davantage de points de départ pour une exploration plus profonde du parc, à pied, en bateau, à cheval ou en raquettes.

DINOSAURES

En 1997, de rares sites d'empreintes de dinosaures du Jurassique moyen (datant d'environ 165 millions d'années) furent découverts dans le Wyoming, juste à l'ouest de la ville de Shell, le long de la Red Gulch/ Alkali Scenic Backroad Byway. S'y trouve aujourd'hui l'un des plus importants ensembles d'empreintes de dinosaures en Amérique du Nord, situés sur des terres publiques, privées ou d'État : le Red Gulch Dinosaur Tracksite (sur des terres publiques), le Flitner Ranch Dinosaur Tracksite (sur des terres privées) et le Yellow Brick Road Dinosaur Tracksite (sur des terres d'État).

Peu de choses sont connues sur cette période où vivaient les dinosaures de l'Amérique du Nord. Plusieurs des pistes que les dinosaures ont laissées font beaucoup penser à celles qu'auraient pu faire des oiseaux géants : c'est à cette époque que les dinosaures, qui avaient alors la forme d'oiseaux, ont évolué, et on en connaît peu sur ces ancêtres primitifs des oiseaux.

▲ Riverside Geyser. ©istockphoto.com/Tom Marvin

YELLOWSTONE NATIONAL PARK

Le **West Thumb Geyser Basin**, renommé pour les couleurs vives de ses sources, est situé à une trentaine de kilomètres au nord de Grant Village sur les rives du lac Yellowstone. Un chemin serpente parmi des phénomènes naturels tels que les **Thumb Paint Pots**, dont l'intensité et les nuances de couleurs varient en fonction des saisons et de la lumière; l'**Abyss Pool**, dont l'eau bleu cobalt est remarquablement limpide; le **Fishing Cone**, une source dont le monticule, entouré d'un lac, ressemble à un volcan; et le **Lakeshore Geyser**, qui crache un jet pouvant atteindre 18 m en hauteur lorsqu'il n'est pas submergé par le lac Yellowstone.

◀ Old Faithful Geyser. ©Dreamstime.com/Steve Maehl

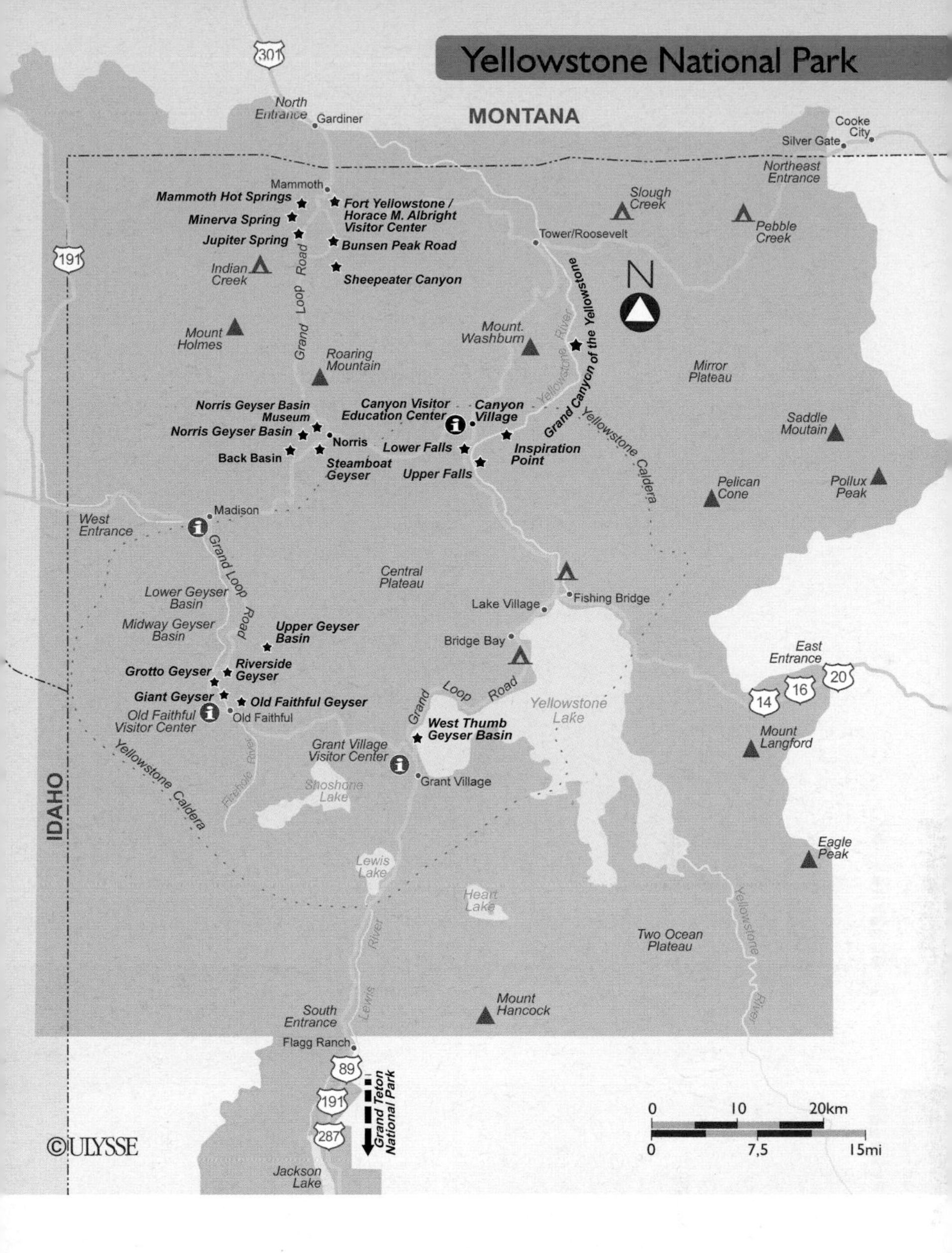

Il ne reste plus que 3 km à parcourir jusqu'à la jonction en forme de trèfle donnant accès à l'**Old Faithful Geyser**, l'attrait touristique le mieux connu de Yellowstone et le geyser le plus renommé au monde. Bien qu'il ne soit ni le plus grand, ni le plus haut, ni le plus régulier du parc, le geyser Old Faithful s'est révélé étonnamment constant depuis sa découverte en 1870. Il jaillit de 19 à 21 fois par jour à intervalles d'environ 80 min, avec une marge de plus ou moins 30 min. Chaque éruption, qui dure entre 90 secondes et 30 min, crache entre 15 140 et 30 285 litres d'eau bouillante pouvant atteindre une hauteur de 55 m. Généralement, plus courte a été l'éruption, moins longue sera la prochaine à se produire.

La collectivité d'Old Faithful constitue l'un des plus grands villages de Yellowstone. Elle comprend des établissements hôteliers, plusieurs restaurants, cafétérias et casse-croûte, de nombreux commerces et boutiques, ainsi que d'autres entreprises de services.

Le geyser Old Faithful est par ailleurs le point central de l'**Upper Geyser Basin** de Yellowstone, un regroupement spectaculaire de geysers, le plus important de la planète. À partir du centre d'accueil des visiteurs, de chaque côté de la **Firehole River**, environ 6 km de passages en bois, de chemins pavés ou non (accessibles aux fauteuils roulants) et de sentiers s'entrecroisent. Les geysers de l'Upper Geyser Basin forment un groupe hétéroclite de jets; certains sont prévisibles, d'autres non, et certains sont longs, d'autres courts.

En aval, on peut observer le **Castle Geyser**, peut-être le plus ancien du parc. La circonférence de son vieux cône mesure plus ou moins 36,5 m. Ses explosions, deux fois par jour, atteignent 27,5 m et durent une vingtaine de minutes, suivies de 30 min ou 40 min de jets de vapeur intenses. À proximité, le **Grand Geyser** jaillit de la terre comme une fontaine jusqu'à 52 m de hauteur, à intervalles allant de 7h à 15h.

Plus loin le long du sentier, le **Giant Geyser** est l'un des plus hauts (jusqu'à 76 m) et l'un des moins actifs de Yellowstone; il peut demeurer endormi pendant des années. S'y trouvent également le **Grotto Geyser**, dont le cône est bizarrement formé en raison des trois troncs d'arbre qui l'avoisinaient autrefois et qu'il a avalés, puis le **Riverside Geyser**, dont la colonne d'eau de 23 m forme une arche au-dessus de la rivière Firehole pendant 20 min aux 7h environ.

L'Upper Geyser Basin comprend en outre plusieurs sources et bassins attrayants, dont le plus connu est la **Morning Glory Pool**, accessible à pied à partir du centre d'accueil des visiteurs (2,5 km). Le bassin de cette source thermale fut nommé ainsi en 1880 en raison de sa forme similaire à celle de la fleur du même nom (belle-de-jour, nom vernaculaire en français).

▼ Morning Glory Pool. ©Dreamstime.com/Dongfan Wang

Pour de nombreux visiteurs, la plus intrigante région d'activité thermique de Yellowstone n'est pas l'Upper Geyser Basin entourant Old Faithful, mais le **Norris Geyser Basin**. En une promenade d'à peine 3 km débutant à quelques centaines de mètres à l'ouest de la jonction, il est possible d'observer une bonne dizaine de geysers, de sources thermales, de bassins de boue et de terrasses de silice dans un des «environnements les plus extrêmes de la planète», tel qu'affirmé dans certaines publications du parc. Le bassin est perpétuellement plongé dans les émanations d'hydrogène sulfuré qui se propagent tout autour.

LE RETOUR DES LOUPS AU YELLOWSTONE NATIONAL PARK

Après avoir été mis en liberté dans le Yellowstone National Park en mars 1995, 14 loups gris du Canada formèrent la première bande de cet écosystème depuis que l'espèce connut l'extinction dans les années 1930.

Autrefois perçus comme d'abominables carnivores, les loups sont vite devenus une espèce menacée de disparition qu'on considère vitale à l'équilibre écologique. Davantage de loups furent relâchés en 1996 et en 1997.

Dix ans plus tard, on dénombre 171 loups répartis en 11 bandes sur tout le territoire du parc. Désormais fort populaires, les loups de Yellowstone sont maintenant la proie des photographes qui malheureusement n'hésitent pas à s'approcher de trop près pour les croquer sur le vif.

▸ Loup. ©Dreamstime.com/Oscar Williams

L'activité thermique semble s'être accrue ici dernièrement. À la suite d'un séisme modéré dans la région en mars 1994, des geysers depuis longtemps endormis se sont réveillés, et des géologues ont noté une augmentation marquée de la température du sol en certains endroits du bassin.

Il est intéressant de commencer la visite au **Norris Geyser Basin Museum**, dont l'exposition décrit la géologie hydrothermique. Le sentier en boucle de 2,5 km qui traverse le Back Basin (au sud), parsemé de bosquets, ou celui de 1,2 km qui contourne le Porcelain Basin (au nord), plus dégagé, complètent bien cette initiation à la géologie.

Le **Back Basin** recèle entre autres le **Steamboat Geyser**, un geyser dont le jet s'élève très haut lorsqu'il est actif. Ses éruptions, bien qu'elles soient spectaculaires, sont fort imprévisibles. Après son éruption de 1969, le Steamboat a sommeillé pendant neuf ans jusqu'en 1978; il cracha à plusieurs reprises entre 1978 et 1991, mais s'est rendormi depuis et dort toujours. Lorsqu'il lui arrive d'exploser, il propulse un jet d'eau de 91 m de haut pendant une bonne quarantaine de minutes.

La Grand Loop Road entame sa descente aux **Mammoth Hot Springs** en direction de l'entrée nord du parc jusqu'au **Golden Gate Canyon**, dont le nom rappelle le lichen jaune colorant les parois des rochers, qui seraient complètement nues autrement. Là où le Glen Creek culbute à sa sortie de Swan Lake Flat, les **Rustic Falls** tombent de 14,5 m jusqu'à l'intérieur du canyon. À l'est de Bunsen Peak, la **Bunsen Peak Road**, à sens unique, contourne la base de Bunsen Peak en longeant le bord du **Sheepeater Canyon** (144 m), où coule la rivière Gardiner. De cette route partent des sentiers qui aboutissent au sommet du Bunsen Peak,

◄ Minerva Spring. *©Dreamstime.com/Natalia Bratslavsky*

▲ Fort Yellowstone. ©Dreamstime.com/Geoffrey Kuchera

▶ Mammoth Hot Springs. ©Dreamstime.com/Wei Chen

à 2 610 m, ou bien au pied des jolies Osprey Falls, au creux du Sheepeater Canyon.

Certains phénomènes thermiques tels que la **Minerva Spring** et la **Jupiter Spring** ont des cycles d'activité et de sommeil pouvant durer plusieurs années. L'Opal Terrace, au pied de la montagne, dépose parfois jusqu'à 45 cm de calcaire par année de grande activité. Le **Liberty Cap**, un cône formé par une source thermale depuis longtemps éteinte, marque la limite nord des Mammoth Hot Springs; il mesure 11 m de hauteur et 6 m de diamètre à sa base.

Tout aussi étonnant que ces sources thermales est leur vraisemblable attrait sur les élans d'Amérique. Des dizaines de ces bêtes à ramures s'étendent à même les terrasses, visiblement indifférentes à la présence des touristes qui passent à quelques mètres.

Mammoth fut le premier lieu habité du Yellowstone National Park. Les bureaux de l'administration du parc se trouvent à l'intérieur d'édifices en pierres grises qui faisaient anciennement partie du **Fort Yellowstone**, un poste de cavalerie qui fut en activité durant les trois décennies où le parc a été sous l'administration de l'U.S. Army, soit de 1886 à 1917. Également dans le fort historique se trouve le **Horace M. Albright Visitor Center**, dont l'exposition relate le rôle de l'armée au cours des premières années d'existence du parc. Y sont en outre présentés des panneaux d'interprétation qui décrivent la faune, de même que des diaporamas sur l'écologie et l'histoire du parc.

De Dunraven Pass, la Grand Loop Road entame une descente de 8 km jusqu'à **Canyon Village** en traversant de denses peuplements de pins de Murray.

Le **Canyon Visitor Education Center** présente l'histoire du bison. Une exposition a par ailleurs comme mission d'expliquer la formation du Yellowstone River Canyon, résultat de la lave, des glaciers et des inondations, ainsi que d'autres aspects géologiques du parc.

Bien que le **Grand Canyon of the Yellowstone** s'étende sur 38,5 km jusqu'à The Narrows, directement au-delà des Tower Falls en son extrémité nord, la partie véritablement spectaculaire est concentrée dans la première dizaine de kilomètres comprenant les Upper Falls et les Lower Falls. Pour aller admirer ces chutes, il faut emprunter la North Rim Drive, à sens unique sur 4 km, vers l'est puis vers le sud. À **Inspiration Point**, les visiteurs peuvent descendre les quelques dizaines de marches menant à un point de vue.

En direction sud-ouest (à 2,3 km), les **Lower Falls**, hautes de 94 m, soit la chute la plus élevée de Yellowstone, se laissent tout simplement admirer. Vers le sud, hors du champ de vision de ce point, se trouvent les **Upper Falls**, hautes de 33 m. Le canyon à cet endroit mesure environ 305 m de profondeur; ailleurs, la profondeur du canyon varie entre 244 m et 366 m. La distance entre le point de vue et le South Rim est d'environ 460 m. Plus loin le long de la rivière, le canyon atteint 1 220 m de largeur en certains points.

Les tons vifs des parois du canyon (jaune, rouge, orange, brun et même bleu) témoignent de l'action hydrothermale, il y a de cela très longtemps, sur le rhyolite, lave volcanique de composition granitique, et sur ses oxydes minéraux. Bien que les parois exsudent toujours de la vapeur et soient plutôt rébarbatives, elles constituent l'habitat de balbuzards qui fouillent la rivière du regard, à la recherche de poissons, à partir de leurs nids perchés sur les parois rocheuses loin au-dessus de la rivière Yellowstone. Y ont aussi élu domicile des hirondelles à face blanche, grâce auxquelles le nombre d'insectes volants demeure peu élevé.

◄ Bisons du Yellowstone National Park. ©Dreamstime.com

► Lower Falls. ©Dreamstime.com

Le Montana
C.-B. (CANADA)
ALBERTA (CANADA)
SASKATCHEWAN (CANADA)
NORTH DAKOTA
WYOMING
IDAHO
N
©ULYSSE
Glacier National Park
Going-to-the-Sun Road
Charles M. Russel National Wildlife Refuge
Fort Peck Lake
Missouri River
Fresno Reservoir
Flathead Lake
Lake Pend Oreille
Dworshak Reservoir
Little Bighorn Battlefield National Monument
Pictograph Cave State Park
Bighorn Canyon National Recreative Area
Bighorn Lake
Yellowstone National Park
Helena
Great Falls
Missoula
Billings
Butte
Bozeman
Eastport
Eureka
Naples
Libby
West Glacier
St. Mary
Cut Bank
Browning
East Glacier
Ethridge
Shelby
Devon
Sheridan
Bigfork
Polson
Thompson Falls
Catalco
De Borgia
Superior
Tasking
Alberton
Fernwood
Clinton
Lolo
Drummond
Ovando
Lincoln
Wolf Creek
Avon
Elliston
East Helena
Deer Lodge
Anaconda
Basin
Orofino
Kamiah
Grangeville
Hamilton
Darby
Sula
Salmon
Melrose
Silver Stars
Twin Bridge
Dillon
Lima
Harrison
Belgrade
Cameron
Townsend
Livingston
Wilsall
Silver Gate
Lake
Dupeyer
Conrad
Bynum
Dutton
Choteau
Vaughn
Augusta
Simms
Cascade
Carter
Belt
Geyser
Stanfort
Monarch
Neihart
Hobson
Moore
Lewistown
Judith Gap
Harlowton
Shawmut
Melville
Reedpoint
Columbus
Roberts
Lovell
Cody
Hingham
Havre
Box Elder
Zurich
Harlem
Loring
Malta
Hinsdale
Glasgow
Roy
Wynnet
Sand Springs
Jordan
Musselshell
Sumatra
Scobey
Wolf Point
Poplar
Culbertson
Medecin Lake
Fairview
Vida
Sydney
Richey
Savage
Circle
Lindsay
Glendive
Fallon
Miles City
Plevna
Baker
Volborg
Coalwood
Crow Agency
Busby
Ashland
Broadus
Hammond
Alzada
Lodge Grass
Wyola
Dayton
Sheridan
Spotted Horse
Clearmont
2
12
15
20
87
89
90
93
94
95
191
212
287
310
0
75
150km
50
100mi

Le Montana

Il y a des horizons, des lumières et des grandeurs inoubliables. Or beaucoup de ces spectacles de la nature ont élu domicile au Montana, l'État du Big Sky (vaste ciel).

Quatrième des États américains par sa superficie, le Montana compte les paysages les plus variés que puissent offrir plaines et montagnes. Les habitants se répartissent entre un grand nombre de petites communautés agricoles, minières ou forestières, et quelques villes plus importantes.

Au nord, l'État a pour seules voisines les provinces canadiennes de la Colombie-Britannique, de l'Alberta et de la Saskatchewan, toutes situées de l'autre côté du 49e parallèle. À l'est, le 104e degré de longitude sépare le Montana des deux Dakotas. Au sud, le 45e parallèle sert de frontière avec le Wyoming. Et enfin, à l'ouest, les crêtes minérales des montagnes Rocheuses dessinent la frontière avec l'Idaho.

Toute la partie orientale de l'État est un monde de plaines, de vallons et de forêts qu'irriguent principalement les rivières Missouri et Yellowstone. Longtemps immergée sous l'océan Pacifique, l'assise rocheuse de cette plaine est finalement sortie des eaux voilà à peu près 700 millions d'années, alors que toute la plaque tectonique qui soutenait le Bouclier canadien se soulevait pour chevaucher celle de l'océan Pacifique.

Cette émersion ne s'est pas produite en un jour, et bien des fois, les vagues de l'océan ont balayé à nouveau les plaines naissantes, y laissant au passage une nouvelle couche de sédiments. Au jurassique et au crétacé, les dinosaures ont colonisé le Montana, ce dont témoignent les nombreux ossements fossilisés mis au jour dans l'État.

▲ Billings. ©Granitepeaker/Dreamstime.com

BILLINGS

C'est en partie dans l'édifice qui abritait la prison du comté qu'on a installé le **Yellowstone Art Museum (YAM)**. Il s'agit d'un très beau petit musée dont le mandat assez large inclut autant des expositions sur les objets d'usage courant d'antan que sur l'art historique et contemporain de l'Ouest américain.

Toujours dans le monde des musées, le **Western Heritage Center**, établi dans l'ancienne Parmly Billings Library, constitue un choix intéressant pour qui veut connaître la grande et la petite histoire des gens de la région. Il s'agit d'un musée où la visite fait largement place à l'expérimentation et à l'interactivité.

La **Moss Mansion** est un magnifique manoir au mobilier intégralement préservé. Les styles architecturaux s'y côtoient de telle sorte que l'entrée emprunte à l'Alambra de Grenade, la salle à manger au style Tudor et le boudoir à Aubusson. L'ensemble forme un tout qui mérite le déplacement.

Pour avoir toute la ville sous les yeux, le mieux est encore de gagner la falaise qui la surplombe (et où se trouve l'aéroport). Le **Black Otter Trail** offre les meilleurs points de vue. À la sortie de l'aéroport, la présence d'un chalet de bois rond confirme l'entrée du **Peter Yegen, Jr. Yellowstone County Museum**, qui se consacre à l'histoire naturelle de la vallée de Yellowstone et des plaines du Montana.

Situé au sud-est de Billings, le fascinant **Pictograph Cave State Park** renferme des grottes dont les artéfatcs et les pétroglyphes donnent rendez-vous avec la préhistoire.

▲ Western Heritage Center. ©Billings Chamber of Commerce/CVB

▲ L'une des salles d'exposition du Yellowstone Art Museum. ©Billings Chamber of Commerce/CVB

▶ Moss Mansion. ©Billings Chamber of Commerce/CVB

LA BATAILLE DE LITTLE BIGHORN

La conquête de l'Ouest occupe les écrans télé depuis des décennies et fait rêver petits et grands. De tous les lieux qui ont servi de décor, le plus chargé d'histoire est constitué d'une chaîne de petites collines situées tout près de la rivière Little Bighorn. C'est là que sont tombés le lieutenant-colonel George Armstrong Custer et, avec lui, 259 hommes du 7e régiment de cavalerie des États-Unis, le 25 juin 1876.

Huit ans plus tôt, une paix durable semblait s'établir entre le gouvernement américain et les grandes nations des plaines. Mais voilà qu'un prospecteur trouve de l'or dans ces collines, où des centaines d'autres le rejoignent. George Washington réagit en offrant aux Lakotas (aussi appelés Dakotas ou Sioux) de leur racheter cette partie de la réserve. Le prix offert n'a cependant rien à voir avec la valeur des terres. Les Lakotas rejettent la proposition. Les raids se multiplient contre les installations des Blancs.

Au printemps de 1876, des armées américaines se mettent en route vers le sud du Montana, où l'on présume que Sitting Bull, Crazy Horse et les autres chefs ont dressé leur campement. Les troupes américaines des territoires du Montana et du Dakota, sous les ordres du général Terry, se rejoignent au bord de la rivière Yellowstone, non loin de l'endroit où se jette la rivière Little Bighorn.

Le lieutenant-colonel George Armstrong Custer. *©Library of Congress Prints and Photographs Division Washington [cwpbh.03110]*

Pour bloquer toute issue possible à l'est et repérer l'emplacement précis des Amérindiens, Terry décide de détacher Custer et le 7e régiment de cavalerie, soit environ 600 hommes. Les éclaireurs du 7e régiment ne tardent pas à localiser la fumée et la poussière d'un gros campement amérindien. Custer est convaincu de la supériorité de ses armes, suffisamment en tout cas pour diviser sa propre troupe en trois corps. Il garde avec lui cinq compagnies avec lesquelles il entend attaquer par le nord, après un détour destiné à préserver la surprise. Le lieutenant-colonel ignore cependant que le campement regroupe plus de 7 000 Amérindiens, dont plusieurs milliers de guerriers.

Les Sioux, les Cheyennes et les Arapahos ont tôt fait de lui couper toute possibilité de retraite. Pour les 210 hommes qui l'accompagnent, un calvaire commence. Ils tenteront d'établir des positions sur certaines collines, mais aucun ne survivra pour raconter leur échec. Les hommes des six autres compagnies entendent les coups de feu et comprennent que Custer est en grand péril. Ils essaient de lui venir en aide, mais les Sioux avaient anticipé la manœuvre et les contraignent bien vite à regagner les hauteurs où ils se sont réfugiés. Vainqueurs, Crazy Horse et Sitting Bull ne pouvaient cependant espérer rééditer leur exploit contre la colonne autrement plus puissante du général Terry. Les guerriers se dispersent donc en nations. Isolée, aucune de celles-ci ne parviendra plus à tenir en respect bien longtemps la cavalerie. À Little Bighorn, les guerriers ont sauvé leur honneur, mais également la vie d'un nombre considérable de femmes et d'enfants. C'est déjà beaucoup.

Avec ses 260 tués, Little Bighorn constitue une bien petite bataille, surtout après les boucheries de la guerre de Sécession. Mais elle a ébranlé la toute-puissance de l'homme blanc, puisque jamais un des régiments n'avait connu pareille humiliation.

▲ Lieu où George Armstrong Custer fut blessé mortellement lors de la bataille de Little Bighorn. *©Thomas Schrantz*

▶ La Gallatin National Forest, située près de Bozeman. *©Flashon Studio/Dreamstime.com*

LITTLE BIGHORN

Le gouvernement fédéral a aménagé à Little Bighorn un parc national pour préserver les deux sites principaux de la célèbre bataille du 25 juin 1876 entre le 7e régiment de cavalerie de l'Armée américaine et les guerriers cheyennes, lakotas (sioux) et arapahos: le **Little Bighorn Battlefield National Monument**.

HARDIN

Sur le chemin du retour vers Billings, il y a lieu de faire halte à Hardin, ce charmant petit village qui était jadis un comptoir de traite qui rassemblait les Amérindiens de la Crow Reservation, située à proximité, et des propriétaires terriens venus y faire des échanges commerciaux. Le **Big Horn County Historical Museum** est un musée de plein air qui compte une série de bâtiments historiques: une église, un magasin général et un bureau de poste ont été regroupés sur le site par les bons soins de la société historique locale.

BOZEMAN

Willson Avenue, en direction sud, est une artère magnifique de Bozeman avec ses grands arbres et ses résidences soigneusement entretenues, mais son intérêt premier est de conduire directement au **Museum of the Rockies (MOR)**. Voilà un musée qui réussit le tour de force d'aborder énormément de sujets et de bien le faire. La géologie, la paléontologie, l'anthropologie, l'astronomie, l'histoire et la nature sont les thèmes présentés.

▶ Museum of the Rockies (MOR). *©Travel Montana*

BUTTE

Difficile de rater ***Our Lady of the Rockies***, la grande dame de Butte. Il suffit en effet de lever les yeux vers les montagnes avoisinantes pour découvrir cette grande statue d'un peu plus de 27 m, installée à 2 600 m d'altitude, sur la ligne de partage des eaux. Elle représente manifestement la Vierge, mais elle se veut officiellement un hommage laïque aux femmes qui ont construit Butte, particulièrement aux mères. La seule façon d'accéder à la statue – et à son belvédère – est de prendre l'autobus qui part du Butte Plaza Mall.

Le **World Museum of Mining** évoque sans conteste le passé minier de Butte. Le musée expose des machines hétéroclites, des collections de minéraux et des photos. À l'extérieur, le **Hell Roarin' Gulch** constitue une réplique intéressante de ce qu'était un camp de mineurs au tournant du XXe siècle.

Sur le campus du Montana Tech, division de l'University of Montana, les collections du **Mineral Museum** compte une quantité impressionnante d'échantillons en provenance d'un peu partout. On y voit notamment des métaux et des pierres précieuses.

HELENA

Impossible de circuler dans la capitale du Montana sans remarquer les deux flèches de la cathédrale qui, avec le dôme du Capitole, dominent le ciel de la ville. Calquée sur la cathédrale de Cologne, la **St. Helena Cathedral** possède aussi de magnifiques vitraux.

La maison à ne pas manquer à Helena est l'ancienne résidence de fonction de neuf gouverneurs de l'État du Montana : l'**Original Governor's Mansion**. Construite à la fin du XIXe siècle, elle est un bijou d'architecture victorienne qui abrite encore les souvenirs des différents gouverneurs et de leur famille.

GREAT FALLS

Il fallait bien que Lewis et Clark aient leur musée! Le **Lewis & Clark National Historic Trail Interpretive Center** retrace de belle manière leur grande expédition et la remet dans son contexte. Il s'agit d'un musée conçu pour intéresser toute la famille. Cette institution a été construite à l'intérieur d'un parc qui longe la rive gauche du Missouri. En lui-même, ce parc vaut le détour puisqu'il offre des vues saisissantes sur la rivière et ses chutes, particulièrement quand le soleil est à l'horizon.

St. Helena Cathedral.
©Mehmet Dilsiz/Dreamstime.com

La campagne entourant Helena.
©Mehmet Dilsiz/Dreamstime.com

▲ Région de Cut Bank, au Montana, que Lewis et Clark traversèrent lors de leur expédition.
©Chrisseman/Dreamstime.com

L'EXPÉDITION DE LEWIS ET CLARK DANS LE MONTANA

Plein d'espoir, Thomas Jefferson, alors président des États-Unis, envoie en 1804 les capitaines Meriwether Lewis et William Clark à la recherche de la légendaire « rivière de l'Ouest », ce fameux passage du Nord-Ouest qui permettrait de franchir le continent par voie navigable, de l'Atlantique au Pacifique. Le 25 avril 1805, le « Corps of Discovery » de l'expédition campe au confluent des rivières Yellowstone et Missouri, près du site où se trouve actuellement Fort Union, à la frontière du Montana et du Dakota du Nord. Mais la découverte du passage du Nord-Ouest n'est pas la seule priorité du président Jefferson. Parmi les autres tâches qui sont assignées à Lewis et Clark, plusieurs se font dans le territoire de ce qui est aujourd'hui le Montana: établir des contacts et entreprendre des négociations avec les tribus amérindiennes, faire le repérage de sites appropriés pour l'installation de postes de traite et de forts, rédiger des comptes rendus scientifiques sur la faune, la flore et les ressources paysagères. D'ailleurs, la plupart des paysages qu'ont traversés Lewis et Clark demeurent inchangés, et de nombreux points d'intérêt rappellent le passage de leur expédition dans le Montana.

GLACIER NATIONAL PARK

Un symbole pour la paix, ou tout simplement un coin de paradis pour les amateurs de vraie nature sauvage, Glacier National Park, c'est un peu tout ça et c'est même bien plus. Ce parc fédéral est situé tout au nord de l'État. Il vise à préserver une magnifique zone montagneuse où une quarantaine de glaciers, âgés de plus de 5 000 ans, poursuivent leur lente retraite vers les sommets.

Le Glacier National Park a été constitué en 1910. Il jouxte la frontière canadienne où commence un autre parc national, le parc national du Canada des Lacs-Waterton. Depuis 1932, des ententes administratives et diplomatiques ont fait de l'ensemble

▲ Glacier National Park. ©Paul Lemke/Dreamstime.com

▲ Chèvres de montagne au Glacier National Park. ©Andrey Tarantin/Dreamstime.com

le premier parc international dédié à la paix, le Parc international de la paix Waterton-Glacier. Les gouvernements du Canada et des États-Unis ont ainsi voulu symboliser la concorde qui règne entre les deux nations. Plus tard, l'UNESCO lui reconnaîtra la qualité de réserve de la biosphère, puis, en 1995, celle de site du patrimoine mondial.

St. Mary, où se trouve un centre d'accueil des visiteurs du parc, est le point de départ d'une route panoramique qui traverse le parc de part en part: la **Going-to-the-Sun Road**. La parcourir requiert au moins deux heures et demie, beaucoup plus si l'on cède à la tentation d'arrêter aux différents points de vue qu'offre le trajet. La route s'élève jusqu'à la ligne de partage des eaux, à Logan Pass, où un autre centre d'accueil mérite la visite. De petits sentiers d'interprétation permettent de se dégourdir les jambes.

Jusque-là, le paysage est essentiellement minéral puisque les montagnes font obstacle aux nuages venus de l'ouest, empêchant ainsi les pluies de faire verdir les versants est. En quittant Logan Pass, la différence emplit les yeux alors qu'une verdoyante vallée apparaît, plusieurs centaines de mètres plus bas. La route longe finalement un vaste lac avant de rejoindre Apgar Village et la sortie ouest du parc.

Bien évidemment, le parc offre toute une gamme d'activités pour les amateurs de sports extérieurs. Le camping s'y pratique dans toutes ses déclinaisons de confort. Il y a de la randonnée pour les amateurs d'un jour qui aiment suivre un guide comme pour les experts les plus chevronnés. Parmi les sentiers du parc, il y en a même un qui est adapté pour les personnes en fauteuil roulant.

La faune du parc est variée. Les chèvres de montagne y sont facilement observables. Avec un peu plus de chance, un mouflon, un cerf-mulet ou un wapiti se laissera croquer sur le vif. Le randonneur, avec une veine consommée, pourra apercevoir l'espace d'un moment un couguar, un loup ou un ours.

Les grands thèmes

LES LOISIRS DE PLEIN AIR

La baignade

Les plages de l'océan Pacifique, surtout en Californie du Sud, font partie intégrante du mode de vie des habitants. Aucun attrait de la Côte Ouest n'est aussi populaire que ces vastes étendues de sable. La région de Los Angeles en compte de merveilleuses, telles Santa Monica Beach et Venice Beach. La Côte centrale, dans le secteur compris entre Oxnard et Santa Barbara, recèle de magnifiques plages sablonneuses, aux eaux chaudes et calmes. Les résidants du Nord californien peuvent compter, quant à eux, sur de beaux lacs comme le lac Tahoe pour faire trempette et même sur des piscines alimentées par des sources thermales, comme à Calistoga.

◂ L'exaltante vie des cowboys. (double page précédente) ©Jeanne Hatch/Dreamstime.com

▾ En radeau pneumatique sur la rivière. ©istockphoto.com/Steve Krull

La descente de rivière

Qui n'a pas rêvé un jour de se laisser emporter par les flots tumultueux d'une rivière torrentielle, à bord d'un canot ou d'un radeau pneumatique? Direction Grand Canyon! Les amateurs de sensations fortes en auront pour leur argent. La descente du fleuve Colorado est en effet on ne peut plus stimulante. Plusieurs États de l'Ouest américain sont striés de superbes cours d'eau parfaits pour la descente de rivière. C'est ainsi que les environs de Phoenix, en Arizona, accueillent les amateurs d'eau vive dans les rapides de la Salt River. De même que Taos, au Nouveau-Mexique, où le Rio Grande et le Rio Chama se prêtent merveilleusement bien à ce sport de plein air tout en offrant de splendides vues sur la région. Sans oublier l'État du Colorado, lieu de prédilection de tout véritable rafteur. Tout compte fait, le fleuve Colorado permet le rafting pratiquement tout le long de son cours, et ce, dans tous les États qu'il traverse. La rivière Deschutes, qui sillonne les États de l'Oregon et de Washington, et la rivière Gallatin, qui pénètre dans le Montana et le Wyoming, sont également deux cours d'eau qui se prêtent fort bien à la descente de rapides.

L'équitation

Merveilleux endroits pour se promener à dos de cheval, les vallées de Napa et de Sonoma, non loin de San Francisco, offrent des paysages à couper le souffle, où les vignobles se découpent sur fond de montagnes. La côte même de Sonoma est très agréable à découvrir, que ce soit sur la plage ou les collines. En Arizona, la région de Tucson permet de faire des balades dans des sentiers et des chevauchées au coucher du soleil, ou encore dans la Coronado National Forest; de plus, Sedona et ses environs offrent de

▲ Un des terrains de golf de Palm Springs. ©istockphoto.com/Sheldon Kralstein

magnifiques paysages au lever et au coucher du soleil, de même que les alentours de Flagstaff. Et que dire du Grand Canyon, où l'on plonge en un rien de temps dans l'ambiance de l'Ouest sauvage. Pour d'autres panoramas du Far West, il faut se rendre à Santa Fe, au Nouveau-Mexique. Le Colorado comporte de belles pistes également, au cœur du Rocky Mountain National Park. L'Idaho, l'Oregon, le Montana et le Wyoming ont tout pour plaire aux amateurs d'équitation, pour une heure ou une semaine de plaisirs et de loisirs.

L'escalade

En Californie du Sud, il est possible de faire de l'escalade dans le Joshua Tree National Park, à Idyllwild et à Big Bear, tous accessibles à partir de Palm Springs, notamment. Sans parler du Yosemite National Park, qui possède quelques-unes des plus belles parois rocheuses au monde. L'Idaho n'est pas en reste avec sa paroi Super Slab de l'Elephant's Perch, son boulder du lac Dierbes et sa Tubbs Hill; l'Oregon non plus, avec ses Three Sisters, son mont Hood et sa Smith Rock. Enfin, le Montana semble être le lieu privilégié des alpinistes, été comme hiver. Sans compter les Vedauwoo Rocks, un endroit très populaire auprès de tout type de grimpeur dans le Wyoming.

Le golf

En Californie, le golf est l'un des sports les plus populaires: San Diego, Los Angeles, San Francisco, la vallée de Napa et la côte de Sonoma ont de beaux terrains de golf. En Arizona, la région de Phoenix est un paradis pour les golfeurs: s'y trouvent plus de 200 terrains de golf à moins de 30 min du centre-ville; la région de Tucson ne doit pas être boudée, car elle propose tous les genres de terrains imaginables. Albuquerque, au Nouveau-Mexique, possède quatre terrains de golf, de même que Santa Fe. Le Colorado offre, quant à lui, plus de 250 terrains de golf. Dans l'Utah, la vallée de Salt Lake City permet de jouer au golf même en hiver. Sans oublier Las Vegas, qui a même des terrains de golf dans son centre-ville. À ne pas manquer aussi: l'Oregon (quelques golfs ouverts toute l'année), l'Idaho (le Coeur d'Alene Resort compte le seul «vert flottant» au monde) et le Wyoming (où les balles demeurent en l'air plus longtemps qu'au niveau de la mer grâce à l'altitude).

En kayak. ©istockphoto.com/Harry Thomas

Observation de la faune marine autour des Channel Islands. ©istockphoto.com/Theo Fitzhugh

Le kayak

Dans l'Ouest américain, il est possible de pratiquer aussi bien le kayak de mer, de rivière et de lac. Très populaire sur la côte du Pacifique, le kayak de mer permet de rencontrer des baleines ou de visiter des grottes, comme à La Jolla, près du centre-ville de San Diego, ou celles du Van Damme State Park, non loin de Mendocino. Sur la Côte centrale californienne, à Ventura notamment, c'est un moyen formidable pour explorer l'archipel du Channel Islands National Park, tout comme à Santa Barbara ou dans la baie de Monterey pour parcourir le littoral et découvrir la faune marine. Et que dire de la vue sur les forêts de gratte-ciel de San Francisco ou de Seattle à bord d'un kayak… Au nord de San Francisco, Tomales Bay et Russian River accueillent dans leurs eaux les kayakistes, déjà conquis par les paysages qui s'offrent à eux. À l'intérieur des terres, plusieurs parcs nationaux, tel le Yosemite National Park, sont sillonnés par de belles rivières, très prisées des amateurs d'eau vive, comme la région d'Aspen et de Grand Lake, au Colorado. L'Idaho, enfin, est ponctué de plusieurs lacs étales qui n'attendent que les pagayeurs, que ce soit pour une excursion d'une journée ou un long séjour.

L'observation de la faune

L'observation de la faune est devenue un loisir très prisé dans l'Ouest américain. Les baleines grises qui migrent annuellement vers les eaux chaudes de la Baja California passent au large de San Diego, et il est même possible d'en apercevoir depuis la côte, au Whale Overlook de Point Loma, de même qu'au large de Los Angeles et de San Francisco. Le Mono Lake, non loin du Yosemite National Park, est une halte pour une centaine d'espèces d'oiseaux migrateurs. Près de Ventura, sur la Côte centrale, le Channel Islands National Park, surnommé les Galápagos des États-Unis, demeure une destination de rêve pour tout amoureux de la faune. Sur la côte de Big Sur, des condors de Californie ont été réintroduits il y a une dizaine d'années dans ce secteur de la Côte centrale, à l'intérieur de l'Andrew Molera State Park. Le Point Reyes National Seashore constitue aussi un bon endroit pour l'observation de la faune ailée. L'Idaho est réputé auprès des ornithologues amateurs. Le Wyoming et le Montana attirent également beaucoup d'observateurs de faune, tandis que l'État de Washington et l'Oregon accueillent les amateurs d'observation des baleines au large de leurs côtes.

La pêche

Les visiteurs peuvent pêcher sans permis sur plusieurs quais des villes côtières en Californie. Par ailleurs, le long de la côte

▲ En randonnée pédestre dans le Grand Canyon. ©istockphoto.com/Paige Falk

du Pacifique (San Diego, Los Angeles, Santa Barbara ou la côte de Sonoma), les excursions de pêche en mer sont légion. L'Arizona accueille les mordus de la pêche à la ligne, entre autres dans les lacs de la région de Sedona. Le Colorado, quant à lui, compte sur la rivière Cache La Poudre, près de Fort Collins. L'Idaho a fait sa marque dans le monde pour la pêche à la mouche. L'Oregon attire également dans ses eaux les amateurs de pêche à la ligne. Enfin, l'État de Washington, le Montana et le Wyoming sont aussi des paradis lacustres pour tout pêcheur à la mouche.

La plongée

L'île de Catalina, située devant la côte de Los Angeles, est connue des plongeurs à travers le monde; elle attire une variété étonnante de vie marine, sans parler des grottes et des épaves qui en ponctuent les côtes. Près de Carmel-by-the-Sea, sur la Côte centrale californienne, s'étend la Point Lobos State Reserve, une réserve naturelle qui est aussi dotée d'un parc marin, paradis pour les plongeurs. Tout près, la baie de Monterey accueille, quant à elle, beaucoup d'amateurs de plongée-tuba.

La randonnée pédestre

Dans le sud de la Californie, à Palm Springs, un superbe sentier montagneux grimpe à partir du Palm Springs Desert Museum, en offrant une vue magnifique sur la région; tout près, les Indian Canyons sont aussi très prisés des randonneurs, sans parler du Joshua Tree National Park, de la Mojave National Preserve et de la Death Valley. Au nord de San Francisco, la Golden Gate National Recreation Area, le Point Reyes National Seashore et le Tomales Bay State Park accueillent un grand nombre de randonneurs. Le Redwood National Park, situé dans le nord de la Californie, est parsemé de séquoias, les plus grands arbres du monde. En Arizona, la région de Phoenix et les déserts environnants permettent de profiter des paysages de ce coin de pays; et la région de Sedona, avec ses fabuleux rochers de grès rouge, est tout indiquée pour une petite randonnée. L'Arizona compte encore d'autres beaux parcs à découvrir à pied, comme le Painted Desert du Petrified Forest National Park, le Canyon de Chelly National Monument et le Navajo National Monument, sans oublier, bien sûr, le grandiose Grand Canyon et ses versants sud et nord. Au

Nouveau-Mexique, les Sandia Mountains se trouvent au nord d'Albuquerque. Au Colorado, Denver, Boulder, Aspen et Vail possèdent de bons réseaux de sentiers, sans oublier le Rocky Mountain National Park et le Colorado National Monument. Les États du Nord-Ouest ne sont surtout pas à négliger: l'Idaho, l'Oregon, le Montana, entre autres, comptent des centaines de kilomètres de sentiers.

Le ski

Le ski de fond se pratique en hiver dans presque tous les grands parcs de la Californie (Sequoia National Park, Kings Canyon National Park, Yosemite National Park), et le ski alpin est réputé en nombre d'endroits comme la région du lac Tahoe, où se trouve également le plus vaste réseau de pistes de ski de randonnée en Amérique du Nord. Le centre de ski le plus au sud du pays est la Mount Lemmon Ski Valley, en Arizona, mais cet État compte bien d'autres stations de ski bien enneigées sur son territoire, comme à Flagstaff. Le Nouveau-Mexique n'est pas en reste, avec la Sandia Peak Ski Area, non loin d'Albuquerque, et la Taos Ski Valley. Les stations de sports d'hiver que sont Vail et Aspen, au Colorado, demeurent des lieux de rêve pour le ski alpin. L'Utah a acquis à ce jour une bonne réputation pour la qualité de ses domaines skiables et son enneigement.

▼ À vélo dans les Rocheuses.
©istockphoto.com/Paul Morton

▼ Surfeur sur les vagues de l'océan Pacifique.
©istockphoto.com/Ian McDonnell

Le surf

San Diego et sa côte attirent son lot de surfeurs, entre autres sur Pacific Beach et Mission Beach. Près de Los Angeles, Huntington Beach, surnommée «Surf City USA», offre 13 km de plages pour s'élancer sur les vagues du Pacifique, alors que la plage de Malibu accueille également un bon nombre de surfeurs. La côte de Sonoma, dans le nord de la Californie, est un autre bon endroit pour la pratique du surf.

Le vélo

Il est facile de louer un vélo dans les localités de l'Ouest américain, pour découvrir par ses propres moyens, ou à l'aide d'une entreprise touristique, les beautés régionales. Les parcs nationaux et d'État offrent souvent des vélos en location pour parcourir les chemins et sentiers de leurs aires naturelles. En Arizona, des centaines de kilomètres de sentiers en plein désert témoignent de la popularité du vélo de montagne dans la région de Phoenix. La région de Sedona, en Arizona, dispose d'un véritable dédale de sentiers. En été, Vail et Aspen, au Colorado, offrent plusieurs sentiers de vélo de montagne dans les stations de ski. Le Colorado Trail, une gigantesque piste hybride qui s'étend sur 1 200 km, parcourt une grande partie du Colorado par monts et par vaux. Dans l'Utah, Moab est devenue la Mecque du vélo de montagne. Bien sûr, dans cette immense région montagneuse, les États de l'Idaho, du Montana, de l'Oregon, du Wyoming et de Washington offrent de petits paradis aux cyclistes.

▲ Un condor de Californie, une espèce protégée. ©Mav888/Dreamstime.com

LA FAUNE ET LA FLORE

L'Ouest américain regorge d'une flore et d'une faune d'une richesse et d'une diversité inouïes. Afin de protéger ces merveilles naturelles, les États-Unis ont inventé au XIXe siècle le concept des parcs nationaux, qui vise à assurer la conservation de la nature sur de très vastes territoires.

La faune

L'une des meilleures illustrations de la richesse de la faune dans l'Ouest se trouve au parc national de Yellowstone, qui regroupe une quantité extraordinaire d'espèces animales. Y cohabitent en effet des dizaines de milliers d'élans d'Amérique, de wapitis, d'antilopes, de cerfs-mulets des montagnes Rocheuses, de chèvres de montagne, d'ours et de bisons.

Les bisons, qui ont tant marqué l'imagerie populaire de la conquête de l'Ouest, ont échappé de peu à l'extermination. Alors que leur nombre était estimé à plus de 60 millions de têtes avant l'arrivée de l'homme blanc, ils n'étaient plus qu'un millier en 1890 après les massacres sanglants de l'Ouest. La campagne de protection de l'espèce a connu un succès phénoménal et, depuis, le bison ne cesse de prospérer. En fait, il est généralement beaucoup plus facile d'assurer la survie d'espèces emblématiques que celle de leur environnement et des animaux mal-aimés. Par exemple, les coyotes et les ours, qui jusqu'à très récemment étaient ouvertement supprimés parce qu'ils représentaient un danger pour l'être humain, font désormais l'objet de campagnes de protection qui suscitent néanmoins encore l'opposition de certains fermiers et *ranchers*.

La côte du Pacifique est, quant à elle, le paradis des oiseaux. On en dénombre pas moins de 400 espèces, comme les pélicans, les hérons, les cormorans, les charognards (tel le condor de Californie) et les rapaces. Plusieurs espèces d'oiseaux ont elles aussi failli disparaître, comme l'aigrette blanche, la grue américaine et le pygargue à tête blanche (*bald eagle*), oiseau emblématique des États-Unis.

Les Great Plains (grandes plaines) ont aussi leurs animaux fétiches, soit le chien de prairie, un charmant petit rongeur qui tire son nom de son cri particulier qui ressemble à un petit aboiement, et le *roadrunner* (grand géocoucou), qui préfère la course (jusqu'à 25 km/h) au vol et se nourrit de petits serpents venimeux.

Finalement, une multitude d'espèces ont choisi comme lieu de résidence les contrées à première vue inhospitalières des déserts. Autour des cactus (comme le célèbre saguaro) se côtoient une multitude d'oiseaux, de rongeurs (souris des cactus et pécaris), de serpents (serpents à sonnette) et de tortues du désert.

La flore

L'Ouest américain abrite non seulement une flore des plus riches et diversifiées, mais aussi des espèces végétales fascinantes et exceptionnelles.

Les forêts couvrent une immense superficie dans l'Ouest et, selon leur emplacement et leur altitude, elles regroupent différentes espèces d'arbres. Les parcs nationaux ont d'ailleurs cherché à en préserver les diverses essences, pour les sauver de la coupe forestière, une activité économique importante dans la région.

Les plus gros arbres du monde poussent sur le versant ouest de la Coast Range en Californie. Les séquoias géants, qui vivent plus de 3 000 ans, atteignent en général une hauteur de 90 m, un diamètre de 10 m et un poids de plus de 6 000 t. Le séquoia à feuilles d'if ou *redwood*, qui pousse aussi en Californie, est, quant à lui, l'espèce végétale la plus haute au monde (jusqu'à 112 m). Le Grand Bassin du Colorado compte certainement les arbres les plus anciens de la planète, soit les pins à cônes épineux des Rocheuses (qui peuvent vivre jusqu'à 5 000 ans).

En outre, l'Ouest possède de très rares forêts tempérées humides (*northern rain forest*). Les importantes précipitations de la région de l'Olympic Peninsula (État de Washington) ont permis à ces riches et denses forêts de se développer. Au milieu d'une anarchie féconde de fougères et de mousses se dressent des pins de Sitka (jusqu'à 90 m de haut et 7 m de circonférence), des sapins de Douglas, des érables rouges et des thuyas (communément appelés «cèdres»).

◂ Un grand géocoucou (*roadrunner*).
©Dreamstime.com /Ken Canning

▸ Une forêt de séquoias.
©istockphoto.com/Christophe Testi

Emblème de l'Ouest et du désert, le cactus se décline en plus de 1 500 espèces, dont les plus célèbres sont le saguaro (jusqu'à 17 m de hauteur et 10 t, il peut vivre plus de 150 ans et passer deux années sans eau), le cactus tuyaux d'orgue (bouquets hauts de 6 m), l'arbre de Josué (en forme d'arbre torturé, ce yucca peut atteindre plus de 10 m) et le figuier de Barbarie (aux feuilles larges et plates avec épines).

Parfaitement adaptés aux contrées les plus arides, ces cactus sont ingénieusement conçus pour emmagasiner la moindre goutte d'eau. Arborant de magnifiques fleurs au printemps, ils sont recouverts d'épines qui leur servent à contrôler l'évaporation et à éloigner les indésirables.

Les pentes des plus hauts sommets des Rocheuses du Colorado sont, quant à elles, recouvertes d'un tapis floral miniature et délicat. Cette toundra des Rocheuses, où poussent avec une lenteur infinie des fleurs aux noms mélodieux (comme le pinceau indien, le myosotis en coussinet, l'ancolie, le lupin rabougri, l'arnica, la saxigrage des torrents, la renoncule naine et l'androsace petit-jasmin), émeut par sa fragilité, sa finesse et sa joliesse.

Pour les passionnés de la nature, l'Ouest représente une fascinante contrée encore largement sauvage. Le voyageur veillera néanmoins à respecter l'environnement, car l'équilibre des écosystèmes n'en demeure pas moins précaire, et une vigilance de tout instant est nécessaire pour leur préservation.

Des saguaros (*Carnegiea gigantea*).
©istockphoto.com/Christine Glade

Pinceau indien du Wyoming (*Castilleja linariifolia*).
©Angela Cable/Dreamstime.com

LES PARCS NATIONAUX

▲ Affiche du Yellowstone National Park en 1938. ©Library of Congress, Prints and Photographs Division, [POS-WPA-CA.01.Y45, no 1]

Les parcs nationaux des États-Unis, qui ont une vocation à la fois écologique et touristique, ont été généralement aménagés avec le souci de sensibiliser les citoyens et les visiteurs au respect de l'environnement, ce qui présente toutefois d'importants inconvénients et paradoxes.

Jadis, alors qu'ils se donnaient pour objectif premier de garder intacts les écosystèmes, ils avaient, pour attirer et protéger le public, excessivement couvé et favorisé les animaux spectaculaires, tels les bisons et les wapitis, et procédé à l'élimination d'animaux dits «dangereux», comme les loups, les grizzlis, les couguars et les lynx. Or comme les critiques devenaient criantes, les administrateurs des parcs nationaux décidèrent désormais de revoir leur manière de faire.

Les origines

Le légendaire parc de Yellowstone constitue le premier parc national des États-Unis. Il a été fondé en vertu de la loi du 1er mars 1872 adoptée par le Congrès américain, sous le mandat du président Ulysses S. Grant. Cette loi en fit un parc public et une aire de loisirs pour le bénéfice et le plaisir de tous. Afin de protéger et de conserver ce territoire naturel qui couvre à la fois une partie des États du Montana, du Wyoming et de l'Idaho, le parc de Yellowstone sera alors sous la gestion exclusive du Secrétaire de l'Intérieur. S'ensuivirent un mouvement d'instauration et de sensibilisation à l'échelle mondiale et la création de plusieurs parcs et monuments nationaux américains, la plupart sur des terres fédérales de l'Ouest, tandis que d'autres monuments et aires historiques ou naturelles se retrouvèrent sous la houlette du War Department et du Forest Service du ministère de l'Agriculture.

Le XXe siècle

La loi créant le National Park Service fut, quant à elle, adoptée le 25 août 1916, sous la présidence de Woodrow Wilson. Le service des parcs nationaux doit à l'époque gérer 35 parcs et monuments nationaux. Sa mission est alors de protéger les sites, les vestiges historiques, la faune et la flore, et de les laisser intacts pour la jouissance des générations futures.

En 1933, on décide de transférer au National Park Service la gestion de 56 monuments nationaux et sites militaires administrés par le War Department et le Forest Service du ministère de l'Agriculture. C'est ainsi que le service des parcs nationaux développe son réseau, qui comprendra également des sites d'importance historique, paysagère et scientifique. Il sera alors présent dans toutes les régions des États-Unis, pour protéger d'exceptionnelles aires naturelles, historiques et récréatives.

▲ Emblème officiel du National Park Service à l'entrée du Zion National Park. ©Peter Weber/Dreamstime.com

Aujourd'hui

De nos jours, le National Park System of the United States, soit le réseau des parcs nationaux des États-Unis, compte quelque 400 aires à travers le pays et ailleurs dans les possessions américaines. En vertu des lois du Congrès américain, d'autres parcs s'ajouteront au réseau dans les prochaines années. Somme toute, le National Park Service garde le cap sur sa mission de conservation, de récréation et d'éducation tout en jouant d'autres rôles, notamment ceux de gardien des ressources naturelles et de leader mondial dans le développement des réseaux de parcs nationaux.

L'emblème officiel du National Park Service prend la forme d'une pointe de flèche taillée qui évoque les valeurs historiques et archéologiques du réseau. Il arbore un séquoia qui symbolise la flore, un bison pour la faune, ainsi que des montagnes et un lac qui représentent les paysages et les activités de plein air.

Le National Park System accueille plus de 275 millions de visiteurs dans son réseau chaque année. Le National Park Service, quant à lui, compte quelque 20 000 employés et 140 000 bénévoles. Il offre aussi de l'aide aux communautés qui, par exemple, font la restauration des rivières ou aménagent des sentiers, et il fait l'étude de bâtiments, sites et routes historiques afin de les préserver pour la postérité.

Les *rangers*

Les parcs, les sites historiques et les aires récréatives offrent une vaste gamme de responsabilités aux gardes-parcs (*rangers*), facilement reconnaissables à leur uniforme kaki et à leur chapeau rond à larges bords de couleur beige. Les gardes-parcs doivent entre autres veiller à la conservation et à l'utilisation des ressources, et à l'application des lois et règlements dans les parcs nationaux. Sans oublier la prévention et le contrôle des feux de forêt, la protection de la propriété, la diffusion de l'information, la conception de matériel d'interprétation, la mise en valeur des arts populaires et de l'artisanat, les enquêtes sur divers délits, plaintes ou accidents, la recherche et le sauvetage de randonneurs perdus en forêt. De plus, ils exploitent les terrains de camping: ils assignent les emplacements aux campeurs, approvisionnent en bois les grils, fournissent des renseignements aux visiteurs et conduisent des excursions guidées.

▼ Panneau de mise en garde à l'entrée d'un terrain de camping. ©Sascha Burkard/Dreamstime.com

Les bénévoles

Comme dans tous les organismes publics, les bénévoles sont des personnes très importantes. Le bénévolat contribue largement au développement des communautés, organisations et individus. En 2005, 137 000 bénévoles ont donné plus de 5 millions d'heures aux parcs nationaux, ce qui équivaut à une somme d'environ 91 millions de dollars américains. La sélection des bénévoles se fait sans distinction de race, de religion, d'âge, de sexe, d'orientation sexuelle, etc.

Quelques règlements

Ne pas détruire la végétation, c'est-à-dire ne pas couper les arbres pour en faire des structures ou du bois à brûler et ne pas ramasser mousses et lichens pour en faire une base confortable sous la tente.

- Toujours bien éteindre les feux de camp dans les espaces réservés à cet effet.
- Ne pas faire la cueillette d'objets naturels, comme les bois, cornes ou squelettes d'animaux, plantes, cailloux, etc.
- Ne pas rapporter à la maison des objets à caractère historique.
- Toujours faire ses besoins à une bonne distance d'un cours d'eau et de l'emplacement de camping et toujours les enterrer proprement.
- Ne pas laisser de déchets sur place: ne pas les laisser dans les espaces destinés au feu de camp et les rapporter toujours avec soi.
- Toujours bien remiser la nourriture pour ne pas attirer les ours et, en tout temps, ne jamais nourrir les animaux sauvages.
- Ne pas chasser ou tuer un animal, si petit soit-il.
- Ne pas harceler ou déranger la faune.

▲ Pioneertown, ville construite en 1946 dans le désert de Mojave pour servir de décor de film et aujourd'hui abandonnée. *©James Feliciano/Dreamstime.com*

CULTURE ET SOCIÉTÉ

Chacun d'entre nous a été exposé, un jour ou l'autre, à la culture populaire américaine et en connaît les grands thèmes. En effet, rares sont ceux qui ont pu éviter la déferlante impérialiste, quand l'on songe que près de 75% du marché international de l'audiovisuel dans le monde est contrôlé par des entreprises américaines (cinéma et télévision réunis). On ne saurait pourtant réduire cette culture à des images et propos souvent édulcorés et tape-à-l'œil qui exaltent les grands mythes américains grâce, généralement, à de colossaux moyens financiers.

Certes, les États-Unis ont développé une culture de masse largement diffusée sur leur territoire et aux quatre coins du monde, mais cette culture, que l'on a par ailleurs tendance à discréditer trop rapidement, ne représente qu'un faisceau du spectre culturel de cette nation.

De son côté, l'Ouest américain a toujours participé activement à l'évolution et aux orientations des arts et de la culture du pays. Non seulement l'histoire et le développement de l'Ouest ont-ils fortement imprégné les fondements de l'identité nationale et fait naître nombre de mythes qui ont même dépassé les frontières des États-Unis, mais la région, qui continue fièrement de revendiquer son passé, vit aussi un dynamique brassage des populations et des cultures qui en fait un berceau de l'avant-garde culturelle et artistique à l'échelle mondiale.

Tantôt incarnation de la modernité, tantôt empreinte de traditions voire de conservatisme, cette magnifique contrée propose une vie culturelle aux mille facettes.

L'Ouest mythique de la *Frontier*

La conquête de l'Ouest américain, avec l'histoire de ses pionniers, de ses justiciers et de la Ruée vers l'or, a profondément forgé le caractère et les mentalités des citoyens américains. L'immensité et la rudesse des territoires à conquérir et à coloniser auraient, en confrontant l'individu à un environnement plutôt hostile au départ, créé dans l'imagerie populaire les concepts inaliénables d'individualisme, d'égalitarisme, de dépassement de soi par le travail et de démocratie régionale.

L'Ouest a été construit autour de l'idée d'un éden où pourrait naître une société différente qui offrirait aux «hommes courageux et de bonne volonté» la possibilité d'aspirer à la liberté et à une vie nouvelle. La conquête de l'Ouest a donc permis aux États-Unis de se targuer d'avoir une histoire héroïque hors du commun et de s'être bâtis grâce au courage de *self-made men* (fils de leurs œuvres).

Cette image de l'Amérique épique a été sublimée au cinéma dans les westerns. Aujourd'hui encore, le cowboy perpétue cet Ouest idéalisé, en personnifiant l'individu valeureux et solitaire au milieu des grands espaces souvent hostiles. Archétype du héros, ce vacher symbolise le patrimoine et les valeurs fondamentales de la *Frontier* auxquels sont très attachés nombre d'Américains qui les voient comme les derniers retranchements de la «véritable Amérique».

Les ranchs, la musique country, les rodéos et les tenues vestimentaires propres à l'idéal western continuent ainsi d'être très populaires. Par ailleurs, nul ne doit mésestimer l'apport politique et social des «valeurs» de la *Frontier*. S'articulant autour du mythe de l'individu solitaire capable d'assurer sa survie et sa liberté à la force de son courage, s'est développée une grande méfiance (voire une haine) face au politique et au gouvernement fédéral en particulier. On ne saurait oublier que cet Ouest traditionnel est un monde d'hommes, et que son histoire a été intrinsèquement violente.

Si la «véritable Amérique» a été érigée autour de la trilogie nature, cowboys, Amérindiens, on oublie trop souvent le sort tragique et misérable qu'ont subi les Autochtones. La «marche vers l'Ouest» s'est effectivement traduit par un «véritable» génocide des Indiens d'Amérique.

▲ Les grands espaces mythiques de la Monument Valley. ©Sigen/Dreamstime.com

D'abord décimée par les armes à feu et les maladies d'origine européenne, la population autochtone a été par la suite confrontée à une politique d'acculturation et de mise à l'écart (réduction). Si le système des réserves amérindiennes peut à divers égards être critiqué (ghettoïsation et pauvreté), il a néanmoins permis à certaines nations amérindiennes de se perpétuer démographiquement et de préserver une part de leur culture.

Grâce à un long et intense effort politique, éducatif et social de la part des groupes autochtones, on assiste aujourd'hui à une revitalisation de leurs identités, langues et traditions artistiques. L'héritage amérindien (vestiges, architecture d'adobe, artisanat traditionnel, mode de vie communautaire, etc.) est maintenant mis en valeur.

Objet de fierté, la culture des Premières Nations a su ainsi renaître de ses cendres et vit actuellement un véritable essor grâce à la créativité des différentes communautés. On ne saurait toutefois oublier les graves problèmes socioéconomiques, politiques et raciaux auxquels ces nations sont toujours confrontées, tout comme les citoyens d'origine hispanique dont le mythe de l'Ouest nie encore l'héritage historique et culturel.

De l'architecture coloniale espagnole aux quartiers latinos de Los Angeles, l'empreinte hispanique est omniprésente dans l'Ouest américain. Ayant vécu des vagues migratoires constantes depuis le XVIIe siècle, les Hispaniques (principalement d'origine mexicaine) constituent une large part de la population de la région. L'usage de la langue espagnole est si répandu qu'il concurrence sérieusement l'emploi de l'anglais. Que ce soit au niveau de l'architecture, de la cuisine, de la musique et des arts décoratifs, l'influence hispanique est extrêmement importante dans la vie quotidienne de l'Ouest. Si des États comme le Nouveau-Mexique se targue de cet héritage, les Latinos subissent trop souvent le mépris, voire le rejet de la majorité anglo-saxonne.

Non seulement la population hispanique fait-elle l'objet de préjugés et de xénophobie, à cause, entre autres, de sa forte croissance démographique qui inquiète, mais elle connaît aussi de graves problèmes d'iniquités sociales, de pauvreté et d'exploitation. La culture hispanique heureusement ne peut que continuer à s'implanter et à prendre la place qui lui revient comme composante majeure de la société de l'Ouest américain.

Si le mythe fondateur lié à l'aventure de ses pionniers et à la beauté de ses paysages demeure fondamental dans la culture américaine et l'imaginaire collectif universel, il est de plus en plus soumis à une révision historique, moins linéaire, moins symbolique et moins simpliste. On cherche enfin à dénoncer les injustices et à comprendre les différents apports culturels sur lesquels sont véritablement fondés les États-Unis.

Ambiguïtés de l'Ouest contemporain : de l'avant-gardisme au puritanisme

L'Ouest a été le berceau d'importants mouvements culturels révolutionnaires qui ont profondément marqué le XXe siècle.

Les mouvements beatnik et hippie, l'éclosion du féminisme, la révolution sexuelle, la contestation pacifique de Martin Luther King, l'émancipation de la communauté homosexuelle, les Black Panthers sont autant de phénomènes qui ont participé à la création d'une culture postmoderne aux États-Unis. C'est essentiellement en Californie que s'est développée l'avant-garde culturelle des années 1960 et 1970. Dans cet État qui incarne la réussite, le bonheur et les libertés permissives, se concentrent les espoirs les plus fous.

Plateforme culturelle la plus avancée et libertaire des États-Unis, la Californie constitue une véritable mosaïque culturelle dont la vocation créatrice est sou-

▼ Un tram traverse le quartier de Castro, à San Francisco, reconnu pour sa communauté gaie dont le drapeau flotte ici au vent.

vent couronnée de succès phénoménaux. Le fleuron de l'avant-garde dans l'Ouest est sans contredit la délicieuse ville de San Francisco, deuxième pôle culturel des États-Unis, avec ses multiples institutions d'envergure, sa dynamique communauté gay et sa volonté farouche de préserver son patrimoine architectural et son mode de vie.

Cependant, il convient de préciser que la Californie de l'avant-garde, depuis les années 1980, s'est quelque peu assagie et se plie de plus en plus aux règles de la rigueur et de l'économie. L'embourgeoisement prudent du *Golden State*, en quelque sorte victime de son succès, a permis à d'autres centres de création de l'Ouest de prendre leur essor, en particulier les villes de Seattle (Washington), Denver (Colorado), Phoenix (Arizona) et Santa Fe (Nouveau-Mexique).

L'Ouest attire irrésistiblement chaque année des flots de citoyens américains en quête de ce nouvel «art de vivre». La région représente un point de rencontre de différentes cultures où se côtoient divers us et coutumes dont le dénominateur commun réside dans la quête du confort et du bonheur.

Cette vaste région qui est parvenue, même dans ses contrées les plus désertiques, à attirer des millions de jeunes professionnels, artistes et retraités de la Côte Est, a en effet su développer et proposer un cadre et une philosophie de vie des plus séduisants qui marient hédonisme et réussite. Vivre dans l'Ouest ne signifie pas seulement vivre dans un milieu agréable au sein d'un environnement naturel grandiose, mais aussi aspirer et participer au développement d'une culture où l'être humain est en communion avec la nature.

Dans cet Ouest, où la plus grande richesse s'affiche dans une débauche de luxe même si elle côtoie la misère des plus pauvres, et où l'heure n'est plus à la quête d'une société plus juste, pullulent les mouvements religieux, les philosophies spiritualistes et les groupes écologistes. Ce culte de la nature et du bien-

▼ Le City Lights Bookstore de San Francisco, ancien repaire des beatniks. ©Derek E. Baird

être moral des individus s'est d'ailleurs traduit par une véritable vénération de la santé et de la beauté du corps.

Sur la côte du Pacifique, présenter une image corporelle saine, donc nécessairement jeune et mince, est devenu une question de principe! Dans ces contrées chaudes et ensoleillées, pour exposer son corps dénudé, on se modèle et se sculpte grâce à la pratique intensive de l'activité physique, aux régimes draconiens et au bistouri de la chirurgie esthétique.

Si la culture et les valeurs de l'Ouest peuvent s'exprimer sous des formes excessives et superficielles, n'oublions pas que l'hédonisme inspiré de cette région se vit en général de façon plus équilibrée et répond avant tout à la louable nécessité de remettre en cause le stress de la société moderne et d'aspirer à mieux profiter du moment présent.

En revanche, l'Ouest de l'avant-garde, de la liberté, de l'individualisme et des plaisirs terrestres est aussi depuis toujours celui du conservatisme puritain. L'observation stricte des préceptes religieux et d'une morale rigoriste caractérise la vie quotidienne, et influence grandement la vie publique et politique de plusieurs États américains.

Le respect des valeurs austères de diverses confessions chrétiennes basées sur l'apologie de la trilogie Église-famille-travail imprègne les mœurs traditionnelles d'une grande partie de la population, entre autres de l'Utah mormon et des États de la région des Rocheuses-Nord (Northern Rocky Mountain Region). Les grands espaces de l'Ouest et leur éloignement des grandes agglomérations urbaines ont constitué un rempart aux idées libérales subversives.

◄ La Grace Cathedral de San Francisco.
©Can Balcioglu/Dreamstime.com

En règle générale, on assiste aux États-Unis, déjà la plus religieuse de toutes les sociétés modernes (*In God We Trust* proclame le dollar américain), à un retour des valeurs de la droite à partir des années 1970.

Comment comprendre que dans l'Ouest, et particulièrement en Californie, où est née la révolution sociale et culturelle de la seconde moitié du XXe siècle et où sont exaltées les libertés individuelles, revienne en force le conservatisme? La révolution sexuelle, la violence dans les grandes métropoles et l'immigration massive ont bouleversé les valeurs et les certitudes d'une partie de la population qui cherche à recouvrer sa double foi, en Dieu et en l'Amérique, sur laquelle s'est construit entre autres l'Ouest américain.

Il n'est peut-être pas étonnant de constater que cet Ouest pluriel, à la culture complexe et des plus contrastées, a défini en bonne partie les grandes lignes de la culture de masse américaine et qui en produit, à travers Hollywood en particulier, les éléments les plus influents tout en continuant parallèlement d'être le berceau de mouvements artistiques d'avant-garde, marginaux et alternatifs.

En mettant de l'avant les mythes américains, grâce à des moyens financiers, techniques et de distribution considérables, le cinéma et la télévision sont devenus les porte-étendards de la culture américaine à l'étranger (les films américains occupent plus de 50% du temps de projection dans le monde, et près de 70% des feuilletons télévisés diffusés à l'intérieur de l'Union européenne sont américains).

Cette «industrie du rêve» est depuis les années 1920 basée à Hollywood, en Californie, où quelques grands studios centralisent la production cinématographique. Depuis l'essor de la télévision à partir des années 1950, Hollywood se voue autant aux superproductions qu'aux séries et aux émissions de divertissement télévisuelles. On ne saurait négliger le phénomène de convergence entre le cinéma américain, les grandes entreprises multinationales et les importantes chaînes de télévision qui profitent commercialement de la puissance d'évocation du *star system* hollywoodien et de son prestige.

L'invention d'un type de langage cinématographique et la télévision ont participé après la Seconde Guerre mondiale au développement d'une société nationale aux aspirations, aux valeurs et aux goûts qui tendent à l'uniformisation. Or, l'Ouest américain, par les mythes collectifs qu'il pouvait véhiculer, les histoires épiques dont il regorgeait et la beauté grandiose des images qu'il pouvait offrir à l'écran, représentait un sujet d'inspiration en or pour le cinéma hollywoodien qui en a fait l'une des figures emblématiques de l'identité populaire américaine.

L'histoire légendaire de l'Ouest a non seulement inspiré le cinéma américain, mais a même donné naissance à un genre cinématographique unique, le célèbre western. Mais la mythologie de la Conquête n'est qu'une des facettes de l'Ouest parmi tant d'autres que le cinéma au «pays de l'oncle Sam» a su exploiter. Plusieurs réalisateurs ont ainsi mis en scène les coulisses d'Hollywood et de Las Vegas, ces symboles allégoriques des espoirs, du prestige et des excès triviaux de l'Amérique.

Les grands espaces de l'Ouest américain ont fourni non seulement le décor mais aussi le prétexte d'une multitude de films, que ce soit pour traiter des relations entre l'homme et la nature, de l'attrait du désert et ses mystères et surtout des cavales, poursuites et périples (*road movies*). Le gigantisme, le multiculturalisme et la criminalité dans les grandes métropoles (surtout à Los Angeles) participent aussi à la trame de nombreux films qui dépeignent la société urbaine moderne et ses grands mythes.

LES ARTS

Dans l'Ouest comme partout ailleurs aux États-Unis, le XXe siècle fut le fer de lance d'artistes qui ont voulu se démarquer du Vieux Continent, en prenant de nouvelles voies dans leurs disciplines respectives, avec pour résultat d'impressionnantes et innovatrices créations. Les arts, que ce soit la musique, le cinéma, le théâtre, la danse ou l'architecture, se sont alors transformés et revitalisés. De nouveaux styles musicaux, de la danse moderne inventive, du théâtre innovateur extrait des entrailles du pays, la mondialisation des arts visuels, bref, tout cela contribue à une nouvelle scène contemporaine américaine.

▲ Une des salles du Denver Art Museum. ©Steve Crecelius for the Denver Metro Convention & Visitors Bureau

La danse

Au cours des XVIIIe et XIXe siècles, les gens dansent presque exclusivement dans les fêtes familiales ou communautaires. On aperçoit tout de même des danseurs et danseuses dans les manifestations publiques, dans les lieux de divertissement et autres spectacles de danse folklorique. La danse américaine, telle qu'on la conçoit de nos jours, date de la fin du XIXe siècle, alors qu'émergent quelques artistes phares.

Jusqu'au XXe siècle, les danseurs ne se produisent professionnellement que sur les scènes populaires, dans des spectacles de music-hall, de burlesque ou de vaudeville. Les représentations de vaudeville, un théâtre chanté et dansé, comportent des numéros de claquettes, des sketchs, de la danse sociale (*ballroom*), du *skirt dancing* (un ballet de vaudeville où la danseuse dévoile juste assez la jambe sous sa jupe pour retenir l'attention du spectateur) et autres danses artistiques, acrobatiques et ethniques.

Au tournant du XXe siècle, des troupes européennes de ballet classique viennent présenter leurs spectacles aux Américains, qui forment à partir des années 1930 leurs propres compagnies de danse. À la même époque, la danseuse et chorégraphe Isadora Duncan ouvre la voie à la danse moderne américaine, en se libérant des contraintes de la technique classique et en prônant une «danse libre».

Et c'est probablement sur la Côte Ouest que la danse contemporaine s'exprime aujourd'hui de la manière la plus originale en savourant le syncrétisme des genres, renouvelant de cette manière la danse hawaïenne, mariant les traditions chinoises à la danse moderne, revisitant les origines africaines avec des musiques de blues, de jazz, du rap, pour en faire à la fois un art voire un média à portée universelle, et ultimement une expérience théâtrale captivante.

▲ Isadora Duncan. *©Library of Congress, Prints and Photographs Division, [LC-B2-1133-14]*

ISADORA DUNCAN

Isadora Duncan, née à San Francisco le 26 mai 1877, grandit dans un milieu bohème désargenté. Danseuse-née, elle part, à l'âge de 18 ans, avec sa mère pour Chicago puis New York, à la recherche d'un engagement : elle danse dans des comédies musicales et compose ses premiers solos sur des poèmes. En 1900, elle quitte les États-Unis pour l'Europe, où sa danse est accueillie avec enthousiasme. Sa représentation à Londres lui ouvre les portes du milieu. Isadora fait ses débuts officiels à Paris en juin 1903. L'année suivante, on l'invite à danser au festival allemand de Bayreuth. Puis elle achète une villa près de Berlin pour y fonder la première « école de danse libre ». Elle dansera aussi pour la première fois à Moscou et Saint-Pétersbourg. En 1909, le grand duc de Hesse lui offre un palais pour qu'elle y fonde une nouvelle école de danse.

Son mari, Paris Singer, lui donne en 1914 une propriété à Bellevue, pour en faire à la fois une résidence et une école de danse. De nombreuses célébrités fréquentent l'endroit et assistent aux récitals informels des Isadorables. La guerre entrave cependant le développement de l'école. Isadora part en tournée aux États-Unis, où elle prône le soutien aux Alliés à travers sa danse. De retour en France à la fin de 1915, elle poursuit son activité militante. Après la Grande Guerre, Isadora Duncan est contrainte de vendre Bellevue. En 1921, elle accepte d'aller créer une école de danse à Moscou. Malheureusement, l'année 1922 est marquée par une famine : le financement de l'école est interrompu.

Singer ayant mis un terme à leur relation, Isadora Duncan épouse en 1922 le poète russe Sergei Essenine. Lorsqu'elle revient aux États-Unis, elle est perçue comme une « communiste », et le public la rejette. Elle quitte définitivement l'Amérique en 1923 et se réinstalle à Paris. En 1925, elle rejoint son frère Raymond à Nice, où elle ouvre un studio de danse. Son dernier spectacle avant sa mort tragique aura lieu à Paris, le 8 juillet 1927. Deux mois plus tard, le 14 septembre, elle meurt étranglée : son écharpe s'est enroulée autour d'une des roues de son automobile.

▲ «Hollywood», dans le quartier du même nom, à Los Angeles. ©Dreamstime.com/Danbreckwoldt

Le cinéma

Au début du XXe siècle, des immigrants européens aident à mettre sur pied l'industrie cinématographique aux États-Unis. En quelques années, certains d'entre eux, comme Samuel Goldwyn et Louis B. Mayer, se retrouvent à la tête de grands studios de cinéma, situés à Hollywood, dans l'agglomération de Los Angeles.

Dans les années 1930 et 1940, période de l'âge d'or d'Hollywood, les studios produisent quelque 400 films par année, et plus de 90 millions d'Américains fréquentent les salles de cinéma chaque semaine. Les compagnies qui ont été créées par ces studios ont alors le monopole sur l'industrie: elles comptent des milliers de salariés et possèdent des centaines de salles dans les petites et grandes villes américaines où sont présentés les films de leur production.

L'après-guerre annonce une forte baisse dans le monde du cinéma, en raison de l'invention de la télévision et d'une loi antitrust imposant la séparation de la production et de la distribution. Hollywood souhaite dès lors se démarquer de la télévision en produisant des films à gros budget.

L'industrie cinématographique américaine connaît une renaissance formidable à la fin des années 1960, car, avec l'avènement de la contre-culture, les grands studios n'ont pas le choix de diversifier leurs produits, leur clientèle s'étant renouvelée depuis le début du *baby-boom*. Cet esprit d'invention cinématographique durera jusque dans les années 1980. Depuis ont surgi de nouveaux studios, plus petits et semi-indépendants, spécialisés dans la production et la distribution de films d'avant-garde à la fois rentables et de haut niveau artistique, comme le furent les films incontournables des 40 dernières années.

▲ Affiche du film *The Great Train Robbery*. ©Library of Congress, Prints and Photographs Division, [LC-USZ62-13506]

LES WESTERNS

Les westerns, ces films à large déploiement qui mettent en vedette cowboys et Amérindiens, sont souvent inspirés d'événements qui se sont passés dans l'Ouest américain au cours de la seconde moitié du XIXe siècle, surtout entre 1860 et 1890. Parmi les principaux thèmes des westerns figurent bien sûr la conquête de l'Ouest, ainsi que la lutte pour les terres, l'arrivée des pionniers et colons, l'établissement de la loi et la justice, les frontières, entre autres.

Le *Vol du grand rapide*, aussi connu sous le titre *L'Attaque du grand train* (*The Great Train Robbery*) est considéré comme le premier western américain et a été réalisé par Edwin S. Porter en 1903. Un western considéré comme historique est *Le cheval de fer* (1924), de John Ford, l'un des grands maîtres du western.

De nombreux westerns mythiques sont devenus des classiques du genre, tels ceux où l'on voit John Wayne déambulant à cheval dans les magnifiques espaces de la Monument Valley ou les acteurs légendaires comme Henry Fonda ou Richard Widmark. Deux autres fameux cowboys de westerns ont pour nom Gary Cooper et James Stewart.

▲ Louis Armstrong. *©Library of Congress, Prints and Photographs Division, [cph 3c27236]*

La littérature

Les légendes, contes, chansons et mythes des cowboys et des Amérindiens, tous issus de la tradition orale, figurent parmi les balbutiements de la littérature américaine. Les premiers véritables écrits, que font les colons et les pionniers, concernent l'abc de leur établissement dans le Nouveau Monde, et leur rêve d'y prospérer.

Le «Siècle des lumières» aux États-Unis sera marqué par un mouvement mettant l'accent sur la rationalité plutôt que sur les traditions, sur la curiosité scientifique plutôt que sur les dogmes religieux, sur un gouvernement représentatif plutôt que sur la monarchie. Les penseurs et écrivains, entre autres Benjamin Franklin, se dévouent alors aux idéaux de justice, de liberté et aux droits naturels de l'être humain. Coïncidant avec la période d'expansion du pays et la découverte d'une voix propre à l'Amérique, le mouvement romantique atteint les États-Unis vers les années 1820. Les écrits de Ralph Waldo Emerson et de Henry David Thoreau en sont empreints, mettant de l'avant l'identité nationale ainsi que l'idéalisme et la passion émergeant du romantisme. À partir du milieu du XIXe siècle, la littérature américaine voit se développer une prose caractéristique de cette période d'industrialisation et d'aliénation: les romans, récits et nouvelles dépeignent les dommages causés par le «capitalisme sauvage» sur l'individu.

Entre les deux guerres, de grands auteurs se font connaître par leur façon si particulière de décrire la réalité, entre autres les Prix Nobel de littérature Ernest Hemingway, William Faulkner et John Steinbeck, ainsi que F. Scott Fitzgerald, tous des écrivains dont les œuvres sont encore lues aujourd'hui d'une manière assidue.

La musique

Le blues est issu des chants d'une grande tristesse, de ces mélopées à la fois tragiques et si belles des esclaves noirs qui travaillaient dans les champs de coton du Sud. Plusieurs années après l'abolition de l'esclavage, il se fait connaître dans les États du Nord, alors que beaucoup des descendants de ces esclaves viennent s'y installer dans les années 1930 et 1940. Par ailleurs, dès les années 1920, le blues devient un style dont on voit apparaître peu à peu les canevas qu'adoptent avec plaisir les musiciens de jazz.

▲ Jack London. *©Library of Congress, Prints and Photographs Division, [LC-DIG-ggbain-00676]*

DE JACK LONDON À JOHN STEINBECK

Jack London, de son vrai nom John Griffith Chaney, est né à San Francisco en 1876. Son enfance est misérable, et il travaille très tôt en usine. L'aventure l'appellera assez tôt : il est mousse sur un bateau, chasseur de phoques, participe à la ruée vers l'or du Klondike au Yukon, d'où il revient ruiné et affaibli.

Il connaît le succès à 24 ans avec son premier livre : *Le fils du Loup*. Il est surnommé le «Kipling du froid». Il enchaîne ensuite les succès littéraires : *L'appel de la forêt*, *Croc-Blanc*... Ses œuvres bouleversantes amènent à réfléchir aux faiblesses et aux forces de l'humanité, à la sagesse animale, à la beauté et la cruauté de la nature.

Il gardait toutefois grand espoir en la nature humaine. Dans son œuvre, la nature est magnifiée, puissante, au-dessus de tout. Malgré le sentiment de liberté qu'on ressent en lisant ses livres, Jack London connaît une vie tourmentée, l'endettement, l'alcoolisme, et se suicide en 1916, à Glen Allen, dans sa Californie natale.

John Steinbeck, né à Salinas en 1902, est un écrivain et romancier du milieu du XXe siècle dont les romans décrivent souvent sa Californie natale. Au début des années 1930, il publie quelques livres, puis commence à recueillir de l'information sur les syndicats fermiers.

Tortilla Flat, écrit en 1935, lui vaudra son premier prix littéraire, la médaille d'or du Commonwealth Club of California. Cette histoire humoristique lui assure le succès. Avec *Des souris et des hommes*, publié en 1936, ses œuvres deviennent plus sérieuses. Il obtient le New York Drama Critics Award pour cette pièce de théâtre.

En 1939, il publie *Les Raisins de la colère*, qu'il considère comme son meilleur livre. Néanmoins, il estime que son ouvrage est trop révolutionnaire pour connaître le succès. Mais au contraire, son œuvre sera largement diffusée. Malgré tout, le livre est interdit dans plusieurs villes de la Californie. En 1940, lorsque le roman est adapté au cinéma, Steinbeck reçoit le Prix Pulitzer.

En 1962, il écrit *L'Hiver de notre mécontentement* en espérant « revenir en arrière de presque 15 ans et recommencer à l'intersection où il avait mal tourné ». Il est alors déprimé et estime que la célébrité l'a détourné « des vraies choses ». Il reçoit le prix Nobel de littérature en 1962. Après un autre voyage en Europe en 1963, il obtient la Médaille de la Liberté des États-Unis en 1964. Il meurt d'artériosclérose à New York, le 20 décembre 1968.

▼ John Steinbeck. ©istockphoto.com/ray roper

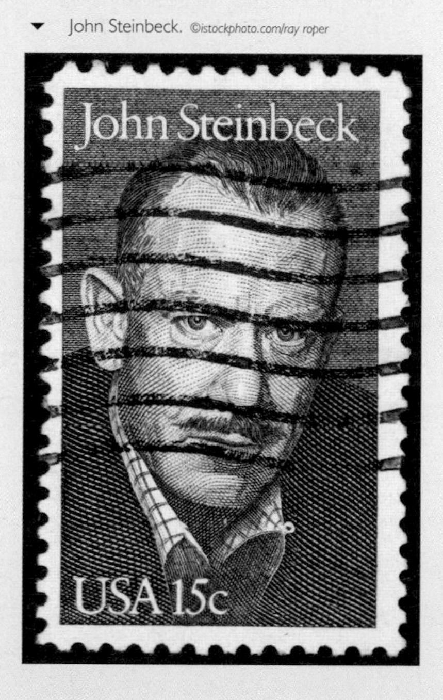

Comme Louis Armstrong, le jazz, création typiquement américaine comme le blues, est né à La Nouvelle-Orléans au début du XXe siècle, mariant le ragtime, le chant des esclaves et les orchestres de cuivres. Ce genre populaire domine aux États-Unis entre les années 1920 et les années 1940. Le rhythm-and-blues, un mélange de jazz, de musique noire et de textes, connaît sa belle époque entre la fin des années 1940 et le début des années 1960. Cette période est également celle du West Coast Jazz, davantage joué par des musiciens blancs. La raison en est que les artistes blancs de New York ou d'ailleurs, sachant qu'il était à l'époque difficile pour un musicien noir de trouver un emploi dans l'industrie cinématographique, émigrèrent en Californie avec la perspective d'être engagés par les studios d'Hollywood.

La fusion du rhythm-and-blues et des musiques country et western au milieu des années 1950 mène à la naissance du rock-and-roll, avec Elvis Presley, entre autres. Suit l'éclosion de la musique folk au début des années 1960, avec notamment Bob Dylan. Depuis les années 1970 surgissent des dizaines de styles musicaux populaires s'apparentant au rock.

La musique classique, quant à elle, fait son apparition aux États-Unis au tournant du XXe siècle. Remaniée par de grands compositeurs tels que George Gershwin dans les années 1920, elle s'est aujourd'hui popularisée: la musique classique américaine est devenue un genre en soi.

Les arts visuels

Dès le XIXe siècle, l'Ouest américain est une formidable et inépuisable source d'inspiration pour les artistes, qu'ils soient peintres ou illustrateurs : héros des Premières Nations, paysages à couper le souffle, chevaux et bisons sauvages, scènes pittoresques mêlant moments historiques et récits imaginaires. C'est ce que l'on appelle l'«art western». Dans les années 1830, des illustrateurs scientifiques accompagnent les expéditions colonisatrices. Certains, malgré leur désir de reproduire le plus fidèlement possible un environnement encore inconnu pour les besoins de la science, développent une vision plus romantique. George Catlin (1796-1872) offre par exemple un regard original sur les Amérindiens. D'autres peignent des scènes d'un mysticisme tragique, pour commenter à leur façon le génocide dont sont victimes les nations autochtones, avec des paysages grandioses, des ciels tourmentés, aux couleurs surnaturelles. Le Far West est une terre bénie pour les illustrateurs. Couvertures de magazines et affiches publicitaires peuvent s'abreuver sans fin à l'intensité dramatique qui émane de ces territoires sauvages, de la vie des Autochtones, des mésaventures des conquérants.

Aujourd'hui, les artistes américains de toute allégeance ne se confinent plus dans une seule école, un seul style ou un seul support. La mondialisation des marchés, les moyens de communication et la liberté de voyager contribuent tous désormais à faire de l'art un concept qui se fond dans un monde sans frontières.

L'architecture

L'architecture aux États-Unis est issue d'un métissage de traditions et de variations de styles. Quand les premiers Européens mettent le pied sur le continent,

▸ Tableau de George Catlin. *©George Catlin, Wilkes-Barre 1796 - Jersey City 1872, Portrait de Nuage blanc, chef des Iowas, 1830-1870, Huile sur toile, 70.5 cm x 58 cm, Paul Mellon Collection, National Gallery of Art, Washington D.C., © The Yorck Project*

les Autochtones ont déjà leurs traditions architecturales, que ce soit les *pueblos* (maisons juxtaposées en pierre chez les Hopis ou en adobe dans la vallée du Rio Grande), le *hogan* (maison traditionnelle des Navajos), la maison longue (chez les Iroquois) et le tipi (chez les Amérindiens des Plaines).

Le XIXe siècle connaît, quant à lui, un extraordinaire taux d'urbanisation. Surgissent alors différents comtés, avec d'élégants pâtés de maisons en rangée, des immeubles multifamiliaux et autres logements. Puis arrive une grande innovation : le gratte-ciel, qui transforme le quartier des affaires des grandes villes à partir de la fin du XIXe siècle. Dans les années 1930, les architectes européens ayant immigré aux États-Unis avant la Seconde Guerre mondiale développent le style international : une tendance résolument moderniste qui recherche le dépouillement dans la décoration.

Au cours des années 1950, les gratte-ciel atteignent de nouveaux sommets, arborent une vaste palette de couleurs et affichent des motifs ornementaux. Puis dans les années 1980, le style international fait lentement place à l'architecture postmoderne. Ces dernières années, le recyclage et la reconversion des bâtiments anciens sont devenus courants. Une nouvelle génération d'architectes intègre désormais des éléments nouveaux à ces édifices.

Les *Painted Ladies* de San Francisco.

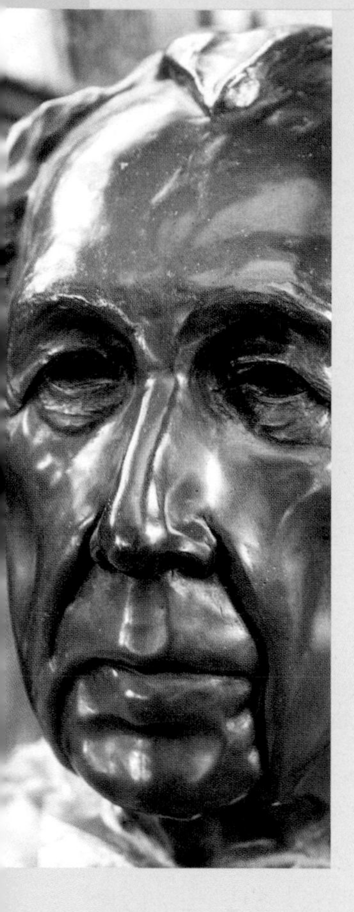

◀ Bronze de Frank Lloyd Wright. ©Steve Minor

L'ARIZONA DE FRANK LLOYD WRIGHT

Frank Lloyd Wright est né le 8 juin 1867 dans la petite ville de Richland Center, dans l'État du Wisconsin, dont les vertes collines des alentours l'auraient inspiré dans son travail tout au long de sa vie. La région de Phoenix fut le lieu de résidence de cet homme que beaucoup tiennent pour le plus grand architecte des États-Unis, qui, entre 1937 et 1959, passait tous ses hivers à Scottsdale, en banlieue de la capitale de l'Arizona, dans sa désormais célèbre demeure baptisée *Taliesin West*. Wright, qu'accompagnait sa famille, s'était pour la première fois rendu dans le sud-ouest des États-Unis à l'hiver de 1928, pour travailler à la conception de l'Arizona Biltmore Hotel. L'année suivante, il élabora un campement dans le désert, *Ocatilla*, où il dessina le San Marcos-in-the-Desert Hotel, qui connut malheureusement un triste sort.

Après la création du Taliesin Fellowship, en 1932, Wright décida de revenir dans la région année après année. C'est ainsi qu'à compter de 1937 il entreprit la construction de ses quartiers d'hiver permanents, *Taliesin West*, au pied des monts McDowell, dans le secteur aujourd'hui connu sous le nom de « Scottsdale ». Il utilisa pour ce faire ce qu'il appelait le « béton du désert », soit un mélange de sable, de pierre et de ciment. Sa demeure conserve à ce jour sa facture classique et s'impose d'emblée comme un modèle de structure et d'esthétisme. Il l'a en outre dotée, une première, d'espaces ouverts créant une impression de grande fluidité, et c'est là qu'il mit à l'épreuve nombre de ses innovations conceptuelles, de ses idées structurales et des techniques de construction qu'il appliqua ensuite à d'autres bâtiments. À cette époque, *Taliesin West* se trouvait à 42 km de Phoenix et offrait aussi bien les avantages que les désavantages de la vie dans le désert.

Wright mourut à Phoenix le 9 avril 1959, à l'âge de 91 ans, et depuis son décès, sa propriété a été transformée en école d'architecture, ouverte aux visiteurs.

▲ Raisins de la Willamette Valley, dans l'Oregon. ©Rachell Coe/Dreamstime.com

LA RUÉE VITICOLE DE L'OUEST

Étonnamment, tous les États américains, Alaska inclus, produisent du vin. D'ailleurs, de nombreux États de l'Ouest américain ont créé des «routes des vins» (*wine trails*) pour attirer amateurs et connaisseurs. Ici, ce sont surtout la Californie, l'État de Washington et l'Oregon qui ont séduit les grands producteurs, réputés pour leurs labels de qualité.

Les *American Viticultural Areas*, ou *AVAs*, sont reconnus par le gouvernement fédéral comme des régions viticoles ayant des particularités géographiques, climatiques et historiques uniques. Le nom des *AVAs* et celui du comté ou de l'État où est produit le vin peuvent à la fois se lire sur l'étiquette de la bouteille de vin, pour en indiquer la provenance ou l'appellation (par exemple Woodbridge, dans la San Joaquin Valley, a donné son nom au vin produit avec le raisin récolté dans la région).

▲ Un vignoble de la Napa Valley. ©istockphoto.com/Andrew Zarivny

La Californie

La Californie est le plus important producteur de vins aux États-Unis. Elle compte cinq grandes régions viticoles: la North Coast, qui comprend entre autres les vallées de Napa et de Sonoma ainsi que Mendocino; la Central Coast, où se trouvent notamment Monterey et la (San Francisco) Bay Area; les Sierra Foothills, que couvrent les comtés de Calaveras et d'El Dorado; la South Coast, où sont situées les villes de Los Angeles et de San Diego; et la Central Valley, qui renferme les petites villes voisines de Lodi et de Woodbridge.

Ce vaste État, avec ses vignobles disséminés judicieusement sur de petites collines ondoyantes et son doux climat ensoleillé, draine aujourd'hui un flux important d'amateurs et de professionnels venus expressément pour y visiter des établissements vinicoles et surtout pour y goûter les élixirs, couronnés de nombreux prix internationaux, qui y sont concoctés.

La viticulture possède une longue histoire en Californie, qui n'est pas sur le point de se terminer, bien au contraire. Celle-ci commence en 1769, alors que le père franciscain Junípero Serra, dont le groupe

▲ Dégustation de vin chez le vigneron.
©visityakimavalley.org

de religieux établira 21 missions le long de la côte californienne, plante des vignes à la Mission San Diego de Alcala, première mission en sol californien et surnommée par conséquent *Mother of the Missions*. Puis, à l'automne 1772, les raisins sont récoltés et pressés, pour en faire la première cuvée californienne… et un excellent vin de messe!

L'apport des nouveaux arrivants, entre autres italiens et allemands, aux XIXe et XXe siècles, aidera la Californie à ériger son industrie vinicole. Aujourd'hui, la plupart des comtés du *Golden State* recèle des vignobles sur leur territoire. Plus de 90% des vins américains seraient produits en Californie.

La réputation des vins californiens fait suite au Jugement de Paris (ou Dégustation de 1976), alors qu'un concours est organisé par un marchand de vin britannique et une Américaine. La dégustation se fit à l'aveugle, rassemblant des vins français et californiens. À la surprise générale, les vins de Californie l'emportèrent sur les vins de France, rouges et blancs.

L'État de Washington

La plupart des vignobles de l'État de Washington se trouvent du côté est de la chaîne des Cascades, dans quatre grandes régions viticoles: la Yakima Valley, Walla Walla, Spokane et la Columbia River Gorge. À l'ouest de la chaîne des Cascades, en direction de l'océan Pacifique, des établissements vinicoles ponctuent cinq autres petites régions: l'Olympic Peninsula, les îles du Puget Sound, la région de Woodinville ainsi que les régions voisines d'Olympia et de Seattle. Chacune d'elles produit, grâce à un sol et à un climat particuliers, des vins de différents cépages.

Les premières vignes ont été plantées dans l'État de Washington en 1825. Parmi les colons et les immigrants européens qui s'établissent ici, plusieurs se feront vignerons. Puis dès 1910, on déniche des vignobles dans presque toutes les régions de l'État. Alors qu'au début du XXe siècle différentes variétés de cépages d'Italie et d'Allemagne pullulent dans les vallées de Yakima et de Columbia, on découvre le potentiel vinicole de l'est de l'État: irrigation à grande échelle, riche sol d'origine volcanique et climat ensoleillé.

Les grands vignobles de l'État de Washington furent créés dans les années 1960, sous la houlette de petits producteurs qui s'étaient déjà installés dans les régions viticoles. Puis, dès le milieu des années 1970, l'industrie vinicole se développa rapidement, pour aujourd'hui faire de l'État de Washington le plus important producteur de raisin à vin après la Californie.

Ces dernières années, l'industrie vinicole est devenue le secteur agricole qui s'est développé le plus rapidement dans l'État de Washington, où le nombre de vignobles a augmenté de 400%. D'ailleurs, quelque deux millions de personnes visitent annuellement les établissements vinicoles de cet État.

L'Oregon

Autour de 1880, les colons qui s'étaient établis dans la vallée d'Umpqua, dans le sud de l'Oregon, furent les premiers à cultiver la vigne et à produire le vin. Cent ans plus tard, l'industrie vinicole de l'État d'Oregon est née, et elle se porte très bien aujourd'hui.

En 1961, Richard Sommer, diplômé de l'université de Californie à Davis, se fit vigneron et se rendit dans la vallée d'Umpqua pour planter des cépages de riesling et autres variétés. Son vignoble, Hillcrest Vineyards, situé près de la ville de Roseburg, connut tellement un vif succès

▲ La vallée de Willamette. ©istockphoto.com/Niko Vujevic

que plusieurs producteurs vinrent s'installer dans cette région agricole chaude et sèche. Dans la foulée, l'Oregon Winegrowers Association vit le jour dans les environs en 1969.

Par ailleurs, trois autres diplômés de l'université de Californie à Davis se rendirent plus au nord, dans la vallée de Willamette, entre 1965 et 1968, pour cultiver des variétés de cépages de qualité supérieure adaptés au climat frais. C'est ainsi que David Lett, Charles Coury et Dick Erath établirent des vignobles dans la North Willamette Valley. Dans les années qui suivirent, d'autres pionniers de l'industrie vinicole de l'Oregon leur emboîtèrent le pas, pour s'installer dans cette région.

Leur acharnement à produire des vins de qualité supérieure fut couronné en 1979: David Lett présenta son Oregon Pinot Noir aux «Olympiades GaultMillau du Vin», en France, et remporta les honneurs pour les qualités de son pinot noir, devant les meilleurs labels français. Depuis, l'État d'Oregon demeure une grande région viticole, sur le plan national et même international.

▶ En route vers Monument Valley.
(double page suivante) ©istockphoto.com/Jeremy Edwards

Index

Liste des encadrés

Nos coordonnées

Nos bureaux

Canada: Guides de voyage Ulysse, 4176, rue Saint-Denis, Montréal (Québec) H2W 2M5, ☎ 514-843-9447, fax: 514-843-9448, info@ulysse.ca, www.guidesulysse.com
Europe: Guides de voyage Ulysse sarl, 127, rue Amelot, 75011 Paris, France, ☎ 01 43 38 89 50, voyage@ulysse.ca, www.guidesulysse.com

Nos distributeurs

Canada: Guides de voyage Ulysse, 4176, rue Saint-Denis, Montréal (Québec) H2W 2M5, ☎ 514-843-9882, poste 2232, fax: 514-843-9448, info@ulysse.ca, www.guidesulysse.com
Belgique: Interforum Benelux, Fond Jean-Pâques, 6, 1348 Louvain-la-Neuve, ☎ 010 42 03 30, fax: 010 42 03 52
France: Interforum, 3, allée de la Seine, 94854 Ivry-sur-Seine Cedex, ☎ 01 49 59 10 10, fax: 01 49 59 10 72
Suisse: Interforum Suisse, ☎ (26) 460 80 60, fax: (26) 460 80 68

Pour tout autre pays, contactez les Guides de voyage Ulysse (Montréal).